子どもの学びと向き合う

医療スタッフのための
LD 診療・支援入門

[改訂第2版]

監修｜玉井　浩　大阪医科薬科大学小児科名誉教授
　　　　　　　　大阪医科薬科大学小児高次脳機能研究所・LDセンター顧問

編集｜若宮英司　藍野大学医療保健学部看護学科

診断と治療社

改訂第2版　監修の序

　医療と教育，福祉の狭間に取り残された学習障害（LD）の子どもに医療からの光を当ててきた本書の初版は2016年に発行されましたが，その後反響も大きく，認知科学の進歩，ICTを取り入れた学習支援の進歩も著しいため，今回改訂第2版を発行することになりました．

　発達障害診療のなかでも，医療者が取り組みにくいLDの診療には，教育関係者との連携や，言語聴覚士，作業療法士など学習技能に直結する分野の専門家との連携を必要としています．

　医療者がこのLD診療でキーパーソンである理由は，単に自閉スペクトラム症（ASD）や投薬を必要とする注意欠如・多動症（ADHD）との併存が存在しうるという理由だけではなく，その子どもが診断のもとに今後の人生の方向性が決まってしまうほどの岐路に立っているからです．

　医療スタッフのために検討された本書の構成は，多くのケースとQ&Aを提示しているため，分かりやすく，教育関係者にも読んでいただきたいと考えています．

　今では，LDは教育の問題であって，医療の問題ではないといいきる医療者は少なくなっていますが，教育者と医療者の間で意見が違って，どうすればいいか困惑している保護者はまだまだ多くいます．こういった家族がなくなるように，そして結果的に子どもたちが適切な支援に行き着くように願って本書を世に送り出したいと思います．

2022年9月

大阪医科薬科大学小児科名誉教授
大阪医科薬科大学小児高次脳機能研究所・LDセンター顧問
玉井　浩

初版　監修の序

　医療と教育，福祉の狭間で取り残されている学習障害（LD）児に医療からの光を当て，診療への新しい切り口を開く本書は，大変意欲的なガイドブックに仕上がっているものです．

　これまで医療は治療法のある疾患には，症状，検査，鑑別診断，そして治療に至るまで医療体系がしっかり整備されていますが，まだ治療法のないものに対しては症状と病名のみの記載にとどまっていることが多く，正確な診断がなされていないばかりか，その誤った診断をもとにした指導がされている可能性もあります．これは多くの医師が学生時代には学習してこなかった領域であり，卒業後も学習する機会もなく自分たちの領域ではないと思っていたからです．

　一方で，認知科学の進歩はめざましく，発達性ディスレクシアを含む学習障害についても，新しい知見が見出されています．しかし，診断基準，疾病分類が複数存在し，用語の混乱も加わって，LDは混沌としたまま放置されていたのが現状です．

　本書は，認知の知識をベースにLDの症状からはじまって，診断，検査の実際，支援プログラム，学習環境，家庭生活への支援のあり方まで述べていて，この分野ではこのような成書はまったくなかったものです．医療スタッフにとっては，聞きたいことだが，どこに／だれに聞いたらいいかわからなかったことが本書には盛り込まれています．ぜひ多くの医療関係者に手に取っていただきたいと思います．

2016年4月

大阪医科大学小児科／LDセンター長

玉井　浩

編集の序

　今回，第2版を世に出す運びになり，子どもの学習の悩みに対して多様な領域の支援が必要との思いが広く受け入れられたことを喜びつつ，初版に対する読者の皆様の支持に感謝いたします．
　今版では，各項の刷新に加え，日本版が未発表のため英語表記になりましたがICD-11の内容について触れ，教育現場へのICTの浸透を踏まえて相応する項目を付け加えました．
　引き続き本書が皆様の実践のお役に立つことを祈っております．
　2022年9月

藍野大学医療保健学部看護学科
若宮英司

■ 初版　編集の序

　医療に携わるものにとって「学習障害」は馴染みがうすい障害です．「ADHDやASDなら知っているし，実際に診療している．学習障害？　名前は知っているけれど，内容はよくわからない．そもそも学習障害は学校が対処すべき問題で，医療は関係ない」というのが一般的な感想ではないでしょうか．他の発達障害に比べて病態に関する知見が少ない，使われる用語が認知に関するものでわかりにくい，知的障害やASDの症状を学習障害と呼ぶ混乱がみられたなど，学習障害の理解を阻む状況が長いあいだ続いたことが，医療関係者の学習障害に消極的な姿勢につながったかもしれません．
　幸い（？）クリニックで学習の問題の相談を受けることはあまりないかもしれません．ADHDやASDなどの診療中に「何か困っていることはないですか？」と問いかけると，本人や保護者の頭の中には「学習の悩み」が浮かんでも，一般的に学習の話題はクリニックの場にふさわしくないという暗黙の了解のもと，スルーされてしまいます．もし「勉強のことでお困りではありませんか？」と突っ込んで尋ねたら，「とても困っています」という答えが返ってくることは少なくないはずです．
　最近になって，学習障害の概念がわかりやすく整理されてきたこと，わが国でも学習技能を客観的数値として測定できるツールが出てきたことなど，学習障害の診療環境が整ってきています．学習は子どもの成長過程でかなり大きなウェイトを占めています．単に成績のよし悪しではなく，学校適応や成人後の生活に直接大きな影響を及ぼします．学習の悩みに医療の立場から応えることができれば，それも子どもの健やかな成長の手助けのひとつではないでしょうか？
　一般的には発達障害の診断を前提として，診断名から学習困難を理解しようとすることが多いのですが，そうすると関連性に矛盾が生じ，よくわからなくなってしまいがちです．いったん，診断名と距離をおいて，機能単位，たとえば「文字と音韻の関係性」や「上肢の巧緻性」から学習の問題を考えると理解しやすく，理解を進めていくうちに診断との関係がわかってきます．
　本書は，医療関係者の学習の問題点への「取っつきにくさ」を少なくしたいという考えのもとに編まれています．子どもたちに医療が手を差し伸べる領域がひとつ増えることを祈って．
　2016年4月

藍野大学医療保健学部看護学科
若宮英司

CONTENTS

- 改訂第2版　監修の序 ……………………………………………………… 玉井　浩　iii
- 初版　監修の序 …………………………………………………………… 玉井　浩　iv
- 編集の序 …………………………………………………………………… 若宮英司　v
- 執筆者一覧 ………………………………………………………………………………… ix
- 本書の用語について ……………………………………………………………………… x

第1章　LDとは
- A ▶ 診断基準と定義 …………………………………………………… 若宮英司　2
- B ▶ 視覚関連機能，協調運動，注意集中が学習に及ぼす影響 ……………… 若宮英司　6
- C ▶ ID，ADHD，ASDと学習 ……………………………………… 柳生一自，岩田みちる　11
- D ▶ 言語障害と学習 …………………………………………… 永安　香，福井美保　16
- E ▶ 脳の発達と脳機能 ………………………………………………… 関あゆみ　20
- F ▶ 合理的配慮について ………………………………………………… 竹下　盛　26

第2章　LDの具体的症状と診断・検査の実際
- A ▶ 読字・書字障害の特徴 ……………………………………………… 関あゆみ　32
- B ▶ 算数障害 ……………………………………………… 若宮英司，栗本奈緒子　36
- C ▶ 診察の実際 ………………………………………………………… 若宮英司　41
- D ▶ 協調運動の診察 …………………………………………………… 柏木　充　45
- E ▶ 聴力に関する訴えと言語障害の診察 ……………………… 福井美保，永安　香　51
- F ▶ 視覚関連の機能に関する訴えの聞き取り方と症状の整理 ……… 奥村智人，三浦朋子　54
- G ▶ 診断年齢別の対応のポイント ………………………………………… 田中啓子　57
- H ▶ 本書における各検査のカテゴリーと位置づけ ………………… 奥村智人，三浦朋子　60
- I ▶ ICTの活用について—実際の機器について— ……………………… 竹下　盛　66

Q&A
- **Q1** 保護者から「言葉の発達が遅いことが心配だ」と相談を受けました．どのように対処すればよいでしょうか ………………………………………… 田中啓子　70
- **Q2** 保護者から「子どもがLDではないか」と相談を受けました．どのように対処すればよいでしょうか ………………………………………… 田中啓子　70
- **Q3** 発達障害で受診している子どもの保護者から，学習面の相談を受けました．どのように対処すればよいでしょうか ………………………………… 島川修一　71

Q4	学習困難の評価に関する紹介先の選択のポイントについて教えてください ‥ 若宮英司	71
Q5	子どもの学習困難を母親以外の家族（父，祖父母，きょうだい）が理解しないという相談への対応方法を教えてください ‥‥‥‥‥‥‥‥‥‥‥‥ 中尾亮太	72
Q6	保護者が子どもの学習困難を学校に相談する際の医療者の役割を教えてください．診断を伝えてその子どもが不利になることはないでしょうか ‥‥ 中尾亮太	72
Q7	投薬の適応と効果的な使い方について教えてください ‥‥‥‥‥‥‥‥‥ 島川修一	73

第3章　LDの子どもの支援プログラム

A ▶ 大阪医科薬科大学LDセンターでの取り組み ‥‥‥‥‥‥‥‥‥‥‥‥ 栗本奈緒子　76

CASE

CASE 1	幼児期より，読みの弱さを疑われていたAくん ‥‥‥‥‥‥‥‥ 竹下　盛	82
CASE 2	小学校入学後に，担任に読みの困難を指摘されたBくん ‥‥‥‥ 栗本奈緒子	87
CASE 3	視覚認知に弱さがあり，漢字書字の習得がむずかしかったCくん ‥ 水田めぐみ	91
CASE 4	意味理解に弱さがあり，正しい漢字が書けなかったDくん ‥‥‥ 水田めぐみ	96
CASE 5	読み書きの弱さが主訴で言語の弱さがあったEくん ‥‥‥‥‥‥ 栗本奈緒子	101
CASE 6	文章問題や長文読解が困難だったFくん ‥‥‥‥‥‥‥‥‥‥‥ 水田めぐみ	105
CASE 7	数概念の弱さから計算に困難があったGちゃん ‥‥‥‥‥‥‥‥ 栗本奈緒子	111
CASE 8	文章問題理解に弱さのあったHくん ‥‥‥‥‥‥‥‥‥‥‥‥‥ 竹下　盛	117
CASE 9	学習困難を主訴として受診した中学生Iさん ‥‥‥‥‥‥‥‥‥ 栗本奈緒子	121
CASE 10	視写が苦手であったJちゃん ‥‥‥‥‥‥‥‥‥ 三浦朋子，奥村智人	126
CASE 11	形を捉えることが苦手であったKちゃん ‥‥‥‥‥‥ 三浦朋子，奥村智人	129
CASE 12	姿勢保持や机上操作が苦手であったLくん ‥‥‥‥‥‥‥‥‥‥ 芳本有里子	132
CASE 13	ADHD（不注意優勢）による学習困難のあったMくん ‥‥‥‥‥ 栗本奈緒子	135
CASE 14	ASDにより文章表現に困難のあったNくん ‥‥‥‥‥‥‥‥‥‥ 竹下　盛	139
CASE 15	読み書きの弱さに対しICTの活用が有効だったOくん ‥‥‥‥‥ 竹下　盛	143

▶ COLUMN　発達障害の特性を考慮した学習指導について ‥‥‥‥‥‥‥‥‥ 水田めぐみ　148

第4章　家庭生活・学習環境づくりと学校生活における支援

A ▶ 子どもとの接し方 ‥‥‥‥‥‥‥‥‥‥‥‥‥‥‥‥‥‥‥‥‥‥‥‥ 金　泰子	152
B ▶ 二次障害への対応 ‥‥‥‥‥‥‥‥‥‥‥‥‥‥‥‥‥‥‥‥‥‥‥‥ 金　泰子	155
C ▶ 教育機関との連携 ‥‥‥‥‥‥‥‥‥‥‥‥‥‥‥‥‥‥‥‥‥‥‥‥ 鳥居深雪	160
D ▶ 療育施設との連携 ‥‥‥‥‥‥‥‥‥‥‥‥‥‥‥‥‥‥‥‥‥‥‥‥ 松尾育子	163

E ▶作業療法士との連携 …………………………………………… 尾藤祥子，丹葉寛之　166
　F ▶生活活動の管理・長期休暇の過ごし方 …………………………………… 中尾亮太　168

Q&A
　Q1　本人への告知について留意点を教えてください ………………………… 金　泰子　173
　Q2　受験準備や就職，社会適応の相談にどう対処すればよいでしょうか ……… 中尾亮太　173
　▶ COLUMN　専門機関と学校との連携の重要性 ……………………………… 竹下　盛　174

資料
　▶相談機関・ウェブサイト ……………………………………… 若宮英司，鳥居深雪　176

索引
………………………………………………………………………………………… 179

※本書に記載されたウェブサイト（URL）は 2022 年 6 月現在のものであり，更新されていることがございます．ご了承ください．

執筆者一覧

■監　修
　玉井　　浩　　大阪医科薬科大学小児科名誉教授
　　　　　　　　大阪医科薬科大学小児高次脳機能研究所・LDセンター顧問

■編　集
　若宮　英司　　藍野大学医療保健学部看護学科

■執　筆（50音順）
　岩田みちる　　東海大学国際文化学部国際コミュニケーション学科
　奥村　智人　　大阪医科薬科大学小児高次脳機能研究所
　柏木　　充　　市立ひらかた病院小児科
　金　　泰子　　大阪医科薬科大学病院小児科
　栗本奈緒子　　大阪医科薬科大学LDセンター
　島川　修一　　大阪医科薬科大学小児科・LDセンター長
　関　あゆみ　　北海道大学大学院教育学研究院
　竹下　　盛　　大阪医科薬科大学LDセンター
　田中　啓子　　たなか小児科ほほえみクリニック
　丹葉　寛之　　関西福祉科学大学保健医療学部
　鳥居　深雪　　関西国際大学教育学部教育福祉学科
　中尾　亮太　　なかおこどもクリニック
　永安　　香　　奈良県総合医療センター新生児集中治療部
　尾藤　祥子　　藍野大学医療保健学部作業療法学科
　福井　美保　　大阪大谷大学教育学部／大阪医科薬科大学小児科・LDセンター
　松尾　育子　　児童発達支援事業所城陽市立ふたば園
　三浦　朋子　　清恵会病院堺清恵会LDセンター
　水田めくみ　　大阪医科薬科大学LDセンター
　柳生　一自　　北海道大学病院児童思春期精神医学研究部門
　芳本有里子　　大阪医科薬科大学LDセンター
　若宮　英司　　藍野大学医療保健学部看護学科

● 本書の用語について

　学習障害や他の発達障害に関する用語は，ICD，DSM など診断基準や法律用語のように複数存在します．診断基準は改正のたびに用語が変更されますし，DSM-5 の日本語訳では〇〇症／〇〇障害と併記することがあります．本書では煩雑さを避けるために以下にそれぞれの用語の対応を示します．現時点で，専門家ではない臨床家にとって馴染みが深く簡素なものを選択しました．

　ICD は 11 に改訂となり，DSM-5 との大きな構造的差がなくなりました．DSM-5 も今年から DSM-5TR に改訂となっています．本書制作時点の Fact Sheet で確認する限り今回改訂の新基準については，発達障害に関して DSM-5 から大きな変更はないといわれています．そのため DSM-5 がほぼ最新版と考えて問題ないと判断しました．今後，基準として ICD と DSM はどちらも利用されるようになることが推察されます．今回の改訂では，項目ごとに使用されている用語は異なりますが，敢えて統一せず，掲載することといたしました．

本書でおもに使用する用語	同義の用語	DSM-5	ICD-11
LD	学習障害	限局性学習症／限局性学習障害	Developmental learning disorder
ID	知的障害　知的能力障害	知的発達症／知的発達障害	Disorders of intellectual development
言語障害		コミュニケーション症／コミュニケーション障害	Developmental speech or language disorders
DCD		発達性協調運動症／発達性協調運動障害	Developmental motor coordination disorder
ASD	自閉症	自閉スペクトラム症／自閉症スペクトラム障害	Autism spectrum disorder
ADHD	注意欠陥多動性障害　多動性障害	注意欠如・多動症／注意欠如・多動性障害	Attention deficit hyperactivity disorder
発達障害		神経発達症群／神経発達障害群	Neurodevelopmental disorders

第1章

LDとは

第1章 LDとは

A ▶ 診断基準と定義

Point!

- LDに関する診断基準はICDとDSMの2種類，他に文部科学省の定義がある．また，LDの1つである発達性ディスレクシアにはIDAの定義がある．
- 定義に多少の相違点はあるが，単なる学習不振ではなく学習の要素的な基礎技能不全であること，脳機能障害が原因であることが共通している．
- 2種類の診断基準は，新しい知見をもとに数年ごとに改定される．改定が新しいほうが実態をより適切に規定している．

　LDを含む発達障害を診断するための基準として一般によく用いられるのは，世界保健機構（WHO）の国際疾病分類（ICD）とアメリカ精神医学会（APA）の精神障害の診断・統計マニュアル（DSM）である．それとは別にわが国には文部科学省のLDに関する定義があり，教育の領域では汎用されている．また，発達性ディスレクシアについて国際ディスレクシア協会（International Dyslexia Association：IDA）の定義がある．学習の困難に対応するには，この4つの基準の内容と特徴を理解しておくと便利である．

1 ICDの疾病分類

　医療では基本的にICDに沿って病名を付けることが求められる．2022年1月から第11版のICD-11が適応される予定であったが，執筆現在まだ日本版が発表されていないので，この項では原文の英語で表記する[1]．
　06 Mental, behavioural or neurodevelopmental disorders のなかに neurodevelopmental disorders がまとめられており，そのなかで特に学習に関連が深い項目は，言語発達に関する 6A01 developmental speech or language disorders のなかの 6A01.2 developmental language disorder と，LDに関する 6A03 developmental learning disorder である．
　6A03 developmental learning disorder には，6A03.0 developmental learning disorder with impairment in reading, 6A03.1 developmental learning disorder with impairment in writing, 6A03.2 developmental learning disorder with impairment in mathematics と，読字，書字，算数の下位分類が用意され，読字にはデコーディング（文字記号の音韻化）と読解が，書字にはスペリングと written expression が，算数には number sense, number facts, 計算の正確さと流暢さ，mathematic reasoning の各要素が明記され，後述のDSMの概念との相違はほぼなくなった．Additional clinical features には，音韻処理過程やワーキングメモリ他の学習技能の根底となる脳機能の障害を認めること，ただしそれらの脳機能障害に基づいて分類を設定するには関連性の証拠が不十分であること，また，Boundaries with Other Disorders and Conditions (Differential Diagnosis) には，developmental learning disorder をもつ者の多くは self-regulat-

ing attention の顕著な困難さをもつなど，より詳細な臨床像に関する記述がある．

6A01.2 developmental language disorder には，6A01.20 developmental language disorder with impairment of receptive and expressive language, 6A01.21 developmental language disorder with impairment of mainly expressive language, 6A01.22 developmental language disorder with impairment mainly pragmatic language などの下位カテゴリーが用意されている．

2 DSM の診断カテゴリー

2022 年に DSM-TR に改訂されたが，執筆時点（2022 年 8 月）で使われているのは 2013 年に改訂された DSM-5 である[2]．1. 神経発達症群／神経発達障害群のなかで特に学習に関連の深い項目は，コミュニケーション症群／コミュニケーション障害群のなかの言語症／言語障害と限局性学習症／限局性学習障害であるが，この 2 項目には DSM-TR における改訂はないと伝え聞く．

限局性学習症／限局性学習障害の診断にあたっては，読字，書字表出，算数の障害のうちどの特徴をもつのかについて特定し診断名に付記，読字に 315.00，書字表出に 315.2，算数に 315.1 とコードが割り振られる．3 つの特徴にはそれぞれ，読字にデコーディング（文字記号の音韻化）の正確さ／速度または流暢性と読解力が，書字表出に綴字の正確さと文法や書字表出の明確さまたは構成力（表現力）が，算数に数の感覚，数学的事実の記憶，計算の正確さまたは流暢さ，数学的推理の正確さの異質な要素が包括される形になっている．

6 つの症候特徴には，たとえば，「単語を間違ってまたはゆっくりとためらいがちに音読する」「母音や子音を付け加えたり，入れ忘れたり，置き換えたりするかもしれない」「1 桁の足し算を行うのに同級生がやるように数学的事実を思い浮かべるのではなく指を折って数える」などと，具体的な症状の例が記載されイメージをもちやすくなっている．

315.32 言語症／言語障害は話し言葉，書字，手話によるコミュニケーションの困難さで，語彙数，限定された構文，話法の障害とされ，表出性と受容性に関する記述はあるが，下位カテゴリーの設定はない．

3 文部科学省の LD の定義

1999 年に当時の文部省は，学習障害及びこれに類似する学習上の困難を有する児童生徒の指導方法に関する調査研究協力者会議の報告のなかで，LD を「学習障害とは，基本的には全般的な知的発達には遅れはないが，聞く，話す，読む，書く，計算する又は推論する能力のうち特定のものの習得と使用に著しい困難を示す様々な状態を指すものである」と定義した[3]．この定義の特徴は「聞く」「話す」と表現される聴覚言語の障害を LD に含む点で，聴覚言語の障害を別カテゴリーに分類するDSM や ICD の診断基準と異なっている．6 つの能力の具体的な特徴については触れられていない．

4 IDA の発達性ディスレクシアの定義

IDA では，発達性ディスレクシアを「神経生物学的原因に起因する特異的学習障害である．正確かつ／または流暢な単語認識の困難さであり，綴りおよびデコーディング能力の弱さとして特徴づけられる」と定義している[4]．読み障害はデコーディング能力の問題であること，また綴字の障害を伴

うことを明記してある点で，発達性ディスレクシアを把握しやすい定義となっている．

5 　4つの基準の相違点

　LDに関して4つの基準に共通している考え方は，明らかな感覚入力や運動の障害，学習環境や教え方，さらに知的水準が学習困難の原因ではないことである．これらの条件はLDの診断の大前提であり，医療で対応できる領域である．詳しい問診，既往歴の聴取，諸検査，さらに眼科・耳鼻科などの協力を得て確認しておく必要がある．

　またLDは，生物学的な原因により基本的な学習技能の習得と使用が阻害されるという考え方も共通している．学習困難は読字，書字，計算のような基本的な学習技能の障害に起因するとは限らず，注意集中力や学習に対する意欲の低下が原因となっていることも多い．実際には鑑別することが困難なことも多いが，常に基本的な学習技能の状態を見極めることが必要である．

　ICDとDSMは診断と研究統計に使われる目的で作られており，よく似た構造をもつ．ICD-11への改訂に伴って，それぞれ前版で存在した異なる点，たとえば，書字の障害はICDでは綴り字障害のみ，DSMは文法や表現力の障害のみといった大きな齟齬がなくなった．LDの下位カテゴリーの構成は一致しており，各カテゴリーに含まれる要素も，同じ用語訳になるかは未定だが原文では同等である．

　ICDとDSMでは言語障害は別のカテゴリーに，文部科学省の定義では言語障害はLDのなかに含まれている．言語の発達水準が学習に影響することは明らかなので，どちらの診断名をつけるとしても臨床的には問題はないと考えられる．言語の問題に注目しておくことが重要である．

　IDAの定義は，読字の障害の1部である発達性ディスレクシアに関するもので，他のLDには言及していない．発達性ディスレクシアはLDのなかで最も頻度が高いといわれ，明確に定義づけられているので見極めがつけやすい．発達性ディスレクシアの診療を経験すると，他のLDのイメージもつけやすくなり，他疾患の鑑別診断も容易になると思われる．

6 　基準を使うにあたって注意が必要なこと

a）言語能力について

　言語能力が学習に影響することは想像にかたくないが，基本的に言語障害の診断は文部科学省の定義も含め会話に必要な水準の言語能力が保たれているかどうかを基準としている．しかし，学習には一般会話よりも高度な言語レベルが要求され，話し言葉には問題がないようにみえても，抽象的あるいは未知の概念を扱う学習や文章の内容把握には言語能力が不足することがある．特に長文の読解，文章題の意味理解，推論，作文などでは困難が生じやすい．学習に関係する言語能力を判定するときには，語彙数の多寡だけでなく語や文の意味概念や文法の成熟など幅広い要素に注目する必要がある．

b）書字障害について

　文字が書けないという訴えで頻度が高いのは日本では漢字書字である．一方で綴字障害は文字（アルファベット）を適正な順番で配置することの困難さで，異なる障害である．ICDやDSMは，読み書きに関してアルファベットを使用する言語を使うことを前提として作られている．日本語の漢字書字困難にICDやDSMの診断名をあてはめて使うことは問題ないが，原因となっている認知・脳機

能は異なる可能性があることを認識しておく必要がある．患者家族や教育関係者に単純に診断名を告げるだけでは具体的な内容が伝わらないので，効果的とはいえない介入方法で対応されてしまうこともある．

発達性ディスレクシアの子どもが英語を学習するときには，デコーディングと綴字でつまずくのが常だが，読字障害，綴字障害とは考えられず，単に英語が苦手と思われている．

c）算数障害について

診断基準で算数障害として扱われているのは，計算障害と数学的推論の障害だけである．算数科で扱うのはそのほかにも図形の問題，面積や体積，重さなどの量，時間，時刻などがある．多くの子ども，特に視覚情報処理過程に障害をもつ子どもが，これらの算数領域の学習につまずく．算数で習うことの習得困難という意味で算数障害の診断がつけられることが多いが，これもまた本来診断名が示す状態とは異なることを十分認識して，家族や関係者にもその旨を伝えておく必要がある．少なくとも算数障害に関する文献とは関係がない．

計算はできるが文章問題になるとできない，という訴えにも注意が必要である．数学的推論が困難なことによる算数障害である場合があるし，一方で文章問題の文意理解が十分でない読みの障害である可能性もある．見極めが必要である．

（若宮英司）

引用文献

1) WHO：ICD-11 for Mortality and Morbidity Statistics．(https://icd.who.int/browse11/l-m/en)
2) American Psychiatric Association：日本精神神経学会日本語版用語監修．DSM-5 精神疾患の診断・統計マニュアル．医学書院，2014
3) 文部科学省：学習障害児に対する指導について（報告）．学習障害及びこれに類似する学習上の困難を有する児童生徒の指導方法に関する調査研究協力者会議，1999
4) Lyon GR：Defining Dyslexia, Comorbidity, Teacher's Knowledge of Language and Reading. Ann Dyslexia 53：1-14, 2003

参考文献

- 岡崎祐士（総編集）：ICD-10 精神科診断ガイドブック．中山書店，2013

第1章 LDとは

B. 視覚関連機能，協調運動，注意集中が学習に及ぼす影響

Point!

- 視覚は人が外界から得る情報の多くを担い，学習への影響が大きい．視力が正常でも他の視覚関連機能に問題があることがある．
- 協調運動は運動や生活動作，学習に影響を及ぼす．感覚や身体図式と関係する．
- 注意は様々な認知機能の基盤としてはたらく．不注意は，行動だけではなく学習，思考に影響する．

1 視覚関連機能

a）視覚情報の処理とは

　人は感覚情報の多くを視覚に依存するといわれ，学習への影響も大きい．学校の視力検査で近視や乱視を見つけ，眼鏡を処方して視力補正することは大切だが，視力＝見る力ではなく，視力検査だけでは視覚関連機能をカバーできない．視覚に関係する様々な機能について，視機能，視知覚／視覚認知，運動へのアウトプットの3つに分けて整理する（表1）．

1）視機能

　視機能は外界から視覚情報を取り入れるための機能で，視力，視野，調節，両眼視，眼球運動などがある．

①視力：注視している対象を細かく見分ける力

　視力には水晶体などの透明性や網膜の機能の他に，屈折異常の有無や中心視力を維持するための固視，焦点深度，字詰まり効果などが影響し，一般の視力検査で測りきれない問題が出てくる可能性がある．また実際に物を見るときには，視力検査で測定する静止視力以外により高次の機能がかかわる動体視力が重要になる．

②視野：目を動かさないで視覚的に認識できる範囲．

③調節：水晶体の厚さを変化させ，焦点を合わせる機能．

④両眼視：右目と左目由来の映像を重ね合わせて，立体覚や遠近感を得る機能．

表1 視覚関連機能

視機能	①視力や視野を得るために必要な目の仕組み（レンズの透明性，屈折異常，瞳孔や網膜の働きなど） ②目の運動機能（注視・両眼視・眼球運動・調節など）
視覚情報処理機能	①網膜からの視覚情報の受け取り ②視知覚（視覚情報を要素的に把握すること） ③視覚認知（視知覚を解釈すること）

［奥村智人，他：学習につまずく子どもの見る力．玉井　浩（監）．明治図書，9-23, 2010 より改変］

⑤眼球運動

飛び移るように視線を移動させる衝動性眼球運動（saccade）とゆっくり動く対象を正確に追う滑動性眼球運動（pursuit）がある．黒板や本から書き写すとき，文を音読，黙読するときには衝動性眼球運動を使い，その機能低下は学習の困難につながる[1]．

2) 視覚情報処理機能；視知覚／視覚認知

視覚情報処理機能は，対象物を背景から切り分けてひとまとまりのものとして捉える比較的低次の脳機能である視知覚（visual perception）と，その像の意味の理解や名称と結びつける，より高次の脳機能である視覚認知（visual cognition）がある．視覚的注意，視覚記憶も視覚認知の1部，あるいは関連の機能として捉えることができる．また，視覚情報は形態知覚／認知と空間知覚／認知が別々に処理される．形態認知は，点と線と色彩からなる感覚を形として捉える過程で，後頭葉から下部側頭連合野に情報が送られる腹側経路で処理される．空間認知は対象の空間的位置や向き，動きの情報を認識する過程で，後頭葉から頭頂連合野に情報が送られる背側経路で処理される．

①視覚閉合：欠けた部分を認知的に補って形状を認識する能力
②視覚の恒常性：背景，位置，大きさが変化しても，同じものであると認識する能力
③視覚弁別：形，大きさ，位置，色を認識して，弁別する能力
④図地弁別：対象物と背景を区別する能力
⑤視覚的注意：視覚情報のなかから注目すべき対象にフォーカスする能力
⑥視覚記憶：視覚情報を記銘し思い出す能力

3) 視覚から運動アウトプットへの伝達

視覚情報と運動アウトプットとの関連は「目と手の協応」とよばれ，一般的には視覚情報処理機能の1つとされる．後述の協調運動の視覚関連領域だが，上肢の協調運動には視覚以外の感覚も関与し，また視覚は上肢の協調運動だけに影響するのではない．

b) 視覚関連機能と学習

少なくとも0.5以上の視力があれば黒板を見ることができるといわれるが，視力低下を認めない程度の遠視でも読み速度や読解力に，軽い両眼視や調節力の問題でも集中力に影響する報告がある．輻輳不全や眼球運動の不全はしばしば読みなどに影響する．文字や図形，グラフ，地図などの学習は，形態知覚や形態認知に負荷がかかる．

1) 視機能の問題を疑う症状

・読んでいるときに，行や列を読み飛ばす．
・同じところを繰り返し読む．
・長時間集中して読めない．
・黒板を写すのに時間がかかる．
・計算は得意だが，百ます計算が苦手．

2) 視知覚／視覚認知の問題を疑う症状

・文字や数字の習得が遅い．
・表やグラフを読み取るのが苦手．
・図形や絵を描き写すのが苦手．
・漢字の形をうまく捉えることができない．
・算数の図形の問題が苦手．

しかし，これらは視覚関連機能の障害に特異的な症状ではないので，知的障害や注意集中その他の

要因を含め包括的に検討する．

また，方向感覚や距離の判断，物や人と自分との空間的な関係性を把握することにも影響が出るので，生活のなかの困難さにも注目する．

3）アーレン症候群

別名 scotopic sensitivity syndrome ともよばれる視知覚障害の1つで，視覚的なイメージが残り続けて文字が重なり，文字がぼやけて見えるため，読字に困難が生じる．Irlen.H. が1980年代に報告した[2]．

2 協調運動

a）協調運動とは

協調運動は，複数の運動を1つの動作としてまとめあげる調整能力である．運動は単なる筋肉の収縮ではなく，視覚・触覚・深部感覚（固有覚）・前庭覚などの感覚を脳で統合し，自己の身体図式を参照しつつ，運動意図のもと，参加する筋肉やその収縮の程度，順番，タイミングなどを計画し，運動出力の後，その結果を感覚からフィードバックし修正する一連の過程で行われる．（図1）この過程を繰り返すことで，徐々に一連の作業行程が1つのパッケージとして自動的に進むようになる（自動化）．このように協調運動は単純な随意運動ができるようになった後から，様々な経験を積みながら徐々に完成させていくものと考えられる．DCD は協調運動の発達の障害で，全身の動き（粗大運動）や手先の器用さ（微細運動）の不全状態を特徴とする．単にスポーツが苦手というだけではなく，食器の使用・着衣・整容・運転などの日常動作から，構音・視線の移動・姿勢保持などほぼ無意識に行う動作までが影響を受ける．

b）協調運動と学習

1）姿勢を保つ

環境に対して適切な姿勢をとること，一定時間姿勢を保つこと，適時姿勢を変更することは，深部知覚，前庭覚，体性感覚などの協働によってほぼ無意識に調整される．さらに，体幹の安定や近位関節の固定により，上肢の動きの自由度が生まれ作業を行いやすくなる．

姿勢が崩れると，態度が悪いと叱責されるだけでなく，視線や対象に注意を向けるコントロールが

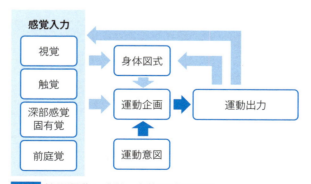

図1 協調運動と感覚，身体図式の関係

[若宮英司：LDとDCD, 視覚情報処理障害．児童青年精神医学とその近接領域 58；246-253, 2017 より改変][3]

困難となり，結果として情報を逃す．体幹や肩関節・肩甲帯の動きの不安定さが上肢巧緻性の低下を引き起こす．また，姿勢を保つことが苦手な場合は，長時間姿勢を保つこと自体にエネルギーが必要となり，疲れやすく，注意集中や作業効率の低下をまねく．

2) 上肢機能

筆記具の持ち方，筆圧の問題，フリーハンドで線や図形を描くことの苦手さ，はさみ・コンパスなど用具の扱いがむずかしいなど，数多くの机上操作に影響が出る．両手を使って行う動作，例えば，書くときに非利き手で紙を押さえる，紙を折る，定規で線を引く，紙を持って動かしながらはさみで切る，楽器の演奏などの困難さの頻度も高い．学習だけにとどまらず，食事のマナー，紐結びやボタンやファスナーの操作，水筒やペットボトルの蓋を開ける，ドアノブを回す，雑巾を絞るなどの日常動作も同様に問題となる．なかでも文字形態の崩れや大きさの不揃い，行の乱れなど書字の読みにくさが問題視される．手先だけではなく，肘関節・手関節の角度・自由度，回内・回外運動，各指の独立した動き，拇指と他指との対立などの構成要素を分析的，包括的に捉える視点が必要である．

3) 粗大運動・その他

自己の身体の各部の緊張や動きの調節が難しいだけでなく，他の人や物，特に動いている対象と自分の動きを調節すること，動作の模倣やリズムをつかんで身体を動かすことがむずかしい．意識的な動きのスムーズさ，流暢さが損なわれ，ぎこちない動作となる．

体育全般，特に球技や器械体操などでは困難が目立つ．また集団演技・ダンスで，音楽や周りの動作に動きがあわない．コップを置く，ドアを閉めるなど物の取り扱いの際の力加減がコントロールしづらく，粗暴な振る舞いと受け取られる．また，人に接触する際の力加減を誤るとトラブルになることもある．

3 注意集中

注意は様々な認知機能の基盤としてはたらく．注意機能の低下（不注意）はADHDだけではなく，ASDなど他の発達障害や心理的な不適応状態でも認められる．不注意は，注意対象の転導や覚醒度の低さ，ワーキングメモリや時間感覚の不全，プラニングの拙劣さなど複数要因がからみあい，それぞれが学習に不利にはたらく．

a) 注意集中と学習

1) 日常行動を通して不注意が学習に影響を及ぼす要因

・持ち物の管理：忘れ物，失くし物が多い．作業開始までに必要な用具をそろえない．
　　　　　　　　学習用具や環境の整理整頓ができない．
・時間の管理：時間内に終わらせることができない．
　　　　　　　段取りを考えない，プラン通りに遂行しない．
・気が散る：課題の途中で他のことに移行して，課題を済まさない．
・覚醒度が低い：途中でボーっと白昼夢にふける．
・聞き逃し：教師の説明，指示を聞いていない，忘れる．
・面倒くさがって課題に取り掛からない．

2) 机上活動を通して不注意が学習に影響を及ぼす要因

・作業を省く：名前など必要事項を書き忘れる，問題の続きに気づかない．
・ケアレスミス，早とちり：読み間違い，書き間違い，計算間違いが多い．

- ぞんざいな作業：読みづらい字を書く，行がずれる，桁がずれるなどの雑な作業．
- 時間がかかるが，実際の作業時間は短い：繰り返し練習の成果が期待できない．

　その他にも，外からみるだけでは分かりにくい思考の不注意特徴が学習に影響することが考えられる．ワーキングメモリの容量が小さいことはしばしば指摘される．その他にたとえば，一般には見聞きすることが耳学問として無意識のうちに身についているが，普段の注意水準が低いとそのような情報を逃し，常識的知識を欠いていることがある．学校では年齢相応の知識を土台としてより専門的知識を教えるが，元の知識ネットの目が粗いため，新しい情報が抜け落ちやすい．

　また，新しい情報に遭遇したり物事を考えるときには，自然に自分のもっている知識や対象の周辺状況と照らしあわせて知識として定着させるものだが，不注意があるとこの作業を単純化し浅い掘り下げ方で済ませがちなので，情報同士の紐づけが弱く，時間の経過とともに消えることがある．

b）文字の読みにくさ

　前に述べたように，文字の読みにくさには協調運動と注意集中の双方がかかわる．同じ問題点にみえてもかかわる要素が異なることはしばしばあり，援助の方法が異なるので，原因に対する検討が重要である．

（若宮英司）

引用文献

1) 奥村智人，他：Reading Disorder 児における衝動性眼球運動の検討．脳と発達 38：347-352，2006
2) ヘレン・アーレン：アーレンシンドローム：「色を通して読む」光の感受性障害の理解と対応．熊谷恵子（監訳）金子書房，2013
3) 若宮英司：LD と DCD, 視覚情報処理障害．児童青年精神医学とその近接領域 58；246-253，2017

参考文献

- 奥村智人，他：学習につまづく子どもの見る力．玉井浩（監）．明治図書，9-23，2010
- 加藤元一郎・加藤晴雄（責任編集）：注意障害．中山書店，2-11，2009

第1章 LDとは

C ID, ADHD, ASDと学習

> **Point!**
> - LDとIDとの鑑別は学習面だけではなく、受け答えの様子や生活の状況、知能検査の結果を含めて総合的に判断すべきである.
> - ADHD, ASDはLDの合併が多い一方で, ADHD, ASDによって生じる学習の困難もあり鑑別を要する.
> - 学習に困難をきたした個別の原因を丁寧に解きほぐしていく作業が必要であり, その困難を抱えた子どもに対する支持的な対応が求められる.

　LDは単なる学習不振を示すのではなく, 知的能力にそぐわない程度に学習困難を示す概念であり, おもには読字の困難, 書字の困難, 算数の困難を根底にもつとされる. 実際には, 学習不振・困難は多様な病態や環境で起こりうる状態像であり, 様々な原因が横たわっていることが多い. LDの診断においては, 最低限, 鑑別しなければいけない疾患や, 環境因子を含めた包括的評価を進めなければならない. また鑑別する一方で, 他の疾患を併存している場合もあり, 特に各種の発達障害（DSM-5では神経発達症群/神経発達障害群）の合併は多い. 複数の発達障害の特徴をもつ子どもに対しては, 表出された学習不振・困難に影響している原因を正確に評価することで, より適切な介入を行うことができる.

　本稿ではLDについて, 鑑別の必要な疾患および合併しうる疾患, それらが及ぼす影響について検討したい.

1 知的水準とLDの関係性

　いうまでもなく子どもたちの学習到達度は知的水準によって考えなければいけない. まずは学習不振・困難を主訴として来院, 来所した場合には, 知能検査はほぼ必須である. 特にWechsler系検査は子どもの知的水準のみならず, 認知面の得手不得手を知りうるために有用である.

　臨床的には知的障害を有する子どもは学習面のみならず, 対人関係や遊びのなかでのルール, 生活するうえでのスキルなどでも, つまずきをきたしていることが多くみられる. こうした場合には学習面での支援だけでは不十分になる可能性もあり, 支援の方向性を決めるうえでも, 鑑別が重要である. すなわちLDに特化した支援が必要なのか, もう少し幅広い, たとえば対人面や生活面でも支援が必要なのかどうかを検討しなければならない.

　知的障害に関してはDSM-IVからDSM-5において定義が変更された. DSM-IVの定める精神遅滞（mental retardation：MR）では, 全般的知的機能は標準化された個別施行による知能検査によって得られた知能指数（IQ）によって評価される.「明らかに低い」知能指数とは70（−2SD）以下という定義が一般的に用いられていた. 一方で, DSM-5においては知的能力障害（intellectual disabilities：ID）は, 単純に知能指数が70以下かどうかで定義されておらず1つの参考所見とさ

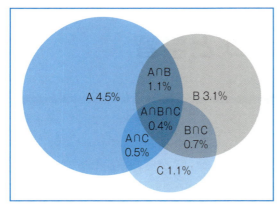

図1 小・中学校の通常学級の児童を対象に行った発達障害に関する大規模調査の結果
  A群：学習面で著しい困難を示す
  B群：「不注意」または「多動性－衝動性」の問題を著しく示す
  C群：「対人関係やこだわり等」の問題を著しく示す
[文部科学省初等中等教育局特別支援教育課：通常の学級に在籍する発達障害の可能性のある特別な教育的支援を必要とする児童生徒に関する調査結果について. 2012]

れる．DSM-5 の ID は，論理的思考，問題解決，計画，抽象的思考，判断，学校での学習および経験からの学習など知的機能の欠陥が示され，それに伴う適応機能の欠陥があり，複数の日常生活活動における機能を限定すると定義されている．

DSM-5 記載の LD は，鑑別診断のなかに ID が示されており，『その学習障害が正常水準の知的機能（すなわち 70 ± 5 以上の IQ 得点）の存在下で生じるため，ID に関連する全般的な学習困難とは異なる．ID が存在する場合，LD は学習困難が知的能力障害に通常関連するよりも過剰である場合のみに診断できる』とされている．したがって，ID は鑑別診断の項目にあがっている一方で，LD と ID との合併診断を認めている．

中長期的な経過のなかで，LD の診断基準を満たす子どもの知能指数が低下していくことがしばしばみられる．たとえば読字の困難を抱えている子どもたちは必然的に本や教科書などからの知識の習得，語彙の獲得が遅滞することが多い．結果として WISC-IV あるいは V などの知識や単語といった課題での評価点が低下する可能性がある．より本質的な障害がどこにあるのか評価するためには，WISC 以外にも社会生活能力や対人関係の構築力なども検討されなければいけない．このような考え方は，単なるラベリング診断に陥らないためにも重要である．

DSM-IV から DSM-5 へ移行した際に行われた定義の変更のように，今後もこうした定義の変更が行われる可能性はあり，どこかで境界線を示しているにすぎない．もちろんそうした定義を踏まえつつも，本質的な障害と求められる支援が何かを常に臨床的視点で考えていく必要がある．

2 合併する，区別しにくい障害

LD では ID 以外の発達障害を合併することが多い．これらは合併と考えるのか，LD との鑑別を要するのか，学習の困難を引き起こしている状況を包括的に評価し判断しなければならない．

2012 年文部科学省が担任教員に対して『LDI-R ― LD 判断のための調査票―』を用いて，公立小・中学校の通常学級に在籍する全国 53,882 名の児童生徒を対象に行った大規模調査について報告している[1]．ここでは A 群：学習面で著しい困難を示す，B 群：「不注意」または「多動性―衝動性」の問題を著しく示す，C 群：「対人関係やこだわり等」の問題を著しく示すの 3 群に分けてまとめられている（図1）．知的発達に遅れはないものの学習，行動面で著しい困難を示すとされた割合は全体で 6.5% であった．A 群は LD，B 群は ADHD，C 群は ASD を想定していると考えられる．各群の割合は A 群 4.5%，B 群 3.1%，C 群 1.1% であった．発達障害の専門家による判断や医師による診断ではない点には留意が必要であるが，A 群と B 群の合併は LD と ADHD の，A 群と C 群の

合併は LD と ASD との重複を示している可能性がある．LD からみると約 3 人に 1 人は ADHD を合併し，約 9 人に 1 人は ASD を合併している可能性がある．逆に ADHD，ASD の約半数が学習の困難を抱えている可能性がある．

しかしながらこれらは必ずしも疾患が併存しているとは限らず，ADHD や ASD の症状に影響された結果の学習困難の可能性もある．臨床場面においては併存か他疾患の影響かは必ずしもクリアカットにいかない面もある．以下に，LD と ADHD および ASD との鑑別および合併について記す．

a) ADHD との合併，鑑別

最も合併しうる疾患であり，最も区別しにくい疾患は ADHD である．ADHD に伴って起こりうる学習の困難では，学習に対する特異的な困難さではなく，むしろそのような技能を実行することの困難さを反映している．一方で LD の症例では，学校で多動や不注意などの ADHD 症状を示すことも多い．理由として内容が分からない，あるいは板書のスピードに追いつかないなど授業に参加し続けることに苦痛を生じることがある．その結果として ADHD 症状や ADHD の二次障害と同様に反抗挑戦性障害や自尊心の低下から生じる情緒不安定を呈することもある．周囲ももともと存在した学習の困り感に気づかずに，ADHD 症状を心配し受診に至るケースもありうる[2]．ADHD の鑑別のため，学校だけでなく診察場面，家庭や習い事など複数の場面での ADHD 症状の有無を確認すべきである．

一方で LD と ADHD の合併も多く，2001～2011 年の報告 17 件に基づいたレビュー論文[3]によれば，ADHD の子どものうち LD を合併するのは 8～76％（中間値 47％）である．またさらに過去の報告では，ADHD の子どもが LD を合併する割合は対照群の約 3 倍，逆に LD の子どものうち ADHD を合併する割合は 7 倍であった．ADHD が合併する最も多い LD のタイプは書字障害と考えられている．ADHD の LD 合併率は書字障害を含むか含まないかによって大きく異なり，いくつかの研究では，書字障害の合併率は 59～65％だが，書字障害を除いた場合には 24～38％と低下する．

ADHD に対しては薬物療法が有効なことも多い．特に書字障害を合併する ADHD の子どもでは，薬物療法にて書字が安定し書字障害が改善することがある．ADHD に伴う LD（書字障害，算数障害）を呈し，薬物療法にて不注意のみならず書字も改善した症例の書字変化を示す（図 2）[4]．

b) ASD との合併，鑑別

ASD においても LD の合併は多いとされる．しかしながら ASD は同時に ID，ADHD を併存することも多く，ASD 的特徴によって学習困難を生じているのか，あるいは LD そのものが併存しているのか，さらに別の要素が関与しているかは総合的に判断されるべきである[5]．

ASD の子どもが学習に関して困難をきたす理由としては，①こだわりが強く興味のある授業には参加できるが，興味をもてない授業には参加意欲が生じない，②ADHD 特性に伴い集中が持続しない，③物事を俯瞰できずに 1 つの事象から汎化が生じにくい，誤学習が生じてもそれを修正できないなどが想定される．

こだわりの強さに伴う特異的な学習の傾向として，たとえば教えてもいないのに「薔薇」といったむずかしい漢字を覚えて書くことができる一方で，授業で教わる学年相応の漢字の読み書きでは失敗するなど，関心を示す対象が限定的で一般的な学習の流れにのらないこともある．

また ASD 特性をもつ子どもは，失敗耐性が低く一度失敗すると同様の課題に取り組まなくなることも多く，さらなる学習面での偏りにつながる可能性もある．このような ASD 特性による学習の困難に対しては，画一的な学習ではなく本人のやりやすい方法に則って学習支援を行うなどの工夫が求められる．

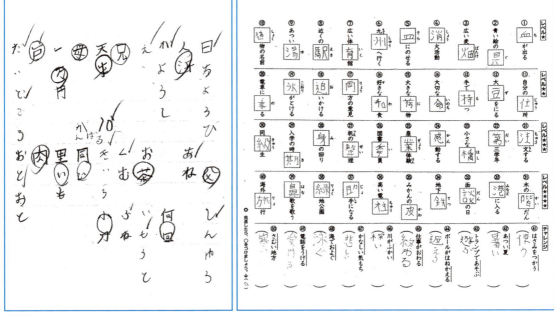

図2 ADHDに伴うLD（書字障害）の改善例

不注意症状に対してアトモキセチンによる治療を開始したところ，不注意症状のみでなく書字も著しく改善した．学習に対する集中が得られるようになり，今までは50問で20問程度しか解答できなかった漢字テストで45問程度正解することができた（A：治療前，B：治療開始3か月後）．
[基礎・基本国語テスト（3年），文溪堂より]

3　学習に向かう姿勢

　発達障害や不安障害などをもつ子どもたちは，学習に向きあい続けることに困難を示すことがある．

　前述のようにADHD特性があれば，先生の話や黒板の記載に集中を持続できず窓の外や掲示物を眺めていることがある．前の時間に行っていた課題が気になり，次の授業への切り替えができない場合や，時間配分を検討できずに失敗する状況も考えられる．

　ASD特性をもつ子どもの場合，自分が間違っている，失敗しているということを受け入れられずに，修正ができない，再挑戦ができないといったことが起こりうる．また先生の指導に対して従おうとせずに自分のやり方に固執する場合もある．

　不安症/不安障害の子どもは焦燥感，不安感に伴い授業に集中できない，その場にいても実質的に授業参加できないこともありうる．こうした不安の高まりやすい子どもは一見すると不注意と捉えられることもあるが，病歴を整理し分離不安や社交不安などの有無を確認する必要がある．

　臨床的にASD，ADHDあるいは不安症/不安障害などの診断閾値を超えない子どもであっても，その特性をもっている場合に同様のことが生じうることも忘れてはならない．

　また学習に対しての自己効力感，自己有能感が低下した子どもは，学習への取り組みが悪化する．1つ1つの取り組みを褒められる経験が自己効力感を育てることにつながる．LDやその他の発達障害をもっている子どもに対しては，叱責あるいは本人に負担になるほどの励ましが行われる場合があ

り，ともすると子どもをさらに追い込んでいる恐れもある．学級内や家庭内では，結果の評価に終始せず，本人の努力や歩みを十分に認めていくことも重要である．

▼ ▼ ▼ ▼ ▼ ▼ ▼ ▼ ▼ ▼

　LDをはじめとした発達障害では，診断名を伝えるだけでは不十分であり，個人のもつ特性について評価を行い，肯定的な意味合いを含めつつ伝えることが治療的な意味をもっていることが多い．困り感の原因にあるものを明らかにしていく過程を本人や家族と丁寧に共有していくことが大切である．また1つの障害名にこだわりすぎずに，併存症や診断閾値下の個人特性さらに家庭や学校の環境も踏まえ，それぞれの子どもにとってのbest practiceの実践が望まれる．

（柳生一自，岩田みちる）

引用文献

1) 文部科学省初等中等教育局特別支援教育課：通常の学級に在籍する発達障害のある可能性のある特別な教育的支援を必要とする児童生徒に関する調査結果について．2012
2) 岩田みちる，他：二次障害を呈した読み困難児に対する包括的支援の重要性．子ども発達臨床研究 7：57-62, 2015
3) DuPaul GJ, et al：Comorbidity of LD and ADHD：Implications of DSM-5 for Assessment and Treatment. J Learn Disabil 46：43-51, 2011
4) 基礎・基本国語テスト（3年），文溪堂
5) O'Brien G, et al：Autism and learning disability. Autism 8：125-140, 2004

参考文献

- 日本精神神経学会（監修）：DSM-5 精神疾患の診断・統計マニュアル．医学書院，2014

第1章 LDとは

D ▶ 言語障害と学習

Point!

- 幼児期に習得する言語能力は，学習の基礎として重要な役割を果たしている．
- 言語発達障害とLDは関連性が高く，言語発達に問題をもつ子どもの場合は，就学前に，音韻，意味，語彙，統語などの言語発達を把握しておくことが大切である．
- 音韻認識やデコーディング，自動化能力，ワーキングメモリ，聴覚的短期記憶などは言語学習や読解に必要であり，これらの障害により学習困難を認めることがある．

　LDは，特異的な学習の習得困難として就学後に診断されるが，幼児期の言語発達に何らかの問題をもつケースが多いといわれている．そこで，まず，言語の4要素である音韻，意味，統語（文法），語用の発達と言語発達障害について述べる．

1　子どもの言語発達

a）音韻の発達

　赤ちゃんは，6か月頃から，「バ・バ・バ」などの喃語を，そして，10か月以降にジャーゴンを発するようになり，1歳過ぎには初語が現れる．その後，正しい構音様式を習得し，構音の分化が進んでいく．中西らは，日本語の構音について90％以上の子どもが正しく構音した子音を示し，3歳半〜4歳半頃が最も著しい構音発達を遂げる時期と報告している[1]．また，子音のなかでは，/p,b,m/など両唇音は比較的早い時期に，/k,t/は4歳半までに習得されるが，/s,ts,dz,r/は5〜6歳頃と習得が遅れると報告している．

　さらに，幼児期後半には，話し言葉の音韻構造を理解し操作する音韻認識が育つ．音韻認識は，4歳以降発達が進み，就学頃には，言葉を音に分解したり（音韻分解），言葉を逆さからいう（逆唱）など，言葉と音の関係に気づく．たとえば，「いるか」は，「い」「る」「か」という3つの音に分解でき，逆にいうと「かるい」である．この音韻認識は，かな文字学習の基礎として大変重要である．

b）意味（語彙）の発達

　初語が出現した後，1歳後半から言葉は爆発的に増え始め，就学前までに3,000〜10,000もの語彙を獲得するといわれている．3歳以降には，反対語や「果物」など抽象語が理解できるようになる．そして，既知の語彙に，意味的により関連のある他の語彙がつながりあう「意味のネットワーク」が構築されていく．たとえば，「チーター」が「速い」という話のときに，それに関連した「走る」「マラソン」などが思い起こされるなどである．こうした意味のネットワークを土台に，思考や会話は発達していく．

　学童期には，さらに抽象的な語や比喩・慣用句の理解が増し，学習に必要な言語の習得が進む．つまり，「お風呂」は「洗う」だけではなく「清潔」「浴室」と関連していく．こうした語彙の発達が，学童期の教科学習を支えているといえる．

c）統語（文法）の発達

　名詞以外の様々な語彙が増える1歳後半頃に半数近くの子どもが2語文を話し始める．さらに，3歳代になると，単文だけではなく複文を話し（例「雨があがったら外で遊ぼう」），「そして」など接続詞を使用した文を話すようになる．3歳代後半には理由をたずねる質問に対して，「〜から」を使って答え，4歳代では，生活体験を時間軸に沿って系列的に説明するなどの構文発達を遂げていく．

d）語用の発達

　語用とは，言葉を社会的文脈のなかで運用する能力である．たとえば，教室で勉強中に隣の生徒が「消しゴムある？」と聞いた場合，意味的にはあるかないかを聞いているが，質問した生徒の意図は「消しゴム貸して」である．つまり，語用は「言葉の意味」と「話し手が伝えたい意図」を区別し，これらについて研究する領域である．近年の語用の研究によって，子どもは非言語の伝達手段（身ぶり，指さしなど）を使って前言語期から意図を伝えることができるとわかってきた．また，「心の理論」（他者の意図を推測したり想定する能力）の研究から，子どもは4歳頃からこの能力を発達させ，言葉を社会的な活動のなかで使用していくといわれている．

2　言語発達障害

　広い意味では，「言語発達障害」とは，生活年齢に比べて言語発達が遅れる状態を指す．その要因として，難聴やID，ASDがあげられるが，こうした要因がみられないのに，言語の発達のみが特異的に遅れることがある．ここでは，こうした言語発達障害について，言語理解，表出（発語），構音の側面から分類し，その特徴を述べる．

a）言語表出が言語理解よりも困難（表出性言語障害）

　言語理解には大きな問題がないのに，言語表出は，限られた語彙しか話さないなど理解と表出に顕著な差があるタイプである．臨床的には，乳児期の喃語が少ない，発声の量や種類が少ないなどの訴えが多い．このタイプは，3〜5歳児で発語がほとんどないか単語レベルの子どもで，身ぶりなどを交えて表現することもある．対人面の問題の有無などから，ASDとの鑑別がむずかしい面がある．

b）特異的言語発達障害（specific language impairment：SLI）

　認知発達や対人面の問題がないのに，言語にのみ困難がみられる状態である．症状としては，語彙が少なく，助詞が抜けた，文になりにくい発語である．近年，英語圏で盛んに研究されており，主症状として文法障害とともに，聴覚的短期記憶やワーキングメモリの弱さがあるといわれている．日本でも，田中は，7例の日本語SLIの子どもの臨床像から，音韻記憶の弱さが共通して認められ，それに意味や文法の問題が加わって言語特徴に個人差が生じていると述べた[2]．ただ，日常会話が獲得されると言語の問題はなくなったと思われがちである．しかし，SLIの子どもは，抽象語などの学習言語の習得がむずかしく，LDを呈する可能性が高いといわれてきた．従って，就学前に，音韻，意味，統語，語用の各側面の発達を把握しておくことが非常に大切である．

c）構音障害

　構音障害は，口蓋裂など構音器官の異常によるもの（器質性構音障害）と，原因が特定されないが

発音不明瞭を呈するもの（機能性構音障害）に分けられる．その症状は，音の省略（ねこ→「ねお」）や置換（さかなを「タカナ」），歪みなど様々である．また，言語発達に遅れをもつ子どもが構音の発達も未熟であるなど，言語と構音の問題を両方もつ子どもは多く，それぞれの発達は関連しているといえる．さらに，単音節では構音できても単語レベルでの音韻配列の誤り（たなばた→「タバナタ」）がみられる場合や，就学後もあまり構音に改善がみられない場合などは，音韻の問題を基底にもつと考えられ，LD との関連が疑われる．つまり，言語や構音の問題と LD の併発は少なくなく，構音に問題をもつ子どもでは，言語発達の評価が必要といえる．

3　LD に関係する言語能力

学習においては「読み書き」の能力が重要である．この「読み」の問題に目を向けると，①文字を音に変換する（デコーディング）正確性や流暢性と，②読解の 2 つの問題に分けられる．こうした「読み」の能力にはどのような言語能力が関係しているのだろうか．一般に，デコーディングには音韻が，読解には，音韻や意味，語彙，統語など様々な言語能力が関係すると考えられている．そして，デコーディングの問題をもつのが発達性ディスレクシアである．こうした，LD に関係する言語能力について述べる．

a）音韻

1）音韻認識（phonological awareness）

英語圏においては，幼児期の音韻認識の程度がその後の読み習得を予測する指標になることや音韻認識の指導によって読み書き能力が改善したなど，様々な研究がみられる．日本では，従来，4 歳後半から音節分解が可能になり，音節分解と語頭音の抽出ができることが，かな文字習得の前提条件であるとされてきた．その後，原は，7 歳前半に 4 拍語の逆唱や 6 拍語の音削除が可能になることから，音削除・逆唱の能力とひらがな短文読解との間に高い相関がみられたことを報告し，「読解」にはより高度な音韻操作が重要であることを示した[3]．さらに，丹治は，年少・年中・年長児の音韻認識とかな読みの強い関連性を示し，読み習得の萌芽段階である年少児で既に両者の関連性が認められたと報告している[4]．

2）デコーディング

デコーディングの弱さがあると，文字から音への変換に時間がかかる，正確に変換できない，あるいは単語としてのまとまりが認識できないなどの現象がみられる．大石は，発達性ディスレクシアは，定型発達児に比べて音韻認識とデコーディングに中・重度の障害があり，これらの障害の程度の組合せによって，発達性ディスレクシアを 3 つのタイプ（音韻認識とデコーディングの両方に遅れがあるタイプ，音韻認識は遅れるがデコーディングは良好なタイプ，音韻認識は良好だがデコーディングが遅れるタイプ）に分類できると報告している[5]．

b）自動化能力

近年，英語圏では，発達性ディスレクシアにおける中核的な障害として，音韻とは別に，命名速度が遅い自動化能力の低さを指摘する研究が広がっている．命名速度とは，ランダムに配列された線画，数字などの系列をできるだけ速く命名する課題（rapid automatized naming test：RAN）で連続命名時のスピードを測定するものである．研究の結果，発達性ディスレクシアの大多数が，RAN で著しい障害を示すことが明らかになった．日本でも，近年，発達性ディスレクシアにおける

自動化能力の関連が注目されており，自動化能力のみの障害が背景と考えられる発達性ディスレクシアの存在も指摘されている[6]．

c）ワーキングメモリと聴覚的短期記憶

ワーキングメモリは，課題を行うために必要な情報を一時的に保持しつつ，別の情報処理を行う記憶のシステムである．このモデルでは，情報の保持は，音韻ループ（言語情報の保持）と視空間スケッチパッド（視空間の情報保持）で行われるとされている．たとえば，読解において，文章が複雑になってきた場合，読み進めてきた情報を整理し記憶しながら，先の文章を読み進めていくことが必要になる．そのため，ワーキングメモリに弱さがある場合，読解のむずかしさがある．また，漢字を書くことや，文構成を考えながら作文を書くなど「書き」においても，ワーキングメモリは大変重要である．

聴覚的短期記憶は，数唱などで評価されるものである．聴覚的短期記憶の成績は，言語理解力や語彙量と関連があると報告され，学習言語の習得に影響を及ぼす可能性が高い．

d）語彙力

読解においては，個々の文字を読みながら単語のまとまりを見つけ，その意味を理解し，文構造を理解するといった広範な言語能力が欠かせない．そのなかで，まずは単語のまとまりを見つけることが必要であり，そのために語彙力が必要となる．つまり，語彙が豊富であれば，文字1音に変換したものが単語の単位にすぐにまとまり，意味理解が進むというように，語彙力とデコーディングは密接な関係にある．また，漢字の読みにおいても，語彙力の関連が大きいといわれている．

e）意味，統語，語用の能力

読解においては，前述のとおり様々な言語能力が必要である．たとえば，「じょう水場では，砂を沈でんさせ，ろ過します」という文では「沈でん」「ろ過」という単語の意味が理解できないと文全体が理解できない．また，「小さな黒い魚スイミーは，兄弟みんなが大きな魚にのまれ，ひとりぼっちに．海を旅するうちに，さまざまなすばらしいものを見ました」[7]という文章では，助詞や複雑な構文の理解が必要である．さらに，「見ました」のは誰かを理解するには，主語が離れていても前の文を覚えておいて（ワーキングメモリ）理解する力が，また，「ひとりぼっちに」から心情の理解（語用）が必要である．このように，読解には，語彙，意味，構文，語用の能力や，ワーキングメモリなどが十分に育っていることが必要である．

LDとの関連が深い言語能力について述べた．以上のとおり，幼児期に発達する言語能力は，学習の基盤として大変重要であり，LDの臨床では，言語能力を把握しておくことが大切である．

（永安　香，福井美保）

引用文献

1) 中西靖子，他：構音検査とその結果に関する考察．東京学芸大学特殊教育研究施設報告, 1, 1-19 1972
2) 田中裕美子：日本語SLIの臨床像の検討．コミュニケーション障害学 27：178-185 2010
3) 原　恵子：子どもの音韻障害と音韻意識．コミュニケーション障害学 20, 98-102 2003
4) 丹治敬之，他：年少から年長幼児におけるかな読みと音韻意識の関連．LD研究 29：245-257 2020
5) 大石敬子，他：発達性読み書き障害（dyslexia）10事例の音韻障害の検討　小児の精神と神経 52：209-222 2012
6) 宇野　彰，他：発達性ディスレクシアの背景となる認知障害―年齢対応対照群との比較―．高次脳機能研究 38：267-270 2018
7) レオ＝レオニ（作）谷川俊太郎（訳）：スイミー―ちいさなかしこいさかなのはなし．好学社，1969

第1章　LDとは

E 脳の発達と脳機能

> **Point！**
> - 発達性ディスレクシアでは音韻認識の障害が読み書きの習得困難の主たる要因と考えられている．
> - 発達性ディスレクシアは，文字－音韻変換にかかわる左頭頂側頭移行部に加えて，単語形態認識にかかわる左紡錘状回中部の活動低下を認める．
> - 計算障害では，数の大きさの表象にかかわる頭頂間溝に活動低下を認めるが，領域非特異的な認知機能にかかわる部位も関与する．

1 読みに関する認知機能と脳機能

a）読みの習得にかかわる認知機能

　成人の読み書きで必要な認知機能と，文字の習得段階で重要な認知機能は必ずしも同一ではない．LDの理解には，文字の習得段階で重要となる認知機能についての理解が必要である．

　図1に単語の読みにおける二重経路モデルを示した．このモデルにおいて，親密度の高い単語は語彙経路（lexical route レキシカル ルート）で，親密度の低い語や非語は，非語彙経路（sub-lexical route サブ レキシカル ルート）で処理される[1]．表音文字の習得における最初の段階は，音声言語を文字に対応する単位〔かなではモーラ（拍），アルファベット言語では音素〕に分解し，特定の文字との対応関係を学ぶことである．このため，音声言語を音韻単位に分解し心的に表象（イメージ）する「音韻認識能力」が重要となる．文字習得の初期では，1文字ずつ文字から音へと変換する非語彙経路が優勢である．読みに習熟してくると，親密度の高い見慣れた単語については，単語全体を認識し，直接，単語の意味や読みと対応させる語彙経路による読みができるようになる．文字の読みの習熟過程では，視覚情報と音韻情報の変換をスムーズに行うための自動化のメカニズムも関与すると考えられている．

　文字の特徴を認識し記憶する視覚認知能力・視覚的記憶力も関与するが，かなやアルファベットでは視覚的な負荷は小さい．一方，漢字は視覚的に複雑であるため，視覚認知能力・視覚的記憶力の関与が大きく，また文字が意味と対応する表語文字であるため，語彙力が重要となる．

b）読みにかかわる脳機能

　文字の歴史はせいぜい6,000年であり，人類の進化のなかではごく最近の出来事である．文字に特化した脳領域はなく，音声言語と視覚認知にかかわる脳領域を利用して，文字の処理を行っている．読みにかかわる脳領域として，以下の3つの脳領域が知られている（図2）．
①左頭頂側頭移行部（上側頭回，角回）
②左側頭葉後下部（紡錘状回中部）
③下前頭回

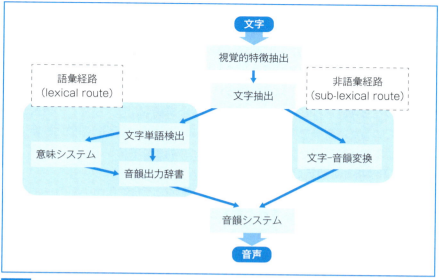

図1 読字の二重経路モデル

[Coltheart M, et al：DRC：a dual route cascaded model of visual word recognition and reading aloud. Psychol Rev 108：204-256, 2001. より改変]

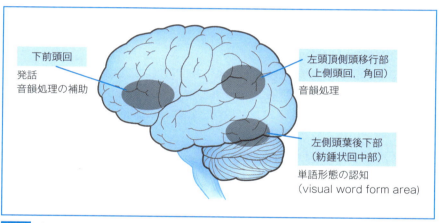

図2 読みにかかわる脳領域

[Pugh KR, Mencl WE, Jenner AR, Katz L, Frost SJ, Lee JR, Shaywitz SE, Shaywitz BA. Functional neuroimaging studies of reading and reading disability (developmental dyslexia). Ment Retard Dev Disabil Res Rev 6：207-213. 2000. より改変]

　大規模な横断的機能的MRI研究により，読字習得の初期には左頭頂側頭移行部の，習熟した読みでは左側頭葉後下部の活動性が高まることが明らかとなった[2,3]．左頭頂側頭移行部は音韻処理にかかわる部位であり，初期の文字－音韻変換による読みを反映すると考えられている．左側頭葉後下部（紡錘状回中部）は，単語や親密度の高い文字列に特異的な活動を示す部位であり，visual word form areaとよばれている．この部位の活動は経験を反映し，読字習得に伴い活動が出現，増強することが知られている．機能的MRI研究の結果は，読みの習熟に伴い，文字－音韻変換（非語彙経路）による読みから，語彙経路による読みへと移行することと対応している．

c） 発達性ディスレクシアでの異常所見

1） 機能画像検査（機能的MRI，ほか）

前述の横断的機能的MRI研究により，発達性ディスレクシアのある子どもでは，左頭頂側頭移行部と左側頭葉後下部の両方に活動低下を認めることが確認された．一方で，左前頭回と右半球の相同部位には年齢があがるに従って活動上昇が認められ，代償的活動と考えられた．その後の研究では言語による違いについても検討されており，アルファベット言語やかな文字などの表音文字ではほぼ同様の結果が得られているが，表語文字である中国語では，左頭頂側頭移行部の活動低下部位がやや異なること，左中前頭回の活動低下が認められることなどが報告されている[4]．

2） 構造画像・脳容量解析・拡散テンソル画像（DTI）

発達性ディスレクシアでは，剖検脳，MRIを用いた検討の両方で側頭平面の左右差が乏しいことが報告され，脳の側性化の障害に関連すると考えられてきた．近年では高解像度の3D-MRI画像を用いて，グループ間での皮質・白質の容量の違いを明らかにする脳容量解析や，拡散テンソル画像（diffusion tensor imaging：DTI）を用いた白質路の解析など，微細な解剖学的異常を非侵襲的に明らかにしようとする解析も行われている．DTI解析ではWernicke野とBroca野を結ぶ左弓状束（arcuate fasciculus）の側頭頭頂領域に異常を認めるとする報告が多い．近年では領域間の機能的結合をみる安静時機能結合（resting state functional connectivity）での検討も行われている．

2　書字にかかわる認知機能と脳機能

a） 書字の習得にかかわる認知機能

読字に比べると書字の習得に関する研究は少なく，書字習得に必要な認知機能について十分な合意が得られていない．McCloskey（2017）は，アルファベット言語の書字習得にかかわるものとして，音韻認識・音韻記憶，視覚的注意スパン，視覚的記憶，系列内の順序の処理，運動制御をあげている[5]．

中国語や日本語の漢字を対象とした研究では，視空間認知能力や視覚的記憶力がかかわることが報告されている．視空間認知能力や視覚的記憶力は漢字の読みにもかかわるが，書字のためにはより正確に記憶する必要がある．漢字はへんやかんむり，簡単な漢字やカタカナなどの組み合わせで成り立っているので，これらを単位として分解することで記憶しやすくなる．このため，複雑な視覚刺激から視覚的特徴を抽出し覚えやすい単位に分解する力が必要となる．また，各部分の空間的な位置関係を捉える力や，一連の書字動作を系列的な運動として学習する力も関与すると思われる．

b） 書字にかかわる脳領域

文字を書いているときに活性化を認める脳領域として，左優位の背側運動前野，腹側運動前野，上頭頂皮質，紡錘状回と，右側小脳が知られている（図3）[6]．このうち，左背側運動前野はExner's書字中枢とよばれ，書字動作のプランニングにかかわるとともに，文字の言語処理過程と運動過程をつなぐインターフェースになっていると考えられている．左紡錘状回には読字のところで述べたvisual word form areaが含まれ，文字や単語の視覚表象の想起にかかわると考えられる．上頭頂皮質は空間情報の処理や運動制御，小脳は運動制御や運動の自動化にかかわる部位である．

機能的MRIを用いた研究により，学習したばかりの文字を書く際には，これらの領域に広範な賦活が認めるが，書字の習熟とともに限局的なものとなることが報告されている．

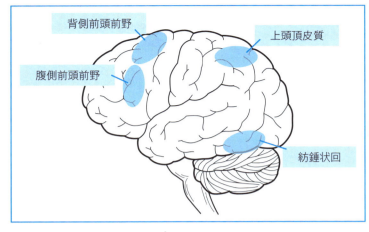

図3 書字にかかわる脳領域

[Longcamp M, et al. Neuroanatomy of Handwriting and Related Reading and Writing Skills in Adults and Children with and without Learning Disabilities: French-American Connections. Pratiques. 171-172, 2016 より改変]

c) 書字障害での異常所見

後天性の脳損傷においては，左頭頂葉（角回・縁上回）の障害で Gerstman 症候群（失算＝計算障害，失書＝書字障害，手指失認，左右失認）が生じること，Exner's 領野の障害で読み書きの障害が生じること，小脳障害で書字障害が生じることなどが知られているが，発達性の書字障害にかかわる特異的な脳領域は明らかになっていない．

書字にかかわる脳領域や領域間の機能的結合の異常，書字習得にかかわる認知能力に関連する脳領域の異常などが考えられる．

3 計算にかかわる認知機能と脳機能

a) 計算能力の習得にかかわる認知機能

図4[7] に計算能力の習得にかかわる能力・認知機能とその発達過程を示した．対象の種類やモダリティーにかかわらず，「数」の大きさを抽象的に表象する能力は新生児のみならず，他の動物にも備わっているとされる．数操作能力の習得にかかわるもう1つの生得的能力がサビタイジング能力（瞬間的な個数の把握）である．幼児早期であっても3つまでは一目で把握することができる．

幼児期になると，これらの生得的能力を基盤として，抽象的な数表象を，言語（数詞：いち，に…）や記号（数字：1，2…）といった異なる表象と対応させることができるようになる．数の空間的な表象が心的ナンバーラインであり，初期には数が小さいほど間隔の大きい対数的なものとしてイメージしているが，次第に一定間隔をもつ線型のものとしてイメージするようになる．計算能力については，最初は心的に数の大きさを操作して（初期には実際に指や物を数えて）計算を行うが，次第に自動化されて，数的事実として記憶から取り出すことができるようになる．1桁のたし算やかけ算ではこのような数的事実の取り出しが計算の主体となるようになり，計算のスピードが速くなっていく．このような数や計算に特異的な能力の発達は，言語能力，ワーキングメモリや注意力などの非特異的な認知能力の発達に支えられている（図4）．

計算障害（dyscalculia）の発症頻度は3～6％とされているが，その定義は報告により異なっている．発達性計算障害の中核的障害は数概念の基礎となる数覚（numerosity/number sense）の障害であるとされてきた．ここでいう数覚の障害には，新生児期から存在する生得的能力だけでなく，数の大きさの表象そのものの不正確さや，数の大きさの表象を言語（数詞）や記号（数字）といった異なる表象と対応される能力の弱さが含まれている．一方，実際に算数障害と診断される例に

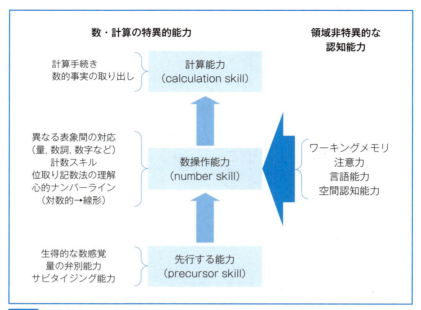

図4 計算能力の発達にかかわる能力

[Kucian K, et al：Developmental dyscalculia. Eur J Pediatr 174：1-13, 2015 をもとに作成]

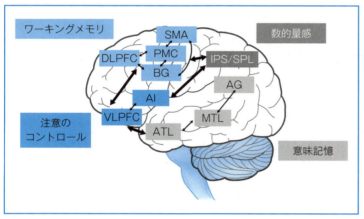

図5 計算にかかわる脳領域

IPS：頭頂間溝，SPL：上頭頂小葉
SMA：補足運動野，PMC：前運動皮質，
BG：基底核，DLPFC：背外側前頭前野
AI：島前部，VLPFC：腹外側前頭前野
AG：角回，MTL：側頭葉内側部，
ATL：側頭葉前部

[Fias W, et al：Multiple component of developmental dyscalculia. Trends Neurosci Educ 2：43-46, 2013 より改変]

は，数的事実の記憶からの取り出しに困難を認める例，計算手続きの定着に困難を認める例，位取り記数法が理解できない例など，数覚の障害だけでは説明できない例も多い．算数障害は多様であり，図4の「数・計算の特異的能力」と，その発達を支える「領域非特異的な認知能力」のそれぞれの要素でつまずきを認める例が混在していると考えられる[8]．

b）計算にかかわる脳領域

　数的処理や計算課題における機能的MRI研究のメタ解析からは，頭頂葉，特に頭頂間溝が数の大きさの表象に関与することが明らかにされたが，その他に前頭葉，側頭葉，基底核などの様々な部位に活動が認められている．Fiasら[8]はこれらの活動部位を数の処理にかかわる脳機能ネットワークとして次の4つに整理している（図5）．

①頭頂葉：数の大きさの表象に関与．
②基底核＋前頭 - 頭頂経路：ワーキングメモリシステム．
③角回＋側頭葉内側部：宣言的記憶，意味記憶．
④前頭前野：注意の維持に関与．

　数の操作による計算から数的事実の記憶からの取り出しへの移行，空間的イメージ（心的ナンバーライン）の利用といった計算スキルの習熟に伴う方略の変化は，これらの領域の関与の度合いや領域間の結合性の変化に現れると予測される．安静時機能結合やDTIを用いて，計算スキルの習熟に伴う領域間の結合度の変化をみようとする研究が行われている．

c）計算障害での異常所見

1）機能的MRI

　前述のように計算障害と診断される子どもには様々なタイプが混在しているが，機能画像研究の多くは数覚に障害のある中核群を想定しており，数の大小比較が課題として用いられることが多い．この課題を用いた機能的MRI研究のメタ解析[9]では，計算障害のある子どもでは定型発達児と比べ，両側頭頂葉に活動低下を認めることが報告されている．あわせて，左右の前頭葉や左紡錘状回に活動低下部位が認められている．一方で左右の下前頭回や前頭葉内側部は計算障害のある子どもでより強い活動を認めており，この課題が定型発達児に比べて負荷の大きい課題になっていることがうかがわれる．

2）脳容量解析・拡散テンソル画像（DTI）

　脳容量解析では，頭頂葉，特に頭頂間溝の皮質・白質の容量低下が一貫して報告されているが，前頭葉や皮質下の容量低下も報告されている[7]．頭頂葉白質の容量低下を認めることの多い低出生体重児において，左頭頂葉の白質容量と計算能力が相関するとする報告もある．DTIを用いた解析では左上縦束に異常が認められ，頭頂間溝のみではなく，上縦束を介した頭頂間溝と前頭葉・側頭葉の連絡の障害が背景にあると推察されている．

（関あゆみ）

引用文献

1) Coltheart M, et al：DRC：a dual route cascaded model of visual word recognition and reading aloud. Psychol Rev 108：204-256, 2001
2) Pugh KR, et al：Functional neuroimaging studies of reading and reading disability (developmental dyslexia). Ment Retard Dev Disabil Res Rev 6：207-213, 2000
3) Shyawitz BA, et al：Disruption of posterior brain systems for reading in children with developmental dyslexia. Biol Psychiary 52：101-110, 2002
4) Siok WT, Perfetti CA, Jin Z, Tan LH. Biological abnormality of impaired reading is constrained by culture. Nature 431 (7004)：71-76, 2004
5) McCloskey M, et al. Developmental dysgraphia: An overview and framework for research. Cogn Neuropsychol. 34E：65-82, 2017
6) Longcamp M, et al. Neuroanatomy of Handwriting and Related Reading and Writing Skills in Adults and Children with and without Learning Disabilities: French-American Connections. Pratiques. 171-172, 2016
7) Kucian K, et al：Developmental dyscalculia. Eur J Pediatr 174：1-13, 2015
8) Fias W, et al：Multiple component of developmental dyscalculia. Trends Neurosci Educ 2：43-46, 2013
9) Kaufmann L, et al：Meta-analysis of developmental fMRI studies investigating typical and atypical trajectories of number processing and calculation. Dev Neuropsychol 36：763-787, 2011

第1章 LDとは

F ▶ 合理的配慮について

> **Point！**
> ▶「障害者差別解消法」の2021年の改正により「合理的配慮」の法的義務化が決定した．
> ▶ 教育における合理的配慮は，障害のある子どもが他と同等の学習機会を保障するためのものである．
> ▶ 提供にあたっては，学校と本人・家族が「建設的対話」を行うことが最も重要となる．

1 合理的配慮とは

　2006年に国連で採択された「障害者の権利に関する条約（以下，障害者権利条約）」の「第二条定義」において「合理的配慮」とは「障害者が他の者との平等を基礎として全ての人権及び基本的自由を享有し，又は行使することを確保するための必要かつ適当な変更及び調整であって，特定の場合において必要とされるものであり，かつ，均衡を失した又は過度の負担を課さないものをいう．」と定義されている[1]．つまり，1人ひとりの障害特性や場面に応じて生じる障害ならびに困難さを取り除くための個別の調整や変更といった配慮の提供を行うことで，障害のある人々における社会的活動の機会の均等化をはかることを意味する．

2 障害を理由とする差別の解消の推進に関する法律

　日本は，障害者権利条約に2007年に署名したのち，同条約にて明記されている「障害に基づく差別」を禁止するための措置を取ることができるよう，同条約の実効性をもたせるための国内法である「障害を理由とする差別の解消の推進に関する法律（以下，障害者差別解消法）」を2013年に制定し，2014年に同条約の批准に至った．
　2016年4月1日に施行された「障害者差別解消法」は，全ての国民が，障害の有無によって分け隔てられることなく，相互に人格と個性を尊重し合いながら共生する社会の実現に資することを目的とし，障害者基本法第4条に規定される「差別の禁止」を具体化するものである．
　この法律では，すべての国民が，責務として障害を理由とする差別の解消が重要であることに鑑み障害を理由とする差別の解消の推進に寄与するよう努めることを定めるとともに，国・地方公共団体等や民間事業者に対して「障害を理由とした不当な差別的取扱いの禁止」と「合理的配慮の提供義務」が明記されている[3]．
　「不当な差別的取扱い」とは，障害を理由として，正当な理由なく，サービスの提供を拒否したり，制限したり，条件を付けるような行為をいい，国・地方公共団体等，民間事業者ともに法的義務として禁止することが定められている[3]．
　「合理的配慮の不提供」とは，障害のある人から何らかの配慮を求める意思の表明があった場合に必要かつ合理的な配慮を行わないものをいう．同法制定時は，合理的配慮の提供を行うことを国・地

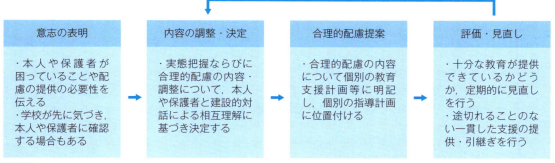

表1 差別的取扱いの禁止・合理的配慮の提供における義務規定

	差別的取扱いの禁止	合理的配慮の提供
国・地方公共団体等	法的義務	法的義務
民間事業者	法的義務	努力義務⇒法的義務（※1）

※1：2021年6月4日より3年以内に「法的義務」へ変更

［障害を理由とする差別の解消の推進に関する法律（障害者差別解消法）（内閣府ホームページ）より改変］

意志の表明
・本人や保護者が困っていることや配慮の提供の必要性を伝える
・学校が先に気づき，本人や保護者に確認する場合もある

内容の調整・決定
・実態把握ならびに合理的配慮の内容・調整について，本人や保護者と建設的対話による相互理解に基づき決定する

合理的配慮提案
・合理的配慮の内容について個別の教育支援計画等に明記し，個別の指導計画に位置付ける

評価・見直し
・十分な教育が提供できているかどうか，定期的に見直しを行う
・途切れることのない一貫した支援の提供・引継ぎを行う

図1 学校での合理的配慮の提供のプロセス

［文部科学省「新しい時代の特別支援教育の在り方に関する有識者会議」資料（2018年）における「各学校における合理的配慮の提供のプロセス」より改変］

方公共団体等は法的義務とし，民間事業者は努力義務と定められていたが，2021年5月の第204回通常国会において同法の改正法が成立し，民間事業者の合理的配慮提供が法的義務化され，同年6月4日の公布から3年以内に施行されることとなった（**表1**）[2]．ただし，提供義務が課せられているものの体制面，財政面において過度の負担を伴う場合は，求められた配慮の実施を断ることができる．

3 教育現場における合理的配慮について

　2012年2月に出された中央教育審議会初等中等教育分科会特別支援教育の在り方に関する特別委員会報告のなかで，「本特別委員会における『合理的配慮』とは，『障害のある子どもが，他の子どもと平等に『教育を受ける権利』を享有・行使することを確保するために，学校の設置者及び学校が必要かつ適当な変更・調整を行うことであり，障害のある子どもに対し，その状況に応じて，学校教育を受ける場合に個別に必要とされるもの」であり，「学校の設置者及び学校に対して，体制面，財政面において，均衡を失した又は過度の負担を課さないもの」，と定義された[4]．学校においても障害を理由とした不当な差別的取扱いを禁止し，合理的配慮を可能な限り整備することが求められるようになった．

　学校における合理的配慮の提供は，障害のある子どもが他の児童生徒と同等の学習機会を保障するために実施するものであり，「特別扱い」や「優遇」するものではない．たとえば，定期試験などで解答方法の変更（代筆やパソコン，タブレットなどで解答すること，など）や問題用紙などの調整（用紙の拡大，など）を行うことは，試験において児童生徒の知識や思考力，表現力などの測りたい能力に影響を与えるものではなく，「子どもの能力を測ること」をすべての児童生徒と均等に行うための配慮である．もし，そのような配慮を受けて実施した試験結果を他の児童生徒と同様の成績評価として反映させない場合は不当な差別的取り扱いにあたり得る．「子どもが本来もっている力を十二

表2 不当な差別的取扱いならびに合理的配慮の具体例

＜不当な差別的取扱いに当たり得る具体例＞
- 学校，社会教育施設，スポーツ施設，文化施設などにおいて，窓口対応を拒否，又は対応の順序を後回しにすること．
- 学校への入学の出願の受理，受験，入学，授業などの受講や研究指導，実習など校外教育活動，入寮，式典参加を拒むことや，これらを拒まない代わりとして正当な理由のない条件を付すこと．
- 試験などにおいて合理的配慮の提供を受けたことを理由に，当該試験などの結果を学習評価の対象から除外したり，評価において差を付けたりすること．

＜合理的配慮に当たり得る配慮の具体例＞
- 学校，文化施設などにおいて，板書やスクリーンなどがよく見えるように，黒板などに近い席を確保すること．
- 入学試験や検定試験において，本人・保護者の希望，障害の状況などを踏まえ，別室での受験，試験時間の延長，点字や拡大文字，音声読み上げ機能の使用などを許可すること．
- 読み・書きなどに困難のある児童生徒などのために，授業や試験でのタブレット端末などのICT機器使用を許可したり，筆記に代えて口頭試問による学習評価を行ったりすること．

［文部科学省所管事業分野における障害を理由とする差別の解消の推進に関する対応指針（2016年）より抜粋］

表3 大学入試における合理的配慮例

発達障害に関する配慮事項（全ての科目において配慮する事項）
- 試験時間の延長（1.3倍）
- チェック解答
- 拡大文字問題冊子（14ポイント）の配付（一般問題冊子も配付）
- 拡大文字問題冊子（22ポイント）の配付（一般問題冊子も配付）
- 注意事項等の文書による伝達
- 別室の設定
- 試験室入口までの付添者の同伴

［独立行政法人大学入試センター（2022）「令和4年度大学入学共通テストにおける受験上の配慮事項等」より抜粋］

分に引き出す」という観点から必要としている配慮を考えていくことが重要である．

学校での合理的配慮の提供におけるプロセスを示す（図1）．合理的配慮は，本人や保護者の意思の尊重が大事であるが，本人や保護者が一方的に要求をしたり学校などが一方的に提供するものではない．学校と本人・保護者がどのような場面でどんな配慮ができるかをともに話し合い，お互い合意したうえで実施するといった「建設的対話」を行うことが最も重要となる．

4　「不当な差別的取扱い」と「合理的配慮」の参考例

「文部科学省所管事業分野における障害を理由とする差別の解消の推進に関する対応指針」において，不当な差別的取扱いにあたり得る具体例や合理的配慮にあたり得る配慮の具体例が明記されている（表2）[5]．より具体的な実践事例については，国立特別支援教育総合研究所が作成した「インクルDB（インクルーシブ教育システム構築支援データベース）」の『「合理的配慮」実践事例データベース』において多数紹介されている[6]．また，受験における合理的配慮例については独立行政法人大学入試センターのウェブサイトに掲載されている「受験上の配慮案内」が参考となろう（表3）[7]．ただし，公立学校受験における合理的配慮は自治体間，学校間で規定が異なる場合が多いため，学校設置者の自治体や学校に確認をすることが望ましい．

（竹下　盛）

引用文献

1) 障害者の権利に関する条約（障害者権利条約）（外務省ウェブサイト）
2) 障害を理由とする差別の解消の推進に関する法律（障害者差別解消法）（内閣府ウェブサイト）
3) 障害者差別解消法リーフレット（内閣府，2016年）
4) 中央教育審議会初等中等教育分科会特別支援教育の在り方に関する特別委員会報告（文部科学省，2012年）
5) 文部科学省所管事業分野における障害を理由とする差別の解消の推進に関する対応指針（文部科学省，2016年）
6) インクルDB（インクルーシブ教育システム構築支援データベース）（国立特別支援教育総合研究所ウェブサイト）
7) 受験上の配慮案内（独立行政法人大学入試センターウェブサイト）

第 2 章

LDの具体的症状と診断・検査の実際

第2章　LDの具体的症状と診断・検査の実際

A　読字・書字障害の特徴

Point !
- 発達性ディスレクシアでは，読字，書字の両方に困難を認める．
- 主訴が読解や書字の困難であっても，読字の困難（特に流暢性の障害）が背景にある可能性がある．
- LDの診断には客観的評価が必要であり，特徴的症状だけでは診断できない．
- 読字・書字の困難が発達障害に合併することは多い．発達障害の中核症状によるものか，合併するLDによるものかの判断が必要となる．

1　LDの特徴的症状と診断の考え方

　LDは，読み・書き・計算などの学業的技能が，暦年齢から期待されるよりも著明に低く，その原因が明らかな感覚入力や運動の障害，学習環境や教え方，知的水準の問題ではない場合に診断される．読み・書き・計算などの学業的技能の成績は連続的な分布を示すため，定量的かつ標準的な評価法によって，暦年齢集団のなかで一定の基準よりも低いことを示す必要がある．
　以下にそれぞれの障害の特徴的症状をあげるが，他の発達障害のように「特徴的症状が一定数以上あれば診断される」というものではないことに注意が必要である．あくまで，それぞれの障害を疑うきっかけとして捉え，該当する特徴がみられる場合には定量的評価を行って診断する必要がある．

2　発達性ディスレクシア

　発達性ディスレクシアはDSM-5における限局性学習症/限局性学習障害，ICD-11におけるdevelopmental learning disorderの中核となる障害であり，「正確かつ/または流暢な単語認識の困難」，「綴りとデコーディング能力の弱さ」を特徴とする（「第1章A　診断基準と定義　4 IDAの発達性ディスレクシアの定義」p.3参照）．一般には「読む」とは文章を読んで理解することを意味することが多いが，発達性ディスレクシアの場合は「文字や単語の読み書き」自体に困難がある．文字や単語が全く読めないのではなく，読み誤りが多く（正確性の障害），時間がかかってたどたどしい（流暢性の障害）．発達性ディスレクシアでは文字記号の音声化であるデコーディング（読みの初期過程），音や単語の文字記号への変換（書きの初期過程），の両方において困難を認める．音声化とは必ずしも音読を意味せず，黙読であっても心のなかで音声化する過程を含む．文字記号への変換についても，書字動作自体の困難ではなく，音や単語に対応する文字記号を想起する部分の困難をさしている．
　表1に発達性ディスレクシアの読み書きの特徴をまとめた．最も典型的な発達性ディスレクシアではひらがなの習得からつまずきを認める．就学前には文字に興味がなかった，と報告されることが多い．就学後もひらがなの読み書きの習得に時間がかかり，促音・拗音・長音，助詞（は，へ，を）など，音と文字の対応が曖昧な文字の読み誤り・書き誤りが小学校2年生以降でもみられる．カタカナでも同様の読み誤り・書き誤りを認め，習得の程度はひらがなよりも低いことが多い．
　文章の読みはたどたどしく時間がかかり，努力性であるため，読んでも理解できていないことが多

表1 発達性ディスレクシアの読み書きの特徴

1. 読み	・ひらがな，カタカナを読み誤る 　促音（っ），拗音（ちょ），長音（こうてい） 　助詞部分（へ，は，を），文末 　形や発音が似ている文字「シ」と「ツ」，「b」と「d」など ・漢字を読み誤る，もしくは読めない ・文章の読みがたどたどしく時間がかかる
2. 書き	・小学校2年生以上で，ひらがな，カタカナを書き誤る 　（促音や拗音，長音，助詞部分，形や発音が類似している文字など） ・文章を書く際，ひらがなの使用が多い ・口頭でいえることを，同じように書くことがむずかしい ・文字を書くことに時間がかかる ・漢字が覚えにくく，覚えてもすぐに忘れる
3. 読み書き	・板書された文字列を正確に写せない ・板書された文字列を写すのに時間がかかる

い．低学年では「音読が苦手」として気づかれることが多いが，繰り返し読んだ文章では暗記していることがあり，初めて読む文章で確認する必要がある．高学年になり黙読で読む量が増えると，最後まで読めなかったり，飛ばして読んだりするため，内容理解の悪さが目立つようになり，読み自体の問題としてではなく，「長文問題が苦手」と捉えられていることがある．

多くの場合，漢字の読み・書きにも困難を認める．低学年で習う象形文字（木，日など）は意味と結びつきやすいため比較的覚えやすいが，親密度の低い語やイメージしにくい語（低心象性語），読み方が複数ある文字の読みが困難である．漢字の書きでは，全く書けない場合やおおよその形はあっているが細部を誤る場合が多く，音は異なるが意味の似た字を書く誤り（意味性錯書）がみられることがある．漢字の読み書き能力は，全般的知的能力や語彙力と相関し，興味関心や練習量など認知的負因以外の影響も受けるため，習得度の低さだけでは，LDによるものか，それ以外の要因によるものかの判断が困難である．発達性ディスレクシアでは，主訴が漢字の困難であっても，ひらがな・カタカナの読み書きに軽度の困難（音読速度の遅さなど）が確認されたり，経過上小学校低学年でかな文字の習得の遅れや音読の苦手さが存在していたりするので，ひらがな・カタカナの読み書きの評価と幼児期からの経過の確認が重要である．

教育現場では，板書の困難が問題となることがある．板書の困難には書字能力だけでなく読字能力も影響する．私たちは黒板を写すときには，1字ずつ見て写すのではなく，ある程度読んで覚えてからノートに書いている．発達性ディスレクシアの場合，「黒板に書いてある字が読めない，読むのに時間がかかる」「ノートに書くときに文字が想起できない」と二重に困難が生じるため，板書は極めて負荷の大きい作業である．

発達性ディスレクシアのある子どもでは文字・文字列と読み方の対応が一貫しない言語ほど読み書きの習得が困難であることが知られている．英語は文字・文字列と読み方の対応が極めて悪い言語であるため，英単語の読み書きに困難を認めることが多い．英語での口頭のコミュニケーションはできる場合もあるが，教育現場では読み・書きでの評価が主体となるため，英語の成績不良が進学・進級などにおいて大きな問題となることがある．

3　その他の読み障害

DSM-5では，限局性学習症／限局性学習障害の読みの症状として，発達性ディスレクシアの特徴

である単語の読みの不正確さや遅さ，綴字（スペリング）の困難に加えて，読解の問題（読んでいるものの意味を理解することの困難さ）があげられている．

　発達性ディスレクシアでは，文字や単語の読みが困難であることにより文章の読解にも困難が生じるが，単語の読み能力に支障がないにもかかわらず，読解に困難を認める例もあり，近年，特異的読解障害（specific comprehension deficits）として注目されている．読解能力は単語の読み能力が確立してからでないと評価できないため，読解障害は小学校中学年以降に明らかになる場合が多い．Cattsらは，小学4年以降に読みに困難を認めた子どものうち，約半数が読解力単独の障害であったと報告している[1]．縦断調査では，読解障害と診断された子どもでは，幼児期に聴覚的言語理解力，表出性言語能力，語彙力，文法理解力など音声言語能力に軽度の遅れが認められることが報告されている[1],[2]．一方で，発達性ディスレクシアで障害を認めることの多い音韻認識能力は正常域であるとされる．

　読解力は単語の読み能力と音声言語の理解力で説明できるとする考え方（simple view of reading）がある[3]注．この考え方に基づくと，読解の困難には3つのタイプがあることになる（図1）．発達性ディスレクシアのある子どもでは，音声言語の理解力には問題がないが，単語の読みが困難であることにより文章の読解に困難が生じる（図1A）．一方，単語の読み能力に支障がないが，音声言語の理解力の困難があると特異的読解障害となる（図1B）．図1のCは，単語の読み能力と音声言語の理解力の両方に困難を認める群である．全般的な知能水準と比べて有意に言語能力の低さを認める場合，特異的言語障害（Specific language impairment: SLI）と診断される（詳細は「第1章D「言語障害と学習」p.17を参照）．SLIには異なるサブグループがあるが，音声言語能力と音韻認識能力の両方に障害を認める場合が多い．この場合には，単語の読みと読解の両方に困難を認め，この群に含まれることとなる．

　日本では，学級内での読み指導のなかで「単語の読み」が直接的に評価されることが少ないことから，中学年以降に読解の困難に気づかれる子どものなかに，「単語の読み」に困難を認め結果的に読解の困難をきたしている例（発達性ディスレクシア）と，読解のみに困難を認める例（多くは音声言語の理解や語彙力に弱さを認める）の両方が見出されることに注意が必要である．

注 近年では，このような読解力の理解は単純過ぎるとするものもあり，ワーキングメモリの役割，文章と音声言語における理解力の違い，単語読み能力と音声言語能力の相互作用などが議論されている．

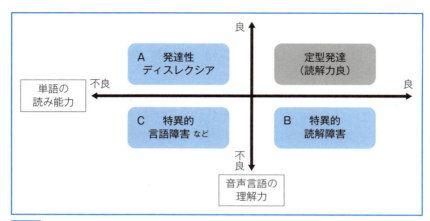

図1 読解の困難の3タイプ

[Orton Gillingham Online Academy（https://ortongillinghamonlinetutor.com/the-simple-view-of-reading-svr-part-1/）より改変]

4 書字障害

　DSM-5はアルファベット言語を想定しており，書くことにかかわる困難として，綴字（スペリング）の困難と文章を書くこと（書字表出）の困難があげられている．しかし，日本語，特に漢字においては，文字が思い出せない，文字を正しく書けないなど，文字を書くことそのものに困難が認められる場合が多い．

　書字障害は，「文字を想起して書く」能力の障害であり，聴写，いわゆる「書き取り」で評価する．文字を想起して書くことに困難があっても，視写（見て写す）では正しく書くことができることも多い．また，漢字の書字は読字に比べて難しいので，読み・書きの両方に困難のある発達性ディスレクシアでも，書字の困難だけに気づかれていることがある．従って，書字の困難のみだと思われても書字・読字の両方を評価する必要がある．

　漢字の書字能力は，認知的要因以外にも，漢字への興味や練習量，日常生活における手書きの必要度などの影響を受ける．このため，書字の習得度の低さだけでは，書字にかかわる認知能力の障害によるものなのか，それ以外の要因によるものなのかの判断が困難である．書字の習得度の低さに加えて次のような特徴がみられる場合，認知能力の障害を疑う手がかりとなる．

　①何回練習しても文字の形が覚えられない．
　②手本どおりに書けず，手本との違いに気づけない．
　③筆順が覚えられず，書くごとに違う筆順になる．
　④文字の形が整わず部分の配置のバランスが悪い，枠や行におさまらない．
　⑤文字を書くことに時間がかかる．

　①は視覚記銘・視覚記憶，②は視覚認知，③は系列的運動学習の障害が疑われる．④は視空間認知の障害のほか，巧緻性の悪さ（不器用さ）が原因として考えられる．⑤の場合には，文字を書き始めるまでに時間がかかるのか，書き始めてから書き終わるまでに時間がかかるのかを確認する．前者の場合には文字の想起に困難がある可能性が高く，後者の場合は想起の困難と書字運動の問題のどちらも可能性がある．

　ASDやADHDなどの発達障害のある子どもでは，認知能力の個人内差が大きいことが多く，書字にかかわる認知能力のいずれかに低下があれば，書字障害が併存する可能性がある．一方で，書字学習への興味関心の低さや不注意傾向による定着不良，合併する発達性協調運動障害（DCD）が書字困難の主因となっている場合もある．

〈関あゆみ〉

引用文献

1) Catts HW, et al : Prevalence and nature of late-emerging poor readers. J Educ Psychol 104, 2012
2) Nation K, et al : A longitudinal investigation of early reading and language skills in children with poor reading comprehension. J Child Psychol Psychiatr 51 : 1031-1039, 2010
3) Gough P.B., Tunmer W.E. : Decoding, reading and reading disability. Remedial and Special Education, 7 : 6-10, 1986

参考文献

- 発達性ディスレクシア研究会：Fact Sheet．ディスレクシアを理解するために．2014．発達性ディスレクシア研究会ホームページ（http://square.umin.ac.jp/dyslexia/FactsheetJDRA_002.pdf）
- American Psychiatric Association　日本精神神経学会日本語版用語監修：DSM-5 精神疾患の診断・統計マニュアル．医学書院，2014．
- 厚生労働省：疾病，傷害及び死因の統計分類．厚生労働省ホームページ（http://www.mhlw.go.jp/toukei/sippei/）

第2章　LDの具体的症状と診断・検査の実際

B ▶ 算数障害

> **Point !**
> ▶ 算数障害には，計算障害と数学的推論の障害がある．計算障害には数詞，数字の変換の誤りと数的事実，計算手続きの障害が含まれる．数学的推論の障害には数概念の障害と数イメージの操作などが含まれる．
> ▶ アナログ時計の時刻，時間感覚，図形や幾何学の障害など，算数障害以外の学習困難がある．

算数障害は，ICD-11 では，number sense, memorization of number facts, accurate calculation, fluent calculation, accurate mathematic reasoning のような数学的あるいは算数的学習技能の習得の明らかなそして継続的な困難さ（拙訳），DSM-5 では，算数関連の症状として，数の感覚，数学的事実の記憶，計算の正確さまたは流暢性，数学的推理の正確さの障害の4点があげられ，内容が一致している．一方，文部科学省の学習障害の定義では「計算する」と「推論する」の障害が算数障害と考えられる．本稿では，算数障害を計算障害と数学的推論能力の障害を含むカテゴリーという前提で解説する．

1　数概念の発達

数には数量と数詞と数字という3つの要素がある．数量は数の量的な側面，数詞は「いち」「みっつ」など数についた名称，数字は「1」「三」など数を表す記号である．3つの要素を関連づけて考えられることが大切で，単に数字に興味が強くても数概念が獲得できているとは限らない．また，数には基数と序数があり，基数は一般的な数量，序数は順序を表すものである．100 まで数えることができても，基数に関する概念が育っているとは限らない．

子どもは乳児期から物を見て，触って，感じる体験を繰り返しながら，大きさ，長さ，重さや数の多さなど「量」の概念や，それらを合わせたり，取り去ったり，分けたりする基本的な操作を学ぶ．幼児期後半には，生活のなかで数を数えながら「序数」を習得し，しだいに「数」を「量」と対応させてイメージできるようになる．一般的には就学後に算数の学習が始まるが，通常，計算を学ぶための準備，数概念の獲得は就学前に済ませているので，タイルやおはじきなどの具体物を使う数や数の操作の練習は短期間で終わる．簡単な計算は記憶して自動化し，より複雑な計算操作を学んでいく．長さやかさや時間など「量」を数と単位で表す方法も身につける．

2　数や計算に関する脳機能と算数障害の関係

McCloskey らの計算に関する認知モデルを参照すると，子どもの症状を分析的に理解しやすい（図1）[1]．数に関する感覚や知識の集合である数概念と，数詞，数字の数概念へのインプット・アウトプットをあわせた数処理メカニズム，数的事実（答えが記憶されている簡単な計算）と計算手続き

（その他の複雑な計算）からなる計算メカニズムの2つのモジュールがあり，それぞれ関連性をもっている．

算数障害はそれらの認知の1つ，あるいは複数が障害された状況と考えられる．数処理メカニズムの数詞，数字のインプット・アウトプット，計算メカニズムの数的事実と計算手続きの障害は計算障害に含まれる．数学的推論の障害は，数概念とその操作能力の障害と考えられる．

3 算数障害の臨床像

一般に，幼児期に数概念の形成段階で問題に気づかれることはなく就学を迎える．算数は数概念が習得されていることを前提に学習が進む．しかし，算数障害の子どもはこの数概念に弱さをもつことが多く，数字を見たり数詞をいわれたりしても数量をイメージすることができないまま経過し，計算や文章問題など算数の様々な要素に問題が現れる．知的境界域など算数の困難をきたす原因は数多く，読み書きに比べると習得度の個人差も大きいので，そのまま放置されるか，練習量を増やすことで対応されることが多い．特異的な困難さに気づかれるのは，かなり状態が悪化した後である．基礎的技能の段階でつまずいているため，学科としての積み上げができず，十分習得できない状態で終始する．

a）計算障害

1）数詞，数字の変換の誤り（数詞，数字のインプット・アウトプットの障害，図1）

桁が大きくなると，口頭でいわれた数（数詞）を数字に置き換えることに困難を示す．「さんびゃくごじゅうに」を「300502」と書いたり，「にひゃくさん」を「23」と書いたりする．このような子どもは位の概念が弱いことが想定される．基本的に算数では「数字を読ませる」という作業を行わないため数字の読み間違いの訴えは少ないが，数字を数詞に変換する際にも誤っている子どももいる．

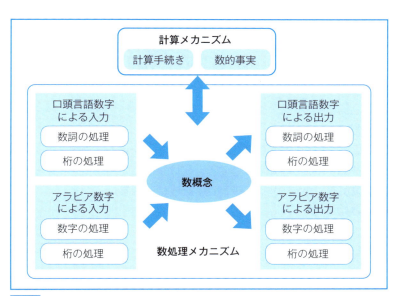

図1 計算に関する認知モデル

[McCloskey M, et al：Theory-based assessment of acquired dyscalculia. Brain Cogn 17：285-308, 1991 より改変]

2）数的事実の障害

計算メカニズムのうち数的事実の障害である（図1）．「5＋3」「8＋7」「9－4」「13－6」のような計算は，学習の初期段階では数量の増減を「考えて」答えを出す．何度も取り組むと次第に習熟し，演算記号と数の組み合わせを覚え，「考えなくてもすぐに答えが思い浮かぶ」ようになる．これを計算の自動化という．この計算の自動化がうまく進まず，毎回考えないと答えが出なかったり，答えが思い浮かぶまでに時間がかかったりする．学年が上がっても1桁のたし算や引き算で，指を使って数えたし，数え引きをしていることもあり，特に「9＋6」や「14－8」のような暗算でできる範囲の繰り上がり・繰り下がりで残りやすい．数字から数量をイメージできないため，具体物である指を手がかりとしていることが原因である．いつまでも指を使っていると「指を使わずにしなさい」「覚えなさい」と指を使うことを禁止されたり，友達にからかわれて「恥ずかしい」と思ったりすることもあるため，学年が上がってくると指を使っていることを隠そうとする子どもも多い．しかし，大人から見えないように隠して指を使っていたり，鉛筆や指で机をたたきながら数え引き・数えたしをしていたりすることもあるので，計算を行っているときの状態を観察することが必要である．

小学校では算数のテストに十分な時間が与えられるので「自動化がうまくいかない」という状態は気づかれにくく，答えがあっていると「計算はできている」と思われるため，本人も周囲にも計算が遅いことは分かりにくい．中学校では数学の試験時間の不足が明らかになることが多い．そのため，評価を行う際には計算速度を確かめることが必要になる．

また，自動化の弱さには，数概念が弱いために起こるタイプと，数概念はあるが自動化が進みにくいタイプがあるようである．かけ算では，最初に九九を習得させ，1桁のかけ算の自動化を行うが，自動化に弱さがあると九九の習得にも困難を示すことがある．

3）筆算の手順理解の困難（計算手続きの障害，図1）

筆算になると，計算に複雑な手順が入ってくるが，その習得につまずく子どもたちもいる．繰り上がりや繰り下がりの有無を判断せずに，繰り上がりや繰り下がりの手続きをしたり，引き算で繰り下がりをしなければいけないのに小さい数から大きい数を引いてしまったりする．かけ算の筆算になると，「一の位同士」「十の位同士」だけではなく「一の位と十の位をかける」という操作も含まれるため，手順はより複雑になる．

また，かけ算やわり算では，「かける」「わる」という操作以外に「たす」「引く」が含まれるため，混乱しやすい．わり算の筆算では，たし算・引き算・かけ算と形態が異なることも混乱の一因となる．

b）数学的推論の問題

文章問題は，①文章を読む，②数量の変化や移動をイメージする，③それを式に置き換える，④計算をする，⑤答えを書く，という手順で解答する．①は読みの問題，④は計算障害，⑤は計算障害または書字の問題に関連する．数学的推論の問題は②と③に現れる．

1）数量変化の読み取りの困難

数概念に弱さがあると，文章を読んでもそこから数量の変化や移動をイメージすることがむずかしい．そのため，文章問題を読んでも「何算？」と聞いたり，引き算の式を立てるのに小さい数から大きい数を引くような式になったりする．

「数量の変化や移動をイメージする」という手順は，「しなければいけないこと」として教えられるわけではなく，「イメージできているもの」という前提で授業が進む．そのため，本人も周囲も数量の変化や移動をイメージできていない，ということは分かりにくい．また，小学校3年生ぐらいま

では、「たし算」の単元で「たし算の文章問題」を行うため、文章から数量の変化や移動をイメージできていなくても、その単元の演算記号を使った式を立てることで正解に至ってしまうというのも、数学的推論の障害を見つけにくい原因である。

文章問題が分かりにくい場合に、「合わせて」「全部で」「残りは」などのキーワードを見つけさせ、「合わせて」「全部で」はたし算、「残りは」は引き算、のように演算と結びつけて教えることがある。これは、たし算・引き算だけのときには表面的に正解に至ることが多いが、真に理解させる方法ではないので注意が必要である。

2) 数量変化を式にすることの困難

数の変化や移動の内容について説明したり絵や図で説明したりして、数の移動についてはある程度イメージができても、それが「何算になるのか」は分からないことがある。前述の「数量変化の読み取りの困難」とセットになっていることが多い。特にかけ算やわり算で多く、数量が増えるものは「たし算」、数量が減るものは「引き算」にしてしまう。

原因としては、数概念が弱いまま計算を「手順の記憶」として習得したため、それぞれの計算が「どのような数量の変化を表すのか」が分かっていないことによる。

4 その他の算数の問題点と鑑別

算数という科目には多くの課題が含まれ、計算障害、数学的推論の障害以外にも問題が生じる。「アナログ時計の時刻が読めない」「図形の問題が苦手」は、算数障害には含まれない学習困難である。

「数直線が理解できない」「小数、分数など非自然数が理解できない」「長さ、重さ、かさなど量の理解ができない」「時間、速度の計算ができない」「比例、割合が理解できない」などは、数概念に関連する問題として数学的推論の障害に含めることも可能だが、知的境界域の子どもにも普遍的に認める訴えなので、知的水準を確認しておく必要がある。

注意集中の問題により、「計算が複雑になると誤りやすい」「繰り上がりや繰り下がりのメモを書き忘れたり見落としたりして誤る」などの計算の誤りを起こすことがある。計算障害との違いは誤りに一貫性がないことで、同じ種類の問題でもできるときとできないときがあったり、1枚のプリントで前半は誤りが多いのに後半は正解したりする。

視知覚が弱い子どもでは、筆算の位取りで混乱することがある。特に、罫線のない白紙に書いたときに位をそろえることができず、そのために計算を誤る。

言語障害やASDでは、文章問題の理解に困難を示す。言語障害は、文章の読み取りがむずかしいために数量の関係性が分からず、正しい式を立てられない。ASDでは、「文章から数量の変化や移動をイメージする」「それを式に置き換える」という暗黙の手順があることが分からず、式を立てることに困難を示す。ただし、ASDではこの暗黙の手順を明確な手順として教えるとできるようになる。

5 併存する障害

計算障害と読字障害、書字障害が合併することは比較的多く、読み書きの検査評価の時点で気づかれることがある。ASD、ADHDとの合併も多く、他の発達障害の受診中に学習の困難さに話題が及ぶと気づかれる。

Gerstmann（ゲルストマン）症候群は、優位側頭頂葉の脳損傷により後天的に計算障害、手指失認、左右方向障害、

書字障害の4つの症候を呈するものである．発達性の脳機能障害でも上記の4症候に構成失行を加えた5症候を呈する場合があり，発達性Gerstmann症候群とよばれる．ただし，Gerstmann症候群を疑問視する声があり，実際に発達性Gerstmann症候群も5つの症候がすべてそろわないことが多く，5症候以外に読字障害が併存することもある．

(若宮英司，栗本奈緒子)

 引用文献

1) McCloskey M, et al：Theory-based assessment of acquired dyscalculia. Brain Cogn 17：285-308, 1991

第 2 章　LDの具体的症状と診断・検査の実際

C　診察の実際

> **Point！**
> - 問診，既往歴，現症で，認知特徴や行動特徴と学習の関係を念頭に置きながら，大まかな見当をつける．LD以外の発達障害の特徴にも留意する．この段階で診断する必要はない．
> - 知能検査は必須である．読字，書字，計算，数学的推論に問題がある場合，標準化された検査を行い，診断をつける．
> - 介入方法を構成するため，より詳しい検査が必要となる．専門的にかかわれる人との連携を模索する．

　学習について相談を受けたら，どのように対応すればよいだろうか？　手順は一般の診療と変わりない．まず，訴えを詳しく聴取する．既往歴（発達歴）が重要であることも同じである．次に，症状を客観的に把握するための検査を行う．診断と評価を説明して，対応の仕方を整理して環境を整え，必要に応じて訓練や専門機関へ紹介する．

1　現症の問診

　LDが疑われるのか，それとも他の原因による学習困難の可能性が高いのか，大まかな見当をつける．訴えの内容を詳しく検討することで可能となる．学習困難の要因には，大まかに分けると次のようなものがあり，子どもの学習困難の状況がどれにあてはまるか想定しながら問診をとると，把握しやすい．

a）学ぶための姿勢の問題

　学校の規則や教師の指示に従うこと，単に「できる」だけではなく，「身につく」まで繰り返し練習を拒まないこと，誤りの指摘を受け入れることなどは，学習の基本となる姿勢である．多くの子どもにとってこのような学ぶ姿勢は半ば無意識のうちに身につくものであるが，しばしばASDやADHDの特性からうまく獲得できず学習に問題が生じる．（第1章C p.14参照）

b）注意集中障害

　なかなか課題にとりかからない，途中でボーッとするなど行動上の問題，ケアレスミスによる読み間違い，計算間違いなど机上活動に現れる問題，一般的な知識の不足や課題の掘り下げが浅いことなど認知上の特徴など，様々な段階で不注意が学習に影響する．読み，書き，計算にミスが生じるとLDと混同されることが多いが，LDではなく注意集中に対する援助が必要となる．注意集中の問題はADHDやASDに広く認められ，学習習得を阻害するおもな原因である．（第1章B p.9参照，第1章C p.11参照）

c）協調運動・筋緊張の問題，眼球運動

協調運動の障害は粗大運動や手先の不器用さとして，筋緊張の低下は姿勢が崩れやすいこととして現れる．

特殊な運動調節として眼球運動，特に衝動性眼球運動（saccade）があり，問題が生じると文章を読むこと，写し書きに困難をきたす．

おもに DCD や ASD で問題となることが多い．（第 1 章 B p.7 参照）

d）全般的な知的発達水準の問題

ID が学習困難の主因であることはよく目にすることで，比較的明らかな場合は従来から対応されてきた．しかし軽度の ID と知的境界域の子どもは，学習に関して何も配慮を受けていないことが多い．小学校の途中から学習習得に困難をきたすが，生活技能には問題ないことも多く気づかれにくい．ほとんどの場合知能検査は受けておらず，保護者が LD を疑って外来受診することもまれではない．（第 1 章 C 参照 p.11）

e）LD

文字や単語のデコーディングとエンコーディングや読解，計算技能や数学的推論の習得と使用の困難を認める場合がある．学習に用いる基礎的な技能の障害のために学習全般の習得が広範囲に損なわれるが，その病態は特異的な認知機能障害が想定されることが特徴である．

実際には LD 以外の要因で生じる学習困難の頻度が高い．また LD が他の発達障害に合併していることも少なくない．「読むのが苦手」や「漢字が書けない」というような大まかな訴えではない具体的な困難点，いつから困難が明らかになってきたかなどの学習進展の経過，学習姿勢や学習以外の行動特徴を聴取しておくとよい．

2　発達歴/既往歴の聴取

就学前の発達の様子や以前の学習の状況を確認することが手がかりになる．

a）乳幼児期の全般的発達，運動発達，言語発達

乳幼児期の発達に目立つ遅れがなかったかどうかを確認する．特に，言語領域，運動領域の遅れは重要である．また，低出生体重や二分脊椎，水頭症など，高次脳機能の明らかな障害を認めないまでも中枢神経領域の問題が推定される場合には，全般的知能発達の他に，領域特異的な発達の偏りの有無を意識して，既往歴をとる必要がある．

b）ADHD や ASD の特徴の有無

注意集中の状態やこだわり，融通のきかなさ，学習への姿勢につながる社会的認識など，ADHD，ASD の特徴は学習習得に大きな影響を及ぼす．幼少時からどのような行動・性格特徴がみられたかを把握することは，現時点で子どもが抱える学習困難の理解に役立つ．

〈現症の問診や既往歴の聴取の注意点〉

原則として，学習習得に必要な認知能力は，日常生活に必要な水準よりも高い水準を必要とする．

たとえば，日常会話は何となく通じているけれども，問題文の読解ができないなどがしばしば起こる．

一般に，問題点が経過とともに変容すると家族は解決したと考えがちである．また，年齢相応にできていない点に家族や教師が気づいていない，あるいは周囲が無意識のうちに補っていることもしばしばある．家族の口から自発的に語られることが少なく，現症や既往歴で見落とされやすいこれらの微妙なサインを拾い上げることができれば，子どもの困っている点の特徴が明確になる．

3 検査，評価

a) 知的水準の評価

知能検査は必須である．軽度のIDや知的境界域は，生活技能習得にはそれほど困っていない，あるいは気づかれていないことも多い．しかし一般的に，生活上の困難さからは想像がつかないほど，学習習得に困ることになる．

下位検査の成績から子どもの認知特徴がうかがえることがある．たとえば，言語能力やワーキングメモリに問題がある，などである．しかし，あまり数値の深読みはしないほうがよい．一義的には知的水準を測ることを目的として検査項目が構成されているので，当該能力を調べるために最適な検査とは限らない．能力の低下が推定されたら，その領域に特化した検査を採用すべきである．

むしろ，検査中の子どもの反応や行動の変化に関する検査者の報告のなかに，学習の問題点のヒントがあることが多い．

b) 学習技能の評価

読み書き，計算，数学的推論など，学習の基礎的技能の低下が疑われた場合に施行する．読み書きや計算能力に対して，日本人小児の学年別平均値や標準偏差が提示された検査があるので，利用する．

知的能力の低下を認めた場合は，その水準に照らした判断が求められるが，判断に苦慮することが多くなる．

1) デコーディング

文字や文字表記された単語を，スムーズに音韻に置き換える力を検査する．速さと正確さの両方の指標が必要である．

2) 文の意味理解

デコーディング以降，音韻化された文の意味理解する能力を検査する．デコーディングが障害された状態でも成績低下する．

3) エンコーディング

音で示された単音や言葉を書く能力を測定する．

4) 計算

算数的事実（arithmetic facts）と計算手順（calculation procedure）の双方について，速さと正確さを計測する．

5) 数学的推論

集合分類，集合包摂，可逆などの理解と使用を検査する．

6) 言語能力

受容・表出語彙力だけではなく，文法的知識など，文の構成と意味理解の能力を計測する．

詳細はそれぞれの項目を参照して，検査を選んで欲しい．（第2章H p.61～65 参照）

c) その他の検査

学習の基礎的技能の検査ではないが，視機能や視知覚，視覚認知など視覚情報処理に関する能力や，運動機能が学習に影響を及ぼすことがある．疑われた場合にはそれぞれの領域に専門的な検査を施行する．

4 障害の併存

現症と既往・発達歴の詳細な聴取と適切な検査によって，学習を阻害している原因を把握することができ診断がつくことが多い．あるいは注意集中力の低下など，診断基準に従うと診断には至らないとしても，その特質が学習困難を引き起こしているという判断に結びつく．診断の有無にかかわらず，原因となる特質にアプローチすることが子どもに対する援助になる．

LDが単独で認められることはむしろまれである．多くの場合，複数の要因が存在し，学習を阻害している．それぞれに対して対策をたてるアドバイスが必要となる．

5 介入の基本的考え方

学びの姿勢の未獲得がある場合，学習習得よりも基本的姿勢の習得を優先させる．周囲の援助や働きかけが徒労に終わるだけでなく，学校不適応に陥る危険性が高い．

知的水準の低下を認めた場合は，教示の工夫も必要だが，学習進達の速度や学習到達目標を子どもにあったプログラムに変更する必要がある．家族には，教科課程のすべてを習得しないと社会適応できないわけではないことを説明し，納得を得ることは大事である．

注意集中力や協調運動の障害，LDに対しては，現状を容認して苦手技能を補い，子どもの学習を手助けする合理的配慮と，苦手技能の改善を目指す訓練の双方の視点が必要である．合理的配慮には，環境の整備や時間の使い方の指導，声かけなど（注意集中），字体の崩れを容認，子どもに応じたノートなど（協調運動），ふりがなをふる，問題文の音読など（LD）があり，通常のクラスや家庭で実行してもらいたい．それに対して訓練は，問題点を見つけ出す臨床能力と障害に対する体系的知識が必要となるため，専門職が行うことになる．この両者は別のものと考え，うまく組み合わせて受けることができるように調整する．

（若宮英司）

第2章 LDの具体的症状と診断・検査の実際

D 協調運動の診察

Point!

- 協調運動は，円滑で効率的な運動であり，粗大運動と微細運動に分かれる．年齢発達で大きく変化し，評価の基準も変化する．協調運動障害を認めた場合，原因となる基礎疾患の有無の検討は重要である．
- 協調運動の評価は，標準化された検査を用いて実際の運動技能を評価する必要がある．また，質問紙を用いて日常生活活動における運動や動作に関してたずね，どの程度妨げられているのかの判断をする．この判断もDCDの診断に必須である．
- 神経学的微細徴候とは，古典的な神経学的診察法では見出せない神経学的逸脱であり，その評価は，詳細に包括的に判断する必要がある．
- 協調運動に注目した神経発達症の診察は，問診では，周産期情報，運動発達，健診での指摘の有無の確認が重要であり，身体診察では，SNSに加え眼球運動の拙劣さの評価も必須であり，医学検査では，疾患の除外も兼ね必要な検査をすることが重要である．

1 協調運動

協調運動とは，円滑で効率的に起こる運動であり，粗大運動と微細運動に分かれる．年齢発達で大きく変化し，評価の基準も変化する．協調運動障害を認めた場合，原因となる基礎疾患の有無の検討は重要である．

a）協調運動とは

協調運動とは，動作にかかわる筋群が適切な組み合わせ，適切な強さ，適切な時間に活動して遂行される，円滑で効率的な運動である[1]．粗大運動と微細運動に分かれる．粗大運動は，体の重心の移動にかかわる姿勢，バランス及び大きな筋群の関与する四肢の運動で，基本的動作である．微細運動は，手先を使って物を口に運ぶなどの小さな筋群の活動に関与する四肢の運動で，多くの応用動作である．

協調運動には，運動神経系，感覚神経系，筋・骨関節系など運動発現に必要な身体要素すべてが関連する[1]．よって，これらの身体要素を正確に評価することが協調運動の診察の核となる．

b）協調運動の年齢発達の変化

小児の協調運動は年齢発達に伴って大きな変化があることを，協調運動の診察や協調運動障害の有無の判断の際には常に意識する．よって，協調運動の評価は，年齢によって基準が変化する．また，5歳以前では，多くの運動技能の獲得に差があり，1～2歳では運動発達が少し遅れがちであっても5歳になるまでには追い付くこともあり，幼少期は評価が安定しない．また，この時期には，運動の遅れの他の原因が明らかではない可能性にも注意する．実際，協調運動障害を認める発達性協調運動

障害（developmental coordination disorder：DCD）は5歳より前に診断されることは典型的ではない．

　乳幼児の運動発達・協調運動の診察では，まずは運動の里程標[2]（milestone）に到達しているかの判断をし，さらにどのようにできているかの「質」に注目する．また，粗大運動と微細運動に分けて診察すると把握しやすい．運動発達の到達の詳細に関しては，遠城寺式・乳幼児分析的発達検査，改訂版日本版デンバー式発達スクリーニング検査などの運動に関する項目を参考にする．その他，運動発達の評価が1部ある検査には，実際に課題をするものと質問に答えるものに分かれる．新版K式発達検査2001/2020，KIDS乳幼児発達スケール，津守・稲毛式乳幼児精神発達検査，日本語版ASQ-3乳幼児発達検査スクリーニング質問紙などがある．

c) 運動発達の里程標（milestone）

　運動発達の重要な月齢（key month）として4か月，重要な年齢（key age）として1歳6か月，3歳，5歳における確認するべき要点を示す．

　[4か月] 粗大運動：首が座っている．微細運動：追視ができる．その他，あやすと笑う．これらの内1つでも達成していなければ，発達の遅れを疑う．

　[1歳6か月] 粗大運動：自立歩行が98%で可能である[3]．両手は下におろして転ばず歩く（low guard 歩行）が多いが，両手を肩ぐらいまで上げ，足幅も広い状態でぎこちなく歩く（high guard 歩行）のであれば，歩行の質は初期の段階であると判断する．二足歩行の発達は，姿勢維持系の発達の基盤であり最も注目すべき重要な運動発達のポイントの1つである．微細運動：積み木を2個以上積むことができ，少なくとも拇指と示指の屈側でつかむ．

　[3歳] 粗大運動：ジャンプ，手すりを持たずに足を交互に出して階段を登れる．微細運動：積み木を10個積める，○を模写できる．

　[5歳] 粗大運動：ステップを踏まずに閉眼起立ができる．片足立ちが左右とも5秒以上，片足ケンケンが左右とも5回以上可能である．微細運動：3秒以上の指のタッピングで鏡像運動がでない．前腕の回内・回外が左右とも可能である．左右手の交互開閉が3往復以上できる．これらは，5歳児健診での協調運動の項目である[4]．5歳は，協調運動が向上している年齢であり一定の評価が可能となる．5歳児健診は，神経発達症などの問題点が見えてくる時期に適正に発見するという「適正発見」という観点からも重要である．

d) 協調運動障害を認める基礎疾患

　協調運動障害がある場合，原因となる基礎疾患の有無の検討が重要である．小児期で，協調運動の障害を認める疾患は多岐にわたり，中枢神経・筋・末梢神経・結合織・代謝・内分泌・染色体・免疫・感染・遺伝子疾患などがある．知的能力障害や視力障害も協調運動に影響があるが，どの程度影響するかの詳細は不明である．急性・亜急性・慢性の経過，発熱の有無，常同的な姿勢や運動・筋緊張の異常，反射の異常や原始反射の遷延化・ジスキネジー・感覚障害の有無を確認することが基礎疾患の診断につながる．

　近年，協調運動障害を認めるDCDと脳性麻痺は連続体である可能性を指摘する研究者もいる[5]．白質の微細な構造を可視化するMRIの画像研究でCP[6]やDCD[7]の解析報告もされるようになり，さらなる研究が望まれる．実臨床では，脳性麻痺（CP）は運動と姿勢の発達の異常，活動の制限によって診断され，DCDとは鑑別される．また，診断時期の違い（CPは2歳までに症状が発現），神経学的異常の有無，姿勢と自発運動，反射，筋緊張，関節の可動域，左右差などもCPとDCDとの

鑑別点となる．運動の苦手さや協調運動障害の鑑別で現疾患を診断した2例を紹介する．

臨床研究の現場で経験した健常児としてリクルートした小学校5年生の男児は，勉強は問題ないが，実は，運動は苦手（今まで運動の苦手さで医療機関を受診したことはない）であった．早産・低出生体重児で，神経学的診察では膝蓋腱／アキレス腱反射の亢進，錐体路の障害でみられる Babinski 反射が陽性，足のクローヌスも陽性で，継ぎ足歩行が驚くほどうまくできなかった．よって，運動の苦手さは軽度の痙直性の CP が原因と判断した．

また，実臨床の現場で経験した6歳の男児は，近医から極端に走るのが遅く，歩き方も気になると協調運動障害の可能性を疑われ，受診となった．独歩獲得は1歳6か月過ぎであった．微細運動は問題なかったが，片足ジャンプはかろうじてできる程度，両足ジャンプは10cm程度飛び上がるのがやっとであった．下腿筋の仮性肥大を認めた．初診で，運動の苦手さは DCD ではなく筋疾患による可能性が極めて高いと判断した．ジストロフィン遺伝子の検査をし，Duchenne 型筋ジストロフィーと診断した．

このように，協調運動の評価をした際に協調運動障害を認めた場合，原因となる基礎疾患の有無の検討は重要である．

2 協調運動の評価

標準化された検査を用いて実際の運動技能を評価する必要がある．また，質問紙を用いて日常生活活動における運動や動作に関してたずね，どの程度妨げられているのかの判断をする．この判断も DCD の診断に必須である．

a）検査

文化的に適切な標準化された検査を用いて，実際の不器用さや運動技能の遂行における遅さと不正確さを判断する．国際的標準検査として，日本でも標準化の準備中の Movement Assessment Battery for Children 第2版（M-ABC2）がある．M-ABC2 は検査に20～40分必要で，ボールも扱うので一定の空間が必要であり，一般病院の診察室の広さでの施行はややむずかしい．検査項目を絞り，限られた空間と時間の外来診察で協調運動を評価できる，簡易版 M-ABC2 のような検査が望まれる．協調運動の評価に特化されていないが，国内で標準化されている感覚処理・協調運動の検査は，JPAN 感覚処理・行為機能検査，日本版ミラー幼児発達スクリーニング検査（Japanese version of Miller Assessment for Preschoolers：JMAP）がある．筆者は，協調運動の評価として神経学的微細徴候（soft neurological signs: SNS）[8] を参考に診察を行っている．また，視覚認知発達テストのフロスティッグ視知覚発達検査（Developmental Test of Visual Perception）や WAVES/WAVES デジタルもあわせて行うとよい．

b）質問紙

質問紙を用いて，家庭や学校での日常生活活動における運動や動作に関して，どのくらい／できるか・苦手か・困っているかなどをたずね，日常活動がどの程度妨げられているかを判断する．この判断は，DCD の診断に必須である．あくまでも保護者の評価が基なので小児本人の実際の協調運動を確認する必要がある．筆者は，独自の質問紙も使い過去の様子を含めた協調運動の苦手さを評価している[8]．5～6歳児では，Check List of obscure disAbilitieS in Preschoolers: CLASP（クラスプ）に運動に関する質問項目がある[9]．また，Developmental Coordination Disorder Questionnaire 2007:DCD-Q は，世界的に最も広く使用されている日常生活における運動や動作がどれくらいできるのかについての質問紙である．日本版 DCD-QJ も出された[10]が，使用するには版権者の承諾を得るなどの手続きが必要である．

3 神経学的微細徴候

神経学的微細徴候とは，古典的な神経学的診察法では見出せない神経学的逸脱であり，その評価は，詳細に包括的に判断する必要がある．

a）神経学的微細徴候（soft neurological signs: SNS）とは

SNS は古典的な神経学的診察法では見出せない神経学的逸脱である[8]．神経学的な機能がわずかに逸脱する子どもの診察は，専門的で広範囲にわたりむずかしい．また，子どもの神経システムは成人とは質的に異なり，特殊な神経学的診察法が必要である．神経機能障害が軽微な場合，多種多様な神経メカニズムを明らかにするため神経学的診察法は，詳細で包括的でなければならない．運動発達に関する SNS の検査法は，Touwen（タウエン）と Prechtl（プレヒテル）によって系統化され評価基準が提唱された[11]．

現在は，その流れをくむ軽微な神経機能障害（minor neurological dysfunction：MND）の評価[12]が参考となる．MND の評価は，神経学的最適性スコア（neurological optimality score：NOS）を用いる．NOS は，①姿勢と筋緊張②反射③不随意運動④協調運動とバランス⑤微細操作⑥連合運動⑦感覚機能⑧脳神経機能の 8 つの領域から算出される．問題点は，評価項目が多いこと，評価は 4 歳から可能であるが，基準が年齢相応であるかの判定が必要で習熟を要することである．

表1 微細神経学的徴候の検査方法および評価方法

閉眼片足立ち	閉眼で片足立ちをして秒数を計測する．	−	両足とも 10 秒以上立てる．
		+	少なくともどちらかの足で 10 秒以上立てない．
回内回外	肘は 90 度屈曲位で回内回外運動し，反対側上肢はリラックスする． 1 秒間に 4 回の速さで 15 秒間施行．	−	少なくとも片側は回内回外が円滑（肘の動きが 5cm 以内）で正確．
		+	両側とも回内回外が円滑でない（肘の動きが 5cm 以上）または下手．
回内回外時の連合運動	回内回外時，反対側に認められる不随意運動（上肢）の有無を見る．	−	少なくとも片側は鏡像運動・不随意運動や肘の屈曲はみられない．
		+	両側とも鏡像運動・不随意運動，または肘の軽い屈曲を認める．
指対立	第Ⅰ指とそれ以外の指を順に対立させ触れさせていく． 第Ⅱ指より，1 往復 3～4 秒の速さで，Ⅲ，Ⅳ，Ⅴ，Ⅳ，Ⅲ，Ⅱと 5 往復．	−	少なくとも片側は円滑に行える．
		+	両側とも指を間違えたり，同じ指にふれたりする（3 回以上）．
側方注視	正面を向き，45 度側方の検者の指を注視．左右方向で 20 秒ずつ実施．目が動いた回数を数える．	−	目が動く合計回数が 3 回未満．
		+	目が動く合計回数が 3 回以上．

[柏木 充，他：問診と微細神経学的徴候による不器用さの簡易判定法について（9 歳以上 13 歳未満での検討）—発達性協調運動障害診断の指標として— 脳と発達 41：343-346, 2009 より改変]

DSM-5 では，SNS は，neurodevelopmental immaturities/neurological soft signs と記載されているが，診断上の役割は明らかではなく，さらなる評価が必要である．

b) SNS の評価

SNS の評価として，筆者は，NOS にも含まれる「閉眼片足立ち」（④バランス：視覚入力を除外した平衡機能[13]），「指対立」（⑤微細操作：手と指の固有筋肉の運動能力[14]），「回内回外」（④協調運動：分化した運動機能，小脳機能[14]），「回内回外時の連合運動」（⑥連合運動：神経筋系の抑制機能[15]）の 4 項目と NOS に含まれない「側方注視」（動作保持：大脳皮質の運動・姿勢調節の能力[14,16]）の合計 5 項目の陽性数を用いている（表1）[8]．9 歳～13 歳未満では，3 項目以上陽性であると不器用である可能性が高い[8]．片足立ちは，開眼でも施行し，6 歳では両側とも 15 秒以上，7 歳からは両側とも 20 秒以上不可能であれば陽性としている．連合運動は，片方の上肢／下肢を随意的に動かすと，本来は動かない他の四肢や部位が不随意に動くことであり，一方の上肢が目的をもった動作を行うと他の上肢も同様の動きをする鏡像運動とは区別される．

5 項目と下記の眼球運動の診察時間は，5 分程度で可能であり，多くの有益な情報が得られる．

4 協調運動に注目した神経発達症の診察

問診では，周産期情報，運動発達，健診での指摘の有無の確認が重要であり，身体診察では，SNS に加え眼球運動の拙劣さの評価も必須であり，医学検査では，疾患の除外も兼ね必要な検査をすることが重要である．

a) 問診

協調運動障害は，LD を含む神経発達症に多いことを常に念頭に置いて問診する．微細運動は，小学生の 1 日の学校生活の推定 30～60％ に必要[17]と協調運動は学習活動に不可欠であり，その診察は神経発達障害の診察で重要な位置を占める．

問診には質問紙を用いた半構造化面接が有用である．協調運動に注目した問診では，特に，周産期情報，運動や知的発達，健診での指摘や発達面における経過観察の有無の確認は重要である．さらに，身長と体重，既往歴としてけいれん性疾患，アレルギー疾患，薬物治療などの有無，視覚や聴覚の問題，構音の問題，利き手，学校への登校状況，現在の学校や家庭での状況，問題点，困っていること，神経発達症の家族歴を聞くとよい．簡便に，運動に関して（苦手・普通・得意），器用さに関して（不器用・普通・器用）の評価をたずねる．出現する症状，行動，問題点の経時的な変化にも留意する．

DCD の子どもは，椅子に座って長時間の姿勢の保持がしにくい．小学校では，板書が遅い，縦笛が苦手，コンパスが苦手，男児の小便で立ってするトイレの際，チャックをうまく下げられず，ズボン全体を下にずらして用を足すなどの特徴的なエピソードがある．

b) 身体診察

一般的な身体診察と基本は同じである．診察室へ入室の際，姿勢や歩行の様子も評価する．診察時に，皮膚色素異常，顔貌，外表小奇形の有無，SNS 診察時，片足立ちの立位姿勢，神経学的診察中での不随意運動の有無，反射や病的反射を評価する．

自発運動の量も評価する．自発運動が少ない場合，疾患の可能性が高い．逆に，自発運動が多く回

転する椅子に座って自ら何回も回転する場合，多動もあるという可能性を考える．

　眼球運動の拙劣さは，評価をすればDCDを筆頭に発達性ディスレクシアを含む神経発達症の子どもに多い[18,19]ことに驚く．評価は必須である．左右上下の直線上だけではなく，円状にも動かし追視の評価を行い，さらに，輻輳の評価をする．追視の問題があれば輻輳もほぼ問題があるが，追視に問題がなくても輻輳のみ問題がある場合がある．眼位，斜視の評価も行う．

c）医学検査

　頻度はまれだが，別疾患が神経発達症の症状を呈することがあり，常に別疾患の可能性を念頭に置く．知能検査は必須である．詳細な問診と症状の経過を検討し必要な医学的検査をする．頭部画像，脳波，内分泌検査（甲状腺機能），視力，聴力検査は，ADHD診療においても必要性が高い[20]とされる．筋疾患の可能性もある場合には，採血や遺伝子，電気生理学的検査なども考慮する．

（柏木　充）

引用文献

1) 市橋則明：運動療法学　障害別アプローチの理論と実際　第2版．文光堂，325-36，2014
2) 福岡地区小児科医会乳幼児保健委員会（編）：乳幼児健診マニュアル第6版．医学書院，2019
3) 遠城寺宗徳：遠城寺式・乳幼児分析的発達検査法 解説書―九州大学小児科改訂新装版．慶應義塾大学出版会，2009
4) 小枝達也（編）：5歳児健診―発達障害の診療・指導エッセンス．診断と治療社，6-9，2008
5) Pearsall-Jones JG, et al. Developmental Coordination Disorder and cerebral palsy : Categories or a continuum? Human Movement Science 2010 ; 29 : 787-798.
6) Scheck SM, et al. New insights into the pathology of white matter tracts in cerebral palsy from diffusion magnetic resonance imaging : a systematic review. Dev Med Child Neurol. 54 : 684-696, 2012
7) Brown-Lum M, et al. Differences in White Matter Microstructure Among Children With Developmental Coordination Disorder. JAMA Netw Open. 3 : e201184, 2020
8) 柏木充，他：問診と微細神経学的徴候による不器用さの簡易判定法について（9歳以上13歳未満での検討）−発達性協調運動障害診断の指標として−．脳と発達，41：343-348，2009
9) 稲垣真澄（編）吃音？チック？読み書き障害？不器用？の子どもたちへ　保育所・幼稚園・巡回相談で役立つ"気づきと手立て"のヒント集．診断と治療社，64，2020
10) Nakai A, et al. Evaluation of the Japanese version of the Developmental Coordination Disorder Questionnaire as a screening tool for clumsiness of Japanese children. Res Dev Disabil. 32：1615-1622, 2011
11) Touwen BCL, et al : The neurological examination of the child with minor nervous dysfunction. Lippincott 1970
12) Mijna Hadders-Algra：発達障害が疑われる子どもの神経学的診察法．医歯薬出版株式会社，116-117，2013
13) Geuze RH. Static balance and developmental coordination disorder. Hum Mov Sci. 22：527-548, 2003
14) 鴨下重彦，他：ベットサイドの小児神経の診かた 改訂2版．南山堂，127-135，2003
15) Geuze RH. Constraints in neuromotor development. In:Tupper D, Dewey D, eds. Developmental motor disorders: a neuropsyhoogical perspective. New York : Guildford Press. 389-404, 2004
16) 鈴木昌樹．微細脳損傷におけるmotor impersistenceの意義について．小児科臨床7：2532-2539, 1971
17) McHale K, et al. Fine motor activities in elementary school : preliminary findings and provisional implications for children with fine motor problems. Am J Occup Ther. 46：898-903, 1992
18) Coetzee D, et al. The effect of visual therapy on the ocular motor control of seven- to eight-year-old children with developmental coordination disorder (DCD). Res Dev Disabil. 34：4073-4084, 2013
19) Hutzler F, et al. Eye movements of dyslexic children when reading in a regular orthography. Brain Lang. 89：235-242, 2004
20) ADHDの診断・治療指針に関する研究会：第3版　注意欠陥・多動性障害 -ADHD- の診断・治療ガイドライン．じほう，97-115，2008

第2章 LDの具体的症状と診断・検査の実際

E 聴力に関する訴えと言語障害の診察

Point!

- 聴覚に関する言語障害の原因としては，聴力障害と聴覚認知障害が重要である．
- 高度難聴は新生児聴覚スクリーニング検査で評価されることが多くなっているが，軽度・中等度難聴は見逃されていることも多く，聴力検査の確認が重要である．
- 聴覚認知障害（聴覚失認）は脳炎・脳症後遺症，Landau-Kleffner（ランドー クレフナー）症候群，副腎白質ジストロフィーで報告があり，脳波検査や頭部MRI画像検査などを適宜行い評価する必要がある．

子どもたちは，胎児期から母親の話す言葉の音声を聴覚的に経験し，出生後は言葉かけのなかで育てられ，言葉を獲得していく．言語障害をきたす病態としては，特異的言語発達遅滞，構音障害，ASD，知的障害などがあるが，最も早期に鑑別が必要なのは，聴覚の問題である．日常生活場面での聴性反応と考えられるその原因を表1にまとめる．新生児聴覚スクリーニング検査の普及により，聴力障害は早期に発見されるようになっているが，表1に示すような聴性反応はしばしば経験し，言語障害の原因と考えなければいけない．本稿では，聴覚に関する言語障害の原因について解説する．

1 聴力障害（難聴）

通常，両側に中等度以上の難聴があった場合に，言葉の遅れが出現する可能性が高いといわれている．近年は，新生児聴覚スクリーニング検査の普及によって，早期の診断が可能となり，通常は生後3か月までに確定診断を行い，生後6か月前後からの補聴器使用を含めた早期療育が開始されている[1,2]．しかし，スクリーニング検査を受けていない子どもにおいては，全体的なIDを認めたり，主たる養育者が外国人であったり，帰国子女である場合などでは難聴に気がつかれにくい．また，最近では，新生児期聴覚スクリーニングで問題なしとなるような聴力型（低音障害型や高音障害型）の存在や，スクリーニングでは問題なしと判断されてもその後に難聴が出現する症例（早産低出生体重児，先天性サイトメガロウイルス感染など）や，乳幼児期に中耳炎を繰り返すことなどで難聴を呈することも報告され，言語の遅れの原因と考えられている[3]．

新生児期を過ぎた後，聴力に関する評価は，問診での評価のみであることが多く，高度難聴を判別するにとどまる．また，就学前健診でも，名前を聞くなど簡単なやり取りを確認するのみであり，軽度難聴を診断するのがむずかしいことが多い．さらに，表1に示すような「聞き返しや聞き間違いが多い」という聴性反応は注意の問題と考えられることが多いが，実際はそのなかに，軽度から中等度の難聴が含まれていることがある．原島は，教育相談で支援が必要であると判断される子どもの原因として，難聴2.1％，軽度難聴＋環境要因2.1％，言語発達遅滞＋幼少時難聴2.1％であったと報告し[4]，聴力の問題に気がつかれることなく学習場面を迎える子どもが含まれていると指摘している．そのため，言語の遅れを認めている症例においては，常に難聴の有無を念頭に置き，聴力検査を検討する．

一方，「聞き返しが多い」「雑音のある環境では聞きにくい」「言われたことを誤解しやすい」「見て

表1 聴性反応とその原因

日常の聴性行動	考えられる病態
・音や声に全く反応がない	高度難聴または重度の ID
・ドアを閉める音や太鼓の音には反応するが，携帯電話の着信音や鈴の音には反応がない	低音部に聴力が残った中等度～高度難聴
・1対1の対話では何とか言葉が通じるが，言葉の発達が遅れている	中等度難聴または ID
・話しかけると話者の口元をさっと見る	中等度難聴
・聞き返しや聞き誤りが多い	軽度～中等度難聴 聴覚情報処理障害
・名前を呼んでも全く反応しないが，テレビのコマーシャルなど特定の音には敏感で，すぐに見に来る	ASD
・名前を呼んでも振り向かず，一時もじっとしていない	ADHD
・発音の誤りが5歳を過ぎてもみられる（サ，ザ行）	構音障害または高音部感音難聴
・聴力検査では正常範囲だが，環境音や聴覚言語の認知ができない	中枢性聴覚障害（聴覚失認）

学習することに比べて聞いて学習することは困難である」というように，日常的な聞き取りの問題を抱えることがあるにもかかわらず，標準純音聴力検査では聴力正常である症例が認められている．このような問題は，聴覚情報処理障害（auditory processing disorders：APD）とされ，欧米を中心に近年盛んに研究が進められている[5]．しかし，APD 様症状を呈する症例については，その定義の曖昧さや他の発達障害との鑑別のむずかしさから，APD と診断してよいのか否かについては検討が必要である．

2 聴覚認知障害（聴覚失認）

聴覚失認とは一次聴覚皮質・聴放線の両側の損傷により言語音・非言語音（環境音，音楽）などの音を認知できなくなった状態をいい，失語症と異なり内言語の障害はないことが前提である．聴覚失認は，成人ではおもに脳血管障害の後遺症として発現するが，まれな症状であり，診断がむずかしいことも多い．まして小児においては脳血管障害以外のその他の原因疾患を含めても，高次脳機能障害はまれな病態であるため，診断はむずかしく，気づかれないことも多い．また，音の認知ができなくなるため，難聴があるのではないかと疑われるが，標準純音聴力検査や聴性脳幹反応（auditory brainstem response：ABR）では異常を認めないため，問題がないと判断されることもあり，注意を要する[6]．小児において，聴覚失認をきたすことがある病態には以下のものが報告されている．

a）脳炎・脳症後遺症

小児において，急性脳炎・脳症は年間約 1,000 名の報告があり，早期治療が検討されているが，救命はできてもいまだ約 20％に後遺症を呈するといわれている．特に，ヘルペス脳炎後遺症では，一次聴覚野を含む両側側頭葉に損傷がよくみられるため，聴覚失認を認めたとの報告がある．脳炎後遺症では，画像検査にて損傷部位を確認できることも多いため，側頭葉に病変を認めた症例では，聴覚失認を念頭に置く必要がある[7]．

b) Landau-Kleffner 症候群（LKS）

　LKS は小児期に発症する後天性（獲得性）てんかん性失語とてんかんを主症状とし，てんかん性異常脳波，認知障害，行動異常を伴う症候群である．発症年齢は 3～10 歳で，特に 5～7 歳にピークがある．初発症状は言語障害が多く，言語発達が正常な幼児や小学生に聞き返しの増加，音声への反応低下などが認められ，進行すれば，聴覚失認や失語を呈する．聴力検査や ABR，頭部画像検査では明らかな異常所見が認められないことが多く，部分性ないし全般性てんかん発作と脳波検査での徐波睡眠時持続性棘徐波（continuous spikes-waves during slow wave sleep：CSWS）を呈することが診断の手がかりになる．また，知能検査では，動作性 IQ はほぼ正常範囲であるが，言語性 IQ が著しく低いという乖離所見を呈することも特徴である．てんかん発作は，抗てんかん薬で容易に消失することが多いが，言語障害に対しては抗てんかん薬では難治であり，ステロイドや γ-グロブリン療法が有効であるとの報告があるが，完全に改善することなく後遺症として継続する症例も多い．そのため，音声への反応低下を認める症例には，脳波検査を施行することを考慮する[6]．

c) 副腎白質ジストロフィー（ALD）

　副腎白質ジストロフィー（adrenoleukodystrophy：ALD）は伴性劣性遺伝形式をとる予後不良な脱髄疾患である．X 染色体上にある *ABCD1* 遺伝子異常が原因といわれ，発症頻度は，男児 2 万人に 1 人というまれな疾患である．突然変異による場合もあり，学齢前後の 6～8 歳頃に発症し，通常は数年の経過で植物状態から死に至る，極めて予後不良な疾患である．現在のところは，発症早期の造血幹細胞移植が唯一有効な治療法であり，早期の診断の必要性が厳しく求められる．病変は後頭葉優位に初発するものが多く，多くの症例は中枢性視覚障害を呈する．また，初発症状として聴覚障害を認めることも報告があり，また呼びかけに反応が悪いというエピソードも認められる．小児期発症例では，聴覚の問題以上に機能退行や性格変化などが目立つため聴覚失認が初期の問題になることが少ないが，思春期発症例では，緩徐に進行するため，呼びかけへの反応低下を認めた際に聴覚認知の問題を考え，聴力検査や頭部 MRI 検査を施行することを考慮する必要がある[6]．

　聴覚的な言語理解に障害をきたすと聴覚を介してのコミュニケーションが困難になるため早期より視覚による言語指導を行う必要がある．特に，幼児の場合は言語発達途上であるため中枢性の聴覚（認知）障害があると言語獲得が困難になる．このため年齢に応じた視覚やジェスチャーを用いた言語モードによる言語指導が必要となる．聴覚の問題を疑った際には，早期の耳鼻咽喉科の受診や言語聴覚士との連携が重要である．

（福井美保，永安　香）

引用文献

1) 高田　哲：よくある主訴と診療の実際　言葉の遅れ．小児科診療 75：815-821, 2012
2) 杉内智子，他：軽度・中等度難聴児 30 症例の言語発達とその問題．日本耳鼻咽喉科学会会報 104：1126-1134, 2001
3) 泰地秀信：乳幼児難聴の聴覚医学的問題　聴覚検査における問題点．Audiology Japan 54：185-196, 2011
4) 原島恒夫：通常学級に在籍する学習に困難を有する児の教育相談．聴覚言語障害 33：7-12, 2004
5) 小渕千絵：聴覚情報処理障害（Auditory processing disorders; APD）の現状と課題．聴覚言語障害 36：9-18, 2007
6) 加我牧子：小児聴覚失認の診療．音声言語医学 52：316-321, 2011
7) 鈴木弥生，他：ヘルペス脳炎による小児の聴覚失認の 1 例．音声言語医学 42：33-38, 2001

第 2 章　LDの具体的症状と診断・検査の実際

F. 視覚関連の機能に関する訴えの聞き取り方と症状の整理

> **Point !**
> - 視覚関連の症状とは，見る活動において何らかの困難を示す状態であり，視機能および視知覚・視覚認知の弱さが原因となって起こることが多い．
> - LDの状態を把握し，支援について検討を行うためには，視覚関連の症状について整理することが重要である．
> - 視覚関連の症状を把握するために，保護者からの聞き取りは必須であるが，VSPCL などの質問紙の活用が有効である．

1 症状の聞き取りの重要性

　検査に先立って，本人や保護者から丁寧に話を聞いて，困っていることや現在の状態を的確に把握することが大切である．症状を詳しく聞くことで，診断に必要な情報を得るとともに，原因や今後の支援方法についてある程度推測する．視機能・視覚認知に問題がある場合でも，子ども本人は自分の見え方を他の子どもと比較することはできないため，症状を自覚したり訴えたりすることは少ない．そのため，保護者からの聞き取りを丁寧に行い，教育現場や家庭において子どもの様子から視覚関連の問題を疑うことが必要となる．家庭や学校での様子，好んで行う活動や，嫌いでやりたがらない活動なども大切な情報であり，それらの活動に共通して必要となる機能や認知能力を分析することにより原因を検討する手がかりとなる．これにより，検査へスムーズに移行でき，つまずきの要因の特定をすばやく的確に行うためのヒントが得られる．

2 LDと視覚関連の症状

　視力，視野に問題があり「はっきり見えない」「視界の1部が欠けて見えない」という症状があれば学習に影響が出るのはいうまでもないが，（「第1章 B 視覚関連機能，協調運動，注意集中が学習に及ぼす影響」p.6参照）でも触れているように，両眼視，調節，眼球運動などの視機能および視知覚・視覚認知，目と手の協応などの機能低下によっても学習に影響が出ることがわかってきている．また，LDのある子どもでは，これらの頻度が高く，視覚関連の臨床症状を示す場合も少なくない．ここでいう視覚関連の症状とは，見る活動において何らかの困難を示す状態である[1]．

a）視機能の問題

　学習に関する具体的症状に視機能の問題が関連することがある．視機能の問題として，屈折異常が学習に影響する場合がある．視力に大きな影響を与えない程度であっても遠視が読み速度や読解力に影響を与えるという報告がある[2,3]．当然，視力に影響が出る近視や乱視，不同視などの屈折異常でも読み書きなど LD の症状に関連がある[4]．視機能の問題として，斜視や弱視があると学習に影響が

表1 視覚の問題が影響する症状

I 読み書きに関連する活動
1. 読んでいるとき，行や列を読み飛ばしたり，繰り返し読んだりする
2. 文の終わりを省略して読んだり，勝手に読みかえたりする
3. 長い時間，集中して読むことができない
4. 数字，かな文字，漢字の習得にとても時間がかかる
5. 指で文字をたどりながら読む
6. 表の縦や横の列を見誤る（百ます計算など）
7. 近くの物を見る作業や読むことを避ける
8. 黒板を写すのが苦手または遅い

II 手指の操作（手先のコントロールと手元の空間の理解）
1. おりがみが苦手
2. ハサミを使った作業が苦手
3. 図形や絵を見て同じように書き写すことが苦手
4. 目に見える位置で行う蝶々むすびがうまくできない
5. 定規，分度器，コンパスを上手に使えない
6. 図形の問題が苦手
7. 鍵盤ハーモニカやリコーダーがうまく演奏できない
8. 文字を書くと形が崩れる

III 空間の認識（体全体の動きとそれに対応する空間の理解）
1. ラケットやバットでボールを打つのが苦手
2. 表やグラフを理解するのが苦手
3. 方向感覚が悪い
4. 指さしたり，提示したりした物をすばやく見つけられない
5. 距離を判断するのが苦手（自分から壁までの距離など）
6. ボールを受けるのが苦手
7. 下りの階段や高い遊具への昇り降りを怖がる
8. つまずいたり，物や人にぶつかったりすることが多い

IV 注視関連の症状
1. 物を見るとき，必要以上に顔を近づける
2. 物を見るとき，顔を傾ける
3. 物を見るときに，しばしば目をこすったり，まばたきをしたりする
4. 目を細めて物を見る
5. 両方の目が同じ方向を見ていないことがある

[奥村智人，他：学童期用視覚関連症状チェックリストの作成．脳と発達 45：360-365, 2013 より改変]

出ることはいうまでもない．より軽度の両眼視や調節力の問題によって学習や集中力に影響が出ることが報告されている[5,6]．特に寄り目が弱い状態である輻輳不全の研究は進んでおり，様々な視覚関連の症状が現れることが報告されている．衝動性眼球運動や滑動性眼球運動などの共同性眼球運動の弱さによって，読む，書き写すなどの活動で症状が現れる[7]．

b）視覚認知の問題

学習に関する具体的症状に視覚認知の問題が関連することもある．日本語はかなに加え，形態的に複雑な漢字を使用する言語であり，視覚認知への負荷が大きいと考えられ，視覚性記憶や位置，傾きの認識などの問題が読み障害にかかわる可能性が指摘されている[8]．臨床的には，書字障害に視覚認知が強くかかわっているとの報告が多くみられ，算数や数学の図形やグラフの課題でのつまずきに視覚認知の問題が関与する．これらの視覚認知の問題は，目と手の協応や協調運動など運動面の弱さを合併することがあり，不器用さにつながることがある[9]．そのため，微細運動，粗大運動にかかわる不器用さに関しても詳細な状態把握を行う必要がある．

c）視覚関連症状チェックリスト（VSPCL）

このような視覚関連の症状を把握するために，保護者からの聞き取りは必須であるが，診察や検査前の待ち時間などを使って事前に記入してもらう質問紙の活用が有効である．統計的な検討がなされた視覚関連症状チェックリストに VSPCL（vision-related symptom and performance checklist)[1] がある．領域ごとのおもな項目を表1に示す．VSPCL でチェックしている症状の背景には眼科疾患，視覚認知や目と手の協応にかかわる機能低下など様々な要因が予想される．斜視などが影響する両眼視機能の低下では「IV　注視関連の症状」に含まれるような症状が出やすく，衝動性眼球運動などの機能低下があると「I　読み書きに関連する活動」に含まれるような症状が出やすくなると思われる．視知覚・視覚認知や目と手の協応の機能低下があると「II　手指の操作」「III　空間の認識」に含まれるような症状が出やすくなる．ただし，VSPCL でチェックしている症状に視覚以外の要因が関連していることもある．たとえば，言語能力や音韻認識など読みにかかわる機能が「I　読み書きに関連する活動」の項目と関連することが知られており，検査による鑑別が必要である．また，「IV　注視関連の症状」は，ASD などにみられる感覚の問題によって引き起こされる可能性もあり，これについても検査や観察により鑑別をすることが重要である．その他にも，様々な視覚以外の要因によってこれらの症状が出る可能性があり，様々な情報をもとに判断していくことが大切である．

（奥村智人，三浦朋子）

引用文献

1) 奥村智人，他：学童期用視覚関連症状チェックリストの作成．脳と発達 45：360-365，2013
2) Van Rijn LJ, et al：Spectacles may improve reading speed in children with hyperopia. Optom Vis Sci 91：397-403, 2014
3) Narayanasamy S, et al：Impact of simulated hyperopia on academic-related performance in children. Optom Vis Sci 92：227-236, 2015
4) Wills J, et al：Effect of simulated astigmatic refractive error on reading performance in the young. Optom Vis Sci 89：271-276, 2012
5) Borsting E, et al：Association of symptoms and convergence and accommodative insufficiency in school-age children. Optometry 74：25-34, 2003
6) García-Muñoz Á, et al：Symptomatology associated with accommodative and binocular vision anomalies. J Optom 7：178-192, 2014
7) 奥村智人，他：Reading Disorder 児における衝動性眼球運動の検討．脳と発達 38：347-352，2006
8) 後藤多可志，他：発達性読み書き障害児における視機能，視知覚および視覚認知機能について．音声言語医学 51：38-53，2010
9) Van Waelvelde H, et al：Association between visual perceptual deficits and motor deficits in children with developmental coordination disorder. Dev Med Child Neurol 46：661-666, 2004

第 2 章　LDの具体的症状と診断・検査の実際

G　診断年齢別の対応のポイント

> **Point !**
> ▶ 早期発見，早期対応，長期対応など，発達フォローが重要である．
> ▶ LDの診断と対応のタイミングに留意する．

　LDとADHDやASD，DCDなどの合併は多くみられるが，LDに比べてADHD，ASD，DCDなどの行動面，認知面の問題はより早期から気づかれやすい．小児科医や精神科医にとっては，まず発達の遅れや行動面の問題などを主訴に受診する子どもとのかかわりから始まることが多く，可能な場合は診断を行い，その対応を指導する．診断に至らない場合でも，観察項目をあげて注意深く経過をみていくが，障害は1つとは限らず重複している可能性を常に考えながら観察していくことが重要である．そのなかで，特に就学後にみられる学習面でのつまずきについては，LDの存在を考慮しながらかかわり，適切な時期にその診断につなげる必要がある．

1　年齢によるアドバイスや治療方針

a）乳幼児期

　LDの診断は不可能な時期ではあるが，子どもの発達過程のなかで早期徴候という視点で観察が必要である．目まぐるしく成長を遂げる乳児期から幼児期にかけて，身体発育，運動発達，精神発達の遅れのみられる子どもが，学童期になって学習面で何らかのつまずきを見せることは高率に予想される．特に精神発達のなかでも，有意語の出現や2語文出現など言語発達の経過や文字への興味や関心の度合いが，後の発達や学習面に影響するといわれている．2歳半での言葉の遅れがある場合，7歳時点で話し言葉と言語の問題，あるいは発達性ディスレクシアが確認されることがあるとの報告もあり，すなわち2歳半で言葉の遅れのあるすべての子どもたちは，注意深く経過観察すべきといわれている[1]．

　乳幼児期の発達を家庭や園でいかに丁寧に観察できるか，その遅れに早期に気づき適切な支援に結びつけられるかが重要となる．早期の気づきに基づいて，まずは地域の保健センター，発達相談窓口へ相談される場合が多く，必要に応じて医療機関に紹介される．また，かかりつけ医として直接保護者から相談を受けるケースもある．気づきを支援につなげるためにも，積極的に相談を受け入れ取り組むべきである．さらに，残念ながら認識不足があったり，気づいていても認めようとしなかったりする保護者がいることも現実にあり，普段かかりつけ医として診療するなかで気になる子どもがいる場合は，保護者への気づきの促しをする重要な立場といえる．この時期の具体的な支援としては，子どもの遅れの内容や程度に応じて地域の療育教室（保健センターなどでの親子教室）や療育園での療育が必要な子どもには療育目的で紹介し，または保育所や幼稚園での適切な支援につなげていくための助言を行う．時には保育士や教師と直接話し合う場をもつのも有効である．医師はこれらの役割を担う重要な立場であり，こういった早期の気づきと対応，支援を行うことが，後の発達と学童期以降

の学習の習得の向上によい影響をもたらすと思われる．

b）学童期（小学校低学年）

　小学校に入学後，小学1年生でひらがな，カタカナ学習を終え，間もなく漢字学習が始まる．1年生の終わりの頃でも，ひらがなの読み書きに困難がみられる場合や特殊音節（拗音，撥音，促音）につまずきがみられるようなら，発達性ディスレクシアを疑う必要がある．

　そこで，特別支援教育の体制づくりが本格化するなか，実際の学校現場で必要なのは，つまずきのリスクを捉えることであり通常学級担任と，特別支援教育の専門性を有する特別支援学級担任や通級指導教室担当との連携が重要である．

　対応法として，読み書きの評価を定期的に行い，読み書きが苦手という状態があればそれに応じた指導を行い，改善すれば終了とし，改善が不十分な子どもにはさらに集中的な指導を行うというRTI（response to intervention）が推奨されている．小枝らは，RTIを導入することで，音読が苦手な子どもに段階的な治療的介入を行いながら絞り込み，見逃しなく，また過剰診断を防ぎ，特異的読字障害の早期発見が可能であったとの報告をしている[2]．

　つまり教育機関の対応として重要なことは，①学習の大きなつまずきをきたす前につまずきのリスクに気づき，早期に支援すること，②小学校入学直後からすべての子どもを対象とした学習達成度の評価を行うこと，③学習のつまずきリスクがある子どもすべてを支援の対象とし，LDの判断や特性に応じた支援を考えることである[3]．

　これらを理解したうえで，医療は教育との連携において，医療にしかできない対応をしながら，あわせて医師の視点からの助言を行うことが重要である．まずは医学的診断，鑑別疾患と併存疾患の診断とその治療，同時に学習指導についての連携である．

c）学童期（小学校高学年）

　子どもによっては，初期の読み書きには困難の徴候がほとんど現れないこともある．しかし後になって文法，読解，深く掘り下げた作文など，複雑な言語スキルに問題が生じる場合もある．

　LDの子どもに気づかず，対応がなされずにいれば，この頃になるとすでに学習のつまずきから大きな遅れとなっていることもあり，そのため学業不振から学校不適応の状態となる．すなわち，授業に集中できない，意欲がなく授業に参加できない，教室を飛び出す，不登校などである．子どもの自尊心が低下し，他者と比較することで友人関係がうまくいかなくなったり，教師との関係が悪化したりと学校そのものが苦痛と感じてしまう場合もある．早期に対応しなければ学業不振が定着してしまい，改善が困難な状態になるため，速やかに家庭と学校が連携して対応すべきである．医師として，学習支援に対する必要な助言を行いまた行動面や心理面の問題を的確に判断し，環境調整や薬物治療，心理療法につなげていくことが重要である．

d）思春期・青年期（中学校，高等学校）

　学業不振により，不登校や不適切行動，非行などの状態に至ってから，学業不振の原因にLDの存在が明らかとなる場合もあり，なるべく学童期のうちに周囲が気づき対応をすべきと思われる．また，LDを自分自身の特性として受け入れることが重要で，周囲に理解を仰ぎ，適切な配慮や見守り体制づくりが必要になってくる．この年齢になると，家族との関係にも個人差があり，多感なこの時期だからこそ家族は子どもの思いに寄り添い，見守り，適切なかかわりをしなければいけない．時には家族に代わって学校や地域の大人がかかわるほうがうまくいくケースもあり，その判断も重要であ

る．医師という立場だからこそ築ける子どもとの信頼関係もあり，ぜひ生かしていくべきである．

また診断を受けていない発達性ディスレクシアの成人は，自分の知的能力よりも低い仕事に就いていることが多いともいわれている．読み書きは日常生活の重要なスキルではあるが，学習と表現にかかわる，読み書き以外の側面も重視してうまく活用することが必要である．この時期は，自分の将来を見据える時期でもあり，自分の強みや興味をうまく引き出すことのできる分野での活躍を将来の目標にするのも，意欲の向上に役立つと思われる．

2 各年齢をとおして医療としてできること，すべきこと

1) LDの診断：家庭，学校からの情報に基づき，子どもの診察，必要な検査（知能検査，読み書き検査など）を行う．
2) 鑑別疾患，併存疾患の診断：家庭，園，学校からの情報に基づき，子どもの診察，必要な検査（画像検査，心理検査など）を行う．
3) 診断の告知：特性理解とその対応について，本人，家族に説明し，状況によっては（年齢・環境を踏まえて）診断名の告知を行う．
4) 併存疾患の治療：疾患特性にあわせた治療（薬物治療，心理療法など）を行う．
5) 長期的なフォロー：進学や就労など節目の時期には，その判断の助言や福祉サービス利用に必要な診断書の作成などを行う．

▼ ▼ ▼ ▼ ▼ ▼ ▼ ▼ ▼ ▼

発達障害に含まれる種々の病型は互いに重複していることが多く，読字障害児の約20～25％はADHDを合併し，ADHD児の10～15％は読字障害を合併するといわれている．岡らはPDD（広汎性発達障害）児の25.8％に読字困難例を認めたと報告している[4]．LDそのものによる問題に加えて，発達障害の認知・行動特性も学習の習得に影響を及ぼしている可能性が高いため，LDを考えるにあたっては，発達障害の存在についても注意深く確認していくことが不可欠である．

どの時期の子どもであっても，学習の支援だけではなく，合併する発達障害に対するかかわりもあわせて行っていく必要がある．子どもの特性にあわせた環境調整，必要に応じて薬物治療を行いながら，教育機関との連携をとり，学習支援を行っていくべきと思われる．　　　　　　　　　（田中啓子）

引用文献

1) Gillberg C：The ESSENCE in child psychiatry：Early Symptomatic Syndromes Eliciting Neurodevelopmental Clinical Examinations. Res Dev Disabil 31：1543-1551，2010
2) 小枝達也，他：RTI（response to intervention）を導入した特異的読字障害の早期発見と早期治療に関するコホート研究．脳と発達 46：270-274，2014
3) 花熊 曉：学習のつまずきリスクに気付き，早期に支援する．LD研究 23：62-65，2014
4) 岡 牧郎，他：広汎性発達障害と注意欠陥/多動性障害に合併する読字障害に関する研究．脳と発達 44：378-386，2012

参考文献

- 林 隆：併存症，二次障害．稲垣真澄（編），特異的発達障害 診断・治療のための実践ガイドライン．診断と治療社，63-67，2010

第2章 LDの具体的症状と診断・検査の実際

H. 本書における各検査のカテゴリーと位置づけ

> **Point!**
> ▶ LDの診断のためには，読字，書字，計算などの基礎学力領域の状態を把握する必要がある．
> ▶ 個にあわせた適切な支援を行うためには，認知機能の弱さを把握する必要がある．
> ▶ 検査には，知的水準をはかるもの，LDの診断をするもの，LDの程度や状態を把握するもの，LDの症状を与えている状態をはかるものがある．

　数多くの研究において，LDでは，読字，書字，計算などの基礎学力領域における成績低下がみられ，聴覚や視覚の情報処理や記憶，言語能力，語彙，協調運動，推論など様々な神経心理学的過程や認知機能の弱さが要因となることが示されている．個にあわせた適切な支援を行うためには，それらの認知機能のどの領域にどの程度のレベルで弱さがあるのか把握する必要がある．認知機能，基礎学力領域，学力の関係性についてまとめた概念図を示す（図1）．

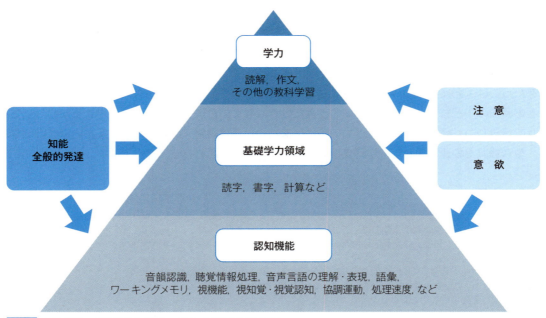

図1　認知機能，基礎学力領域，学力の関係の概念図

　さらに，読みにはデコーディング（文字から音韻への変換）と関連が深い「文字・単語レベルのプロセス」と読解につながる「文・文章レベルのプロセス」がある．一方で，書字も文字・単語レベルから作文のレベルまで様々な段階がある．そのため，子どもの学習のつまずきがどの領域のどの段階でみられるのかを把握することが指導の重要な基礎情報となる．

ここでは，LDの診断のために必要な基礎学力領域や学習の基礎となる認知機能の状態を把握することを目的とし，本書における各種検査を便宜上，知的水準をはかるための検査（カテゴリー1），LDかどうかを診断する検査（カテゴリー2），LDの背景にある認知的な状態を把握するための検査（カテゴリー3），学習の基礎的技能を評価するためのその他の検査（カテゴリー4）と分け，表1として検査概要を本書で使用する略称とともに記載する．

　具体的な活用方法に関しては，第3章 CASE1～15（p.82～147）を参照されたい．

表1 本書における検査のカテゴリーと各検査の概要

WISC-IV 知能検査（カテゴリー1）
略称：WISC-IV（ウィスク・フォー）（Wechsler Intelligence Scale for Children-Forth Edition）
原著者：David Wechsler，日本版作成：日本版WISC-IV刊行委員会
日本文化科学社　2010年

対象：5歳0か月～16歳11か月
目的：全検査IQ（FSIQ），言語理解指標（VCI），知覚推理指標（PRI），ワーキングメモリー指標（WMI），処理速度指標（PSI）の合成得点から子どもの知的発達を多面的に評価する．
課題：基本検査10　補助検査5

WISC-V 知能検査（カテゴリー1）
略称：WISC-V（ウィスク・ファイブ）（Wechsler Intelligence Scale for Children-Fifth Edition）
原著者：David Wechsler，日本版作成：日本版WISC-V刊行委員会
日本文化科学社　2021

対象：5歳0か月～16歳11か月
目的：子どもの全般的な知能，特定の認知領域の知的機能を測定する．全般的な知能を表すFSIQ，特定の認知領域の知的機能を表す言語理解指標（VCI），視空間指標（VSI），流動性推理指標（FRI），ワーキングメモリー指標（WMI），処理速度指標（PSI）の他5つの補助指標が算出される．
課題：主要下位検査10　二次下位検査6

日本版KABC-II（カテゴリー1，3，4）
略称：KABC-II（ケーエービーシーツー）（Kaufman Assessment Battery for Children Second Edition）
原著者：Alan S. Kaufman & Nadeen L. Kaufman，日本版作成：日本版KABC-II制作委員会
丸善出版　2013年

対象：2歳6か月～18歳11か月
目的：知的活動の総合的な評価，継次処理と同時処理から構成される認知処理過程および習得度の評価．
課題：認知尺度課題11　習得尺度課題9

DN-CAS 認知評価システム（カテゴリー1，4）
略称：DN-CAS（ディーエヌキャス）（Das-Naglieri Cognitive Assessment System）
原著者：Jack A. Naglieri，J. P. Das，日本版作成：前川久男，中山　健，岡崎慎治
日本文化科学社　2007年

対象：5歳0か月～17歳11か月
目的：プランニング，注意，同時処理，継次処理の4つの認知領域から子どもの発達を評価する．
課題：プランニング課題3　同時処理課題3　注意課題3　継次処理課題3

（次ページにつづく）

特異的発達障害 診断・治療のための実践ガイドライン（カテゴリー2）
―わかりやすい診断手順と支援の実際―
略称：ガイドライン読み検査・算数検査
編集：特異的発達障害の臨床診断と治療指針作成に関する研究チーム
編集代表：稲垣真澄
診断と治療社　2010年

対象：小学1年～6年
目的：ひらがなの読みと計算の正確性と速度・数学的推論．
読み検査課題：
　　単音連続読み検査（50音）
　　単語速読検査（有意味）（30個）
　　単語速読検査（無意味）（30個）
　　単文音読検査（3文）
算数障害の症状評価のための課題：
　　数字の読み（1～2年：20個，3年：20個，4～6年：30個）
　　数的事実の知識（1年：40問，2年：50問，3年：54問，4～6年：64問）
　　筆算手続きの知識（3年：30問，4年：40問，5～6年：62問）

算数思考課題：
　　集合分類課題（問題1～2）
　　集合包摂課題（問題3～4）
　　可逆課題（問題5～6）

改訂版標準読み書きスクリーニング検査 - 正確性と流暢性の評価（カテゴリー2）
(Standardized Test for Assessing the Reading and Writing (Spelling) Attainment or Japanese Children and Adolescents : Accuracy and Fluency (STRAW-R))
略称：STRAW-R（ストローアール）
著者：宇野彰，春原則子，金子真人，Takeo N. Wydell
インテルナ出版　2017年

対象：小学1年～高校3年（課題により対象年齢が異なる）
目的：ひらがな，カタカナ単音の読みと書きの正確性，学年別のひらがな，カタカナ，漢字単語の読みと書きの正確性，ひらがな・カタカナの単語・非語，文章の読みの流暢性と正確性の評価．
課題：音読の流暢性（速読）
　　音読と書取（聴写）の正確性
　　1）漢字126語音読（小学1年～中学2年生）漢字音読年齢の算出
　　2）音読・書取（聴写）―ひらがな1文字・カタカナ1文字
　　3）音読・書取（聴写）―ひらがな単語・カタカナ単語・漢字単語（小学1年～中学生）

小中学生の読み書きの理解 URAWSS II（カテゴリー4）
略称 URAWSS II（ウラウスツー）(Understanding Reading and Writing Skills of Schoolchildren II)
著者：河野俊寛，平林レミ，中邑賢龍
atacLab　2017年

対象：小学1年～中学3年
目的：学習に影響する読み書きの速度を評価し，支援できる方策に結び付くような結果の解釈を行う．
課題：読み：学年別の文章を黙読し，その後質問に回答する．黙読時間は測定する．
　　書き：学年別の文章をマス目の中に3分間書き写す．
　　結果から必要に応じて介入効果の評価を行うことができる．

（次ページにつづく）

CARD 包括的領域別読み能力検査（カテゴリー3）
略称：CARD（カード）（Comprehensive Assessment of Reading Domains）
監修：玉井　浩
著者：奥村智人，川崎聡大，西岡有香，若宮英司，三浦朋子
ウィードプランニング　2014年

対象：小学1年～6年
目的：読み能力を領域別に評価する．
課題：ことばの問題〔音韻認識の課題（2課題），ひらがなの列のなかから有意味の言葉を囲む，言葉の意味を選択する〕と，文の問題（単文の正誤を回答，提示された文との内容の異同を回答，短文を読んでその文に関連する問いに回答）．

PVT-R 絵画語い発達検査（カテゴリー3）
略称：PVT-R（ピーブイティーアール）（Picture Vocabulary Test-Revised）
著者：上野一彦，名越斉子，小貫　悟
日本文化科学社　2008年

対象：3歳0か月～12歳3か月
目的：基本的な語彙理解力を評価する．（比較的身近な言葉が含まれる）．
課題：検査者が口頭で提示した言葉にあてはまる絵を4つの選択肢から選ぶ．

SCTAW 標準抽象語理解力検査（カテゴリー3）
略称：SCTAW（エスシータウ）（The Standardized Comprehension Test of Abstract Words）
監修：宇野　彰
著者：春原則子，金子真人
インテルナ出版　2002年

対象：小学1年～中学3年，20歳代～70歳代
目的：抽象語の意味理解力を評価する．
課題：検者が読み上げた言葉の意味を最も適切に表している絵を6つの選択肢から選ぶ．

J.COSS 日本語理解テスト（カテゴリー3）
略称：J.COSS（ジェイ・コス）（Japanese test for Comprehension of Syntax and Semantics）
編著者：J.COSS研究会
風間書房　2010年

対象：年少～小学6年，前期高齢者，後期高齢者
目的：口頭もしくは書記で提示される語彙や文法項目を含んだ文章をどれくらい理解できるかを評価する．日本語独自の助詞関連項目や，障害児・者で困難が示される授受関係項目が含まれる．
課題：聴覚版と視覚版があり，どちらも個別および集団実施が可能．口頭もしくは書記で提示された問いに対して，4種類の回答選択肢（絵）から指さしで回答する．

LCSA 学齢版 言語・コミュニケーション発達スケール（カテゴリー3）
略称：LCSA（エルシーエスエー）（LC scale for School Age Children）
編著者：大伴　潔，林安紀子，橋本創一，池田一成，菅野　敦
学苑社　2012年

対象：小学1年～4年
目的：「文や文章の聴覚的理解」「語彙や定型句の知識」「発話表現」「柔軟性」「リテラシー（書記表現に関するスキル）」の言語やコミュニケーションにかかわる5つの領域の力を測定する．おもに口頭でのやりとりの能力．
課題：発話による回答を求める表出課題および文章や文，語彙の意味理解を選択肢から選ぶ理解課題．

（次ページにつづく）

『見る力』を育てるビジョン・アセスメント　WAVES（カテゴリー4）
略称：WAVES（ウェーヴス）（Wide-range Assessment of Vision-related Essential Skills）
監修：竹田契一
著者：奥村智人，三浦朋子
学研教育みらい　2014年

対象：小学1年〜6年
目的：眼球運動，目と手の協応，視知覚の視覚関連基礎スキルを評価する．
課題：基本検査10課題と補助検査4課題から構成される．基本検査は線なぞり・形なぞり（目と手の協応），数字みくらべ（眼球運動），形あわせ・形さがし・形づくり・形みきわめ（視知覚），形おぼえ（視覚性記憶），形うつし（図形構成）．補助検査は大きさ，長さ，傾き，位置．

『見る力』を育てるビジョン・アセスメント　WAVESデジタル（カテゴリー4）
略称：WAVES（ウェーヴス）デジタル（Wide-range Assessment of Vision-related Essential Skills）
監修：竹田契一
著者：奥村智人，三浦朋子
学研教育みらい　2019年

対象：小学1年〜6年
目的：眼球運動，目と手の協応，視知覚の視覚関連基礎スキルをおもにタブレットを用いて評価する．
課題：線なぞり・形なぞり（目と手の協応），数字みくらべ（視覚的注意と眼球運動），形あわせ・形さがし・形づくり（視知覚速度），形みきわめ（視知覚分析），形おぼえ1・2（視覚性記憶），形うつし（図形構成）の計10課題．線なぞり，形なぞり以外の課題はタブレットを用いて検査を実施する．

ひらがな単語聴写テスト（カテゴリー3）
（通常の学級でやさしい学び支援2　読み書きが苦手な子どもへの〈つまずき〉支援ワーク）
略称：ひらがな単語聴写テスト
監修：竹田契一
著者：村井敏宏
明治図書出版　2010年

対象：小学1年〜6年
目的：ひらがな単語聴写の正確性・特殊音節での間違いの傾向を捉える．
課題：特殊音節を含む単語を聞いて，ひらがなで書く．

近見・遠見数字視写検査（カテゴリー4）
略称：数字視写
著者：奥村智人，若宮英司，三浦朋子，竹田契一，玉井浩
近見・遠見数字視写検査の有効性と再現性―視写に困難を示す児童のスクリーニング検査作成―
LD研究 16（3）：323-331，2007
検査用紙ダウンロード：http://springs-h.jp/visioninspection/

対象：6歳0か月〜14歳11か月
目的：眼球運動，視知覚，目と手の協応など複数の能力を必要とする，文字列を見て書き写す視写能力を測定する．
課題：近見（手元）と遠見（3m遠方）において数字の表をなるべく速く，正確に，枠からはみ出さないように書き写す．

日本版感覚統合検査　感覚処理・行為機能検査（カテゴリー4）
略称：JPAN（ジェイパン）
著者：日本感覚統合学会
パシフィックサプライ社　2010年

対象：4歳〜10歳
目的：幼児・児童の感覚系の基礎的な神経学的発達を評価する．
課題：前庭系機能（姿勢・平衡機能）に関する評価項目6項目，体性感覚系機能に関する評価7項目，行為機能に関する評価15個項目，視知覚系の機能（視知覚・目と手の協調）に関する評価4項目．

（次ページにつづく）

日本感覚インベントリー（カテゴリー4）
略称：JSI-R（ジェイエスアイアール）（Japanese Sensory Inventory Revised）
著者：JSI 開発プロジェクト（代表：太田篤志）2002 年
検査用紙ダウンロード：https://jsi-assessment.info/jsi-r.html

対象：4 歳～6 歳（それ以外の年齢での使用の際には解釈に注意が必要）
目的：質問紙によって発達障害児の感覚調整障害に関する行動特徴を評価する．
課題：感覚情報処理に関連すると思われる行動質問項目 147 項目（前庭感覚 30，触覚 44，固有受容覚 11，聴覚 15，視覚 20，嗅覚 5，味覚 6，その他 16 項目）．

（奥村智人，三浦朋子）

第 2 章　ＬＤの具体的症状と診断・検査の実際

ICT の活用について
―実際の機器について―

> **Point !**
> - 「新学習指導要領」で「情報活用能力の育成」や「ICT を活用した学習活動の充実」が明記されることとなった．
> - GIGA スクール構想が進められ 1 人 1 台の学習者用端末が配布されるなど，ICT 機器が授業の教具ならびに文具としての活用が進められている．
> - アセスメントにより子どもの特性を評価した上でどのような ICT 機器を用いるかを検討する．

1　教育における ICT の活用について

　ICT とは「Information and Communication Technology」の略で「情報通信技術」を意味し，「ICT 教育」とは，教育現場で活用される情報通信技術そのものや取り組みの総称である．ICT 教育の例として，教室のプロジェクターに図表を拡大投影する，電子黒板に計算問題を掲示し書き込みながら解き方を説明する，生徒がタブレットを利用して学習したり，作成した資料を端末で共有したりするなどがあげられる．

　小学校は 2020 年度から，中学校では 2021 年度，高等学校では 2022 年度から新学習指導要領が全面実施されたが，新学習指導要領のなかに「情報活用能力の育成」や「ICT を活用した学習活動の充実」が明記されることとなった．このような社会的背景により GIGA スクール構想が推し進められ，全国の義務教育を受ける児童生徒に，1 人 1 台の学習者用端末が配布された．また，2020 年 12 月の経済財政諮問会議で 2025 年度までにすべての小中学校でデジタル教科書を普及する目標を新たに定められたり，文部科学省は 2025 年度の中学 3 年生を対象とした全国学力調査についてパソコンやタブレット端末を使った出題・解答（CBT）を導入する方針を決定した．そして，合理的配慮の具体例としても「読み書き等に困難のある児童生徒等のために，授業や試験でのタブレット端末等の ICT 機器使用を許可したり，筆記に代えて口頭試問による学習評価を行ったりすること（文部科学省，2016）」と明記されている．このように，ICT 機器は，授業での教具ならびに合理的配慮での支援ツールとして教育現場における整備ならびに活用が進められている．

2　機器・アプリについて

a）学習支援端末（PC・タブレット）

　GIGA スクール構想の推進に伴い 1 人 1 台の学習者用端末が配布されたが，そのなかでおもに使用されている端末が「iPad（iPad OS）」「Chromebook（Chrome OS）」「Windows PC（Windows 10 or 11）」の 3 種類である．それぞれの特徴を**表 1** に示す．

iPad	Chromebook	Windows
・起動や動作が速く，操作性の自由度が非常に高い ・教育用アプリが最も豊富 ・本体ならびに純正の周辺機器の価格が高い	・起動や動作が速い ・Google 純正の無償授業支援ソフトが使用できる ・機器の価格が安い ・インターネット接続ができないと使用できない	・他の端末よりも起動や動作が遅い ・Office との親和性が高いため Office で作成した教材がそのまま使える ・教育用アプリが少ない

表1 各学習用端末の特徴

b) 学習領域に応じた機器・アプリ

学習において利便性が高いと思われる機器やアプリの1部を学習領域に応じて列挙する（表2）．これらは常に新しいものが作られていくため，定期的に情報収集を行い，より利便性の高いものを探していくことが望ましい．

表2 学習領域に応じた機器・アプリ一覧
（2022年7月1日付けで購入・操作が可能であることが確認済のもののみ列挙）

種類	機器・アプリ	学習領域	特徴
機器	IC レコーダー	聞く	話の内容を録音して確認できる．コンパクトで携帯しやすい．
アプリ	Notta	聞く	話の内容を録音しつつ文字に起こしてくれる．録音ファイルに画像を貼り付けることができる．
アプリ	XMind	話す（作文）	マインドマップを作成でき，テキストだけでなく画像も挿入できる．考えたことを関連付けながら整理することができるため，発表や作文において自分の考えを整理して取り組みやすくなる．
アプリ	DropTalk	話す	話し言葉でのコミュニケーションを苦手とする人のコミュニケーションを助ける AAC ソフトウェア．
機器	端末の読み上げ機能	読む	iPad，Chromebook，Windows の各端末に設定されているテキスト読み上げ機能を用いて，選択した箇所の読み上げが可能．
機器	音声ペン（G-Speak）[*1]	読む	ドットコードが印刷されたステッカーに音声ペンで音声を録音することができる．ステッカーをペンで選択するとペンが録音データを再生する．オリジナルの読み上げ教材を作成できる．
機器 アプリ	音声教材	読む	通常の検定教科書では文字や図形などを認識することが困難な児童生徒に向けた教材で，パソコンやタブレットなどの端末を活用して学習する教材．文部科学省が実施する委託事業「音声教材の効率的な製作方法等に関する調査研究」を受託した団体などが作成し，無償で提供している． 【おもな音声教材一覧】・e-Pat（広島大学）※ 2022 年度より UD-BOOK に仕様変更． ・AccessReading（東京大学先端科学技術研究センター） ・音声教材 BEAM（NPO 法人エッジ） ・マルチメディアデイジー教科書（日本障害者リハビリテーション協会） ・UNLOCK（愛媛大学） ・ペンでタッチすると読める音声付教科書（茨城大学） ※文部科学省ウェブサイト「音声教材普及推進会議 令和3年度会議配布資料・説明動画」より抜粋．

（次のページに続く）

アプリ	Google フォト Google レンズ	読む 書く	スマートフォンやタブレットで撮影した写真を保存できるサービス．写真のなかから文字を抽出して，そのまま読み上げたり，コピーして貼り付けることが可能．
アプリ	Google 翻訳	読む 書く	入力したテキストを英語をはじめとした外国語に翻訳ができ，読み上げもできる．英単語の意味調べや正しい発音を学ぶことに有効．
アプリ	DONGURI	読む 書く	複数の出版社の辞書アプリ（国語，漢字，英和，和英）を一定期間お試しで使うことができ，使いやすいと思ったアプリを個別に購入できる包括的辞書アプリ．ことばや英単語の意味だけでなく，漢字の読み方，形をスムーズに調べることができる．
アプリ	手書きキーボード	書く	このアプリを入れると，iPad のキーボードで「手書き入力」が可能となる．手書き文字をテキストに変換して入力することができる．
アプリ	MicrosoftLens	書く	黒板やプリント，写真など，撮影した画像を自動的にトリミング，補正し，スムーズに端末に取り込むことができる．
機器	モバイルスキャナ[*2]	書く	小型のスキャナ．プリントなどを読み込み，データ化して端末に取り込むことができる．コンパクトなため教室でも使用することができる．
アプリ	Goodnotes	書く	タブレットで操作するノートアプリ（iOS のみ対応）．手書きで書き込むだけでなく，テキスト入力も可能．撮影したり保存してある画像を貼り付けることもできる．
アプリ	MyScript Calculator	計算	計算アプリ．画面に計算式を書き込むと即時に計算をしてくれる．分数や平方根の計算も可能．
アプリ	Photomath	計算	カメラで計算式を撮影すると自動で計算してくれるアプリ．答えだけでなく途中式も確認できるため，計算方法を理解でき，参考書の代わりにも使える．高校レベルの計算式にまで対応．

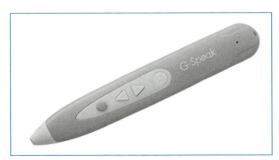

*1 音声ペン G-Speak（Gridmark）

*2 モバイルスキャナ ES-60WB/WW（EPSON）

3 学習でICTを活用するうえで留意すべきこと

a）端末や機器・アプリの選定

　端末はそれぞれに特徴があるため，一概にどれがよいと明確に述べることはできない．予算や使用目的，使用する児童生徒の年齢や特性などを踏まえて選択することが望ましい．まず大人が適していると思われる機器・アプリを検討して子どもに提案するが，できるだけ子ども自身が何を使うかを選択することが重要である．たとえば，タブレットで文字を入力する場合，タブレット内のタッチキーボードでは，かな入力，ローマ字入力，フリック入力，音声入力を使用することができ，外付けキーボードを接続すればタイピング入力もできる．「みんな，タイピングをしているからタイピングがよい」と決めてしまうのではなく，どの入力方法が適しているかを本人に実際に試してもらい子ども自身が1番入力しやすいと思える方法を用いることが望ましい．また，タイピング方式を用いる場合には「タイピング＝ローマ字入力をしないといけない」と考えている人が非常に多い印象を受ける．読み書きに弱さがある子どもはローマ字の表記ルールの理解が難しい場合も多いため，ローマ字表記を学びながらタイピングスキルを身につけていくことは負担がより増大する危険性もある．タイピングの目的は「文字を入力すること」であるため，ローマ字，かなのどちらの方法で入力しても構わない．重要であるのは子ども自身が「便利だった」「使ってよかった」と実感がもてることである．

b）ボトムアップとトップダウン

　学習場面でタブレットやPCといった機器を活用することは，子どもの特性による困難さを軽減することにつながり非常に有効性が高いといえる．しかし，これらの機器を用いれば問題がすべて解決するわけではない．たとえば，語彙が少ない場合，たとえ読み上げ機能を使って文章を読み上げたとしても文中に知らない言葉が含まれていると内容を正しく理解することができない．機器はあくまで弱い力を補うことで子ども自身が本来もっている考える力を発揮できるようにするためのものである．語彙，知識，理解力，表現力などの力が十分ではない場合，機器を用いたとしても必ずしも学習課題を遂行できるわけではない．そのため，機器などを用いて自身の弱い力を補って様々な活動に取り組める力を伸ばすトップダウン方式のアプローチだけでなく，語彙や言語理解力，表現力など子ども自身がもつ力を伸ばしていくボトムアップ方式のアプローチもあわせて行うことを意識する必要がある．ボトムアップ式のアプローチは特に小学生の時期に重きを置き，高学年，中学生と成長するに伴って徐々にトップダウン式のアプローチに移行していき，将来社会に出たときに必要となる力を身につけていくことが望ましい．

　ICT機器の活用を支援，指導のなかで進めていくうえでも，アセスメントにより子どものもつ強い力，弱い力ならびにその要因を把握し，子どもの状態や年齢，家庭や学校での状況なども踏まえたうえでアプローチの方法を包括的に考えていくことが重要である．

〈竹下　盛〉

参考文献

- 全国的な学力調査のCBT化検討ワーキンググループ（第10回）
- 総則・評価特別部会，小学校部会，中学校部会，高等学校部会における議論の取りまとめ（案）
- 音声教材普及推進会議 令和3年度会議配布資料・説明動画（文部科学省ウェブサイト）
- 学校におけるICT活用について（文部科学省ウェブサイト）
- GIGAスクール構想の実現パッケージ～令和の時代のスタンダードな学校へ～（文部科学省ウェブサイト）

Q1 保護者から「言葉の発達が遅いことが心配だ」と相談を受けました．どのように対処すればよいでしょうか

A 言葉の発達が遅いという訴えには，言葉を全く発しない，何かいっているが聞き取りにくい，はっきりした言葉を発しているが文脈がおかしい，関係のないことをいう（やり取りにならない）など，いろいろなものが含まれます．言葉を発するためには，まず言葉を正確に聞き取り意味を理解する必要があります（言語受容）．それを前提にして，状況にあった言葉を発することができます（言語表出）．声掛けにうまく反応できないときは，言語受容の問題として聴力に異常がある（聴力障害），意味が理解できない（ID など），聞く態勢にない，興味をもたない（ADHD，ASD など），言語表出の問題として正確に発音できない（構音障害），状況にあった言葉や文章で表現できない場合が多く，それらの鑑別が必要になります．保護者に聞こえの問題を確認し必要に応じて聴力検査〔困難な場合は聴性脳幹反応（Auditory Brainstem Response, ABR）検査〕，言葉以外の発達に遅れがないかを確認して発達検査（学童期以上では可能であれば知能検査），注意力欠如や自閉的特徴の有無を確認し，言葉の遅れの原因を探ります．なかには，帰国子女や虐待など環境因子の影響を考慮すべきケースもあり，また，吃音や心理的要因による緘黙症なども言語コミュニケーションの妨げになることがあります．聴力障害がある場合は専門科へ紹介し，その精査と対応，ID がある場合は療育的なかかわりが可能な機関（療育施設や保健センターなど）や専門医へ紹介，ADHD や ASD など発達障害が疑われる場合や，虐待や心理的要因による言語発達の遅れが疑われる場合も専門医へ紹介することが望ましいと思われます． 〔田中啓子〕

Q2 保護者から「子どもが LD ではないか」と相談を受けました．どのように対処すればよいでしょうか

A LD が疑われる場合の訴えとして，勉強についていけない，理解するのに時間がかかる，一度理解してもすぐに忘れる，さらに，本読みが苦手，板書ができない，字を覚えられない，字が汚い，計算ができないなどがあります．まず，確認すべきことは，子どもの知的発達に問題がないかということです．幼少時からの発達を保護者にたずね，知的な遅れがみられないかを評価するため知能検査（困難な場合は発達検査）を行います．同時に行動面の問題，興味や意欲の問題（ADHD，ASD など），微細運動の問題（DCD），言葉の理解と表現の問題（言語障害）についても確認し，これら障害の有無を把握しておく必要があります．個々の特性を理解したうえで，年齢相当の発達であるかの評価をし，その知的レベルに見合った学習の習得，読み書き・計算能力の習得ができているかで，LD と考えるべきか判断します．一般的に，読み，書き，計算することに困難さをもつといわれる LD であっても，個々に問題点が異なり，合併することも多く，また読み，書き，計算それぞれの困難の原因も様々です．読めない原因，書けない原因，計算できない原因を探るための精査を行うことで，その原因にアプローチする，もしくはそれに代わる方法を使ってアプローチするという最良の学習方法がみえてくる場合があります．最も重要なことは，保護者や教師の理解を仰ぎ，子どもに適した学習方法を模索し実践することです．適切な時期に気づき対応する必要があることを十分に理解したうえで，可能な限り速やかに専門医，専門施設へ紹介することが望ましいと思われます． 〔田中啓子〕

Q3 発達障害で受診している子どもの保護者から，学習面の相談を受けました．どのように対処すればよいでしょうか

A 幼児期に発達障害と診断され通院している子どもは，就学後，学習の問題を抱える可能性がありますので，学習面の相談を受けることは決して珍しいことではありません．発達性ディスレクシアをはじめとするLDは発達障害に併存する可能性がある学習困難をきたす疾患であり，特別支援教育が必要となるため，たとえば書字困難をきたした子どもがLDであるか診断することはとても重要なことだと思われます[1]．すでに発達障害の診断で通院している子どもであれば，学習困難の原因はLDの合併も考えられますが，学習に対する姿勢獲得が遅れている可能性もあります．したがって，「読む」「書く」「計算する」という技能の測定を行う前に，以下の項目をまず検討します[1]．

①現在の全般的知能水準の評価はなされていて，低下はないか．
②注意集中力は十分であるか（学習内容以外の問診）．
③完璧主義であったり，誤りを認めがたい心的傾向などが存在しないか（学習内容以外の問診）．

さらに年齢にあった内容の図書を用意し，実際に音読させてみるようにしたり，実際に宿題やテストで生じている書字の問題がどのような問題なのかを評価して，子どもの全体像を把握してから「読む」「書く」「計算する」という技能の測定に進むべきか判断するとよいです[2]．「読む」「書く」「計算する」という技能の評価方法は，他項にゆずります．

（島川修一）

1) 若宮英司：学習障害の臨床における診断・評価のあり方. 小児科診療 12：1751-1757, 2014
2) 稲垣真澄，特異的発達障害の臨床診断と治療指針作成に関する研究チーム（編）：特異的発達障害診断・治療のための実践ガイドライン─わかりやすい診断手順と支援の実際. 診断と治療社，2010

Q4 学習困難の評価に関する紹介先の選択のポイントについて教えてください

A 学習困難の相談を受けたときに，詳細な現症と発達歴（既往歴）の問診をとって，学習に影響している可能性のある特性を推定して整理し，家族に理解を促すところまでは特別な器材やスタッフがなくてもできることなので，各クリニックで実施しているという前提とします．

子どもは毎日を学校で過ごすので，学校の学習環境を調整することが最も重要です．医療機関で分かった情報を提供するなど，教育機関との連携を優先しましょう．特別支援学級や通級指導教室には個別支援機能があるので，学校を通じて利用の可否を確認しましょう．個別支援機能がある学級や教育センターなどではいくつか検査ができることがあるので，次のステップに進むことができます．学童保育や放課後等デイサービスセンター，個人塾などを利用している場合は，そういう場での配慮も必要です．医療者として教育現場との連携をとりましょう．学習援助に対応してもらえることがあります．児童発達支援センターは学校への巡回機能ももつので，連携すると効率的です．

最近は，診断に必要な知能検査と学習技能検査を行っている機関，リハビリテーション機能を利用して介入訓練を行っている医療機関や民間機関が増えてきているので，地域内で利用できるものがないか情報を集めてください．ただし，専門的に取り組んでいる施設は全国的にもまだ少ないのが現実です．また，1つの領域に特化した訓練法は万能ではなく，必ずしも病態に適した方略とは限りません．専門知識をもったコーディネーターを連携ネットワークのなかに取り込むことがポイントです．

（若宮英司）

Q5 子どもの学習困難を母親以外の家族（父，祖父母，きょうだい）が理解しないという相談への対応方法を教えてください[1]

A 子どもの学習困難の問題を母親が1人で抱え込まないようにするためにも家族全体で子どもを理解することは大切なことです．しかし，自分の子どもの問題に直面している母親とその他の家族とはズレがあるかもしれません．また母親の考えが正しいと感じていても，学習困難を個性ではなく障害ととられ，家族内に障害をもっている子どもがいるということに抵抗を感じ，LDという言葉が大きな弊害になっている場合も多いです．まずはできるだけ他の家族がその子どものことに関して感じていること，考えていることに共感的に接するようにします．次に，LDかどうかということにこだわらず，子どもの困っていることを具体的に示し共有することから始めます．その困っていることに対して，どのようにしてあげるのがよいのかを話しあってみます．そのなかで，LDは発達のバランスの偏りであって，障害ではなく読み書きなどに特性があること，診断は本人のその特性を理解するための道具でしかないことを説明してみます．しかし，その子どものバランスの偏りや，どのようにしていくかについて，同じことを話していても，医師や専門家の話のほうが，納得しやすいことも多いので，そのときは父や祖父母とともに一緒に受診するというのもよいかもしれません．また，きょうだいに関しては，母親が，LDの子どもの対応に熱心になりすぎると，きょうだい児は疎外感や不公平感を感じやすくなります．そのため，たとえば，きょうだい児と母親だけの時間をできるかぎりもつ，きょうだい児の努力や達成したことをほめるなどのきょうだい児への支援が必要となります．

（中尾亮太）

1) 山口 薫：親と教師のためのLD相談室．中央法規，148-149，2011

Q6 保護者が子どもの学習困難を学校に相談する際の医療者の役割を教えてください．診断を伝えてその子どもが不利になることはないでしょうか[1],[2]

A LDの対応の基本は教育であり，医療者の役割は診断と考えられています．しかし診断をしたからといって治療に結びつき，すべてが解決するわけではありません．そして，その発達特性から自尊心が低下し不適応行動につながることも多く，そのため診断よりも「本人の困っていること，生きにくさ」に焦点をあて，何が原因で起こっているのか，その他の発達障害の特性がないか，それに対する本人の心理的な状態を知り，子どもの特徴を理解しその子にあった指導の仕方や支援の方法を具体的に示し，保護者を通して学校へ伝えることが医療者の役割と考えます．保護者だけで伝えるのが困難な場合は，学校の先生に訪問していただき医療者から伝える場合もあります．また診断を伝えてその子どもが不利になるということは，学校をはじめ周囲の理解が乏しいことが影響していると思われます．診断名を伝えることで，よりよく子どもが理解されるのが理想ですが，障害としての診断名だけがひとり歩きしてレッテルを貼られる恐れもあります．診断名により「LDはこうだから」といった学校側の画一的な対応だけでおわり，診断名が邪魔になることもあります．家族と相談しながら学校の子どもに対しての理解をみながら診断名を伝えてもよいかと思いますが，診断名にこだわらず子どもの特性を理解し支援するため，学校をはじめ周囲の環境を調整してあげる指導が必要と思われます．

（中尾亮太）

1) 山口 薫：親と教師のためのLD相談室．中央法規，116-117，2011
2) 上野一彦：図解よくわかるLD．［学習障害］．ナツメ社，84-85，2008

Q7 投薬の適応と効果的な使い方について教えてください

A 　ADHDとLDの併存率は15～40％程度と高く，ADHDは小児期LDの最も一般的な併存症であるといわれます[1]．したがって，LDの子どもに対する薬物療法には，ADHDが併存する症例に対するADHD治療薬があげられ，ADHD治療薬として，中枢神経刺激薬（メチルフェニデート（コンサータ®），リスデキサンフェタミン（ビバンセ®））や非中枢神経刺激薬（アトモキセチン（ストラテラ®），グアンファシン（インチュニブ®））があげられます．

　ADHDで投薬歴のある子どもは，その後投薬をやめたとしても，治療歴のない子どもよりも実行機能や学業成績が向上することが示されており[2]，薬物療法はADHD治療の重要な選択肢です．

　ADHD治療薬投与によって，注意力，集中力，意欲を向上させ，児童の衝動的な行動が減少し，教室で過ごせる時間が長くなり，学業に専念できるという効果，いわゆる"Academic Performanceの改善"が期待できるといわれています[2],[3]．一方で，ADHD治療薬使用によって，学業成績の向上は認められないとする報告[1],[3]や「読む」「計算する」の技能に改善が認められるがわずかで，ADHDのない子どもとの差をなくすことができない[2]，また，ディスレクシアでは「読み」の改善と「ワーキングメモリ」の改善には相関関係がみられない[4]，ADHDを対象としたメタアナリーシスでは，「読み」の正確性は改善を認めなかった[5]といった報告もあります．したがって，いわゆる"Academic Skillの改善"については，効果が限定的と考えられます．したがって，ADHD治療薬は，LDの介入プログラムに対する集中や意欲を向上させる効果的な薬理学的補助と考えるべきでしょう[4]．LDの介入プログラムの具体像は，他項にゆずります．

　どのADHD治療薬でも同じ効果が得られるのでしょうか？メチルフェニデート，リスデキサンフェタミン，アトモキセチンは，いずれも，「読む」「計算する」のスキルに対して，効果があると報告されていますが[1]-[4]，グアンファシンの報告が少ないように思われます．異なるADHD治療薬間で，Academic PerformanceやAcademic Skillに対する治療効果を比較した検討は，本邦で使用されている薬剤では，報告がないようです[2]．作用時間の長さや副作用などを考慮し，個別に治療薬を選択してよいと思われます．

　ADHD治療薬は，一般に，6歳以上の子どもに最少用量から開始し至適用量まで増量していきますが，比較的低用量のメチルフェニデートおよびアトモキセチンで，Academic PerformanceやAcademic Skillに効果があるといわれています．またASDの特徴が併存する子どもは投薬開始による変化に敏感である一方で，変化を言語化しにくい特徴ももっています．少量から開始し，ゆっくりと増量するなどの工夫が必要と思われます．

（島川修一）

1) Tannock R, et al. Combined Modality Intervention for ADHD With Comorbid Reading Disorders: A Proof of Concept Study. J Learn Disabil 51:55-72,2018.
2) Prasad V et al. How effective are drug treatments for children with ADHD at improving on-task behaviour and academic achievement in the school classroom? A systematic review and meta-analysis. Eur Child Adolesc Psychiatry 22:203-216,2013.
3) Baweja R, et al. Impact of Attention-Deficit Hyperactivity Disorder on School Performance: What are the Effects of Medication? Paediatr Drugs 17:459-477,2015.
4) Shaywitz S et al. Effect of Atomoxetine Treatment on Reading and Phonological Skills in Children with Dyslexia or Attention-Deficit/Hyperactivity Disorder and Comorbid Dyslexia in a Randomized, Placebo-Controlled Trial. J Child Adolesc Psychopharmacol 27:19-28,2017.
5) Kortekaas-Rijlaarsdam AF et al. Does methylphenidate improve academic performance? A systematic review and meta-analysis. Eur Child Adolesc Psychiatry 28:155-164,2019.

第3章

LDの子どもの支援プログラム

第3章　LDの子どもの支援プログラム

A 大阪医科薬科大学 LD センターでの取り組み

> **Point !**
> ▶ 問診票により事前情報を得てから診察，評価を行う．
> ▶ 評価に基づき指導計画をたて，指導を実施する．
> ▶ 指導結果については，医師と保護者にフィードバックされる．

　本項では，大阪医科薬科大学 LD センター（以下 LD センター）での評価・指導の流れについて解説する．

　LD センターは大阪医科薬科大学病院とは独立し大学に直属している機関で，保険の適用はなく保護者の負担による有料の指導の場である．大学病院小児科もしくは LD センターの医師が必要と認めた検査や指導を，対象の子どもに行う．スタッフは言語聴覚士，作業療法士，ならびにオプトメトリスト（アメリカ合衆国資格）で，専門領域をそれぞれが担当する．

　指導までの手順としては図1のとおりで，保護者は地域の医療機関を通して大阪医科薬科大学病院小児科の受診を申し込む．その際，LD センターのウェブサイトに掲載されている問診票や知能検査（WISC-IV など）の結果を添付する．1年以内に知能検査を実施していない場合には大学病院内で検査を実施し，まず全体の知的レベルと認知の状態についての情報を得る．受診時の年齢と状態により，大学病院小児科医師から必要な検査や教育相談，指導について，LD センターに紹介される．

　受診時の年齢によって問診票や指導の形態が異なるので，以下，幼児期と学齢期に分けて解説する．

1 問診票での情報収集

　医師も検査を担当するスタッフも問診票による事前情報があると，対象の子どもがどのような実態であるか，およその見当をつけることが可能である．この問診票により，診察の際にはより重点的に聞き取りたい部分に焦点をあてて聞き取りを行うことができ，静かに待つことが苦手な子どもの負担を軽減することができる．問診票は保護者が記述するものなので，保護者が質問文を読んで分かるように具体的に作成され，「とてもあてはまる，あてはまる，以前はあった，あてはまらない」の4件法で作成されている．図2に幼児と学齢期の問診票の構成を示す．

a) 幼児の問診票

　幼児の申し込みは，満3歳以降としており，指導は年中・年長を対象としている．幼児の問診票の内容は，主訴，生育歴，LD センター申し込みまでの相談・検査歴，指導内容の希望についてである．

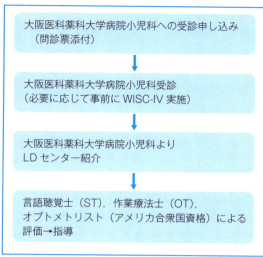

図1 大阪医科薬科大学LDセンターにおける指導までの手順

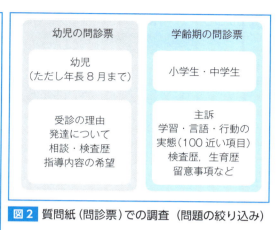

図2 質問紙（問診票）での調査（問題の絞り込み）

b）学齢期の子どもへの問診票

学齢期の子どもへの問診票には，幼児の問診票にある主訴，生育歴，相談・検査歴以外に，行動・社会性・学習に関する細かな質問項目を用意している．注意・多動・衝動性に関するチェックリスト，視覚認知・聴覚認知の状態を把握するためのチェックリスト，話す・聞く・読む・書く・算数についての細かで具体的なチェックリスト，ならびに粗大運動，巧緻性の状態について把握できるように多くの質問項目から成り立っている．

2 診断

医師は問診票の情報をもとに，保護者と子どもの面接を行い診断する．診断結果が受診時に保護者に直接的に伝えられることもあるし，問題を明らかにするために検査を行いその結果で診断ということもある．特に発達性ディスレクシアの場合には，読みの流暢性と正確性について同年齢の子どもとの比較で診断されるため，検査結果を待っての診断となる．

初回の受診時に必要に応じて検査の指示が出され，LDセンターで検査が行われる．

3 LDセンターでの評価

a）就学前の子どもの評価

LDセンターでは，幼児のグループ指導を行っている．幼児の保護者が小児科を直接受診する，もしくはLDセンターに問い合わせを行う理由の1つは診断を求めてのことだが，診断だけではなく療育を希望してのことも多い．幼児のグループ指導は8名までの同学年の子どもで，知的なレベル，言語発達のレベルをそろえてニーズに応じた指導を行うため，評価はこのグループ指導の適応と指導内容の見極めのための情報収集ともなる．診断・評価時に，作業療法または視機能訓練が必要であると判断されると，それぞれの専門スタッフにより個別のトレーニングが開始される．

表1 カテゴリー2～4に含まれる検査以外に各職種が使用する検査例

言語聴覚士	作業療法士	オプトメトリスト
幼児期 ・質問-応答関係検査	・J-MAP（日本版ミラー幼児発達スクリーニング検査） ・Soft Neurological Sign 検査から抜粋	・視機能 　・視力 　・両眼視 　・眼球運動 　・調節 ・視覚-運動統合発達検査（VMI）

b）学齢期の評価

　基本的には，第1にWISC-IVによる全体の知的レベルの評価と認知特性の把握が行われる．読み書きに問題があるという主訴の場合，小学2年生以上で全体の知的水準が全検査IQ（FSIQ）85以上であれば，「第2章 H 本書における各検査のカテゴリーと位置づけ」**表1**（p.61～65）のカテゴリー2からカテゴリー4までの検査を必要に応じて実施する．これらの検査の結果により，さらに視機能に関する精査，言語能力の検査，粗大運動・巧緻性に関する精査を行う場合（**表1**）がある．一方，FSIQが85未満の場合はカテゴリー2～カテゴリー4の検査のなかから抜粋したもの，または，子どものニーズや状態に応じて**表1**に示す視機能，言語，粗大運動・巧緻性に関する精査を行うことになる．

　評価の結果は検査の内容によって様式や形態は異なるが，保護者と医師に報告される．評価結果と，指導の希望の有無，時間や通所に関する負担の問題を考慮し，指導が開始となる場合と，教育相談などで希望により年に1度程度の相談のみで終了となるケースがある．

4　指導

a）幼児期の指導

　幼児のグループ指導の参加児は，ASDの診断がある子どもがほとんどで，知的レベルと年齢によってグループ編成がされる．グループでの指導は，主になって活動を進める役割の言語聴覚士1名と，1人ひとりの子どもの理解にあわせてすぐ近くで援助を行ったり，モデルとなる行動をしてみせる役割を担う副担当の言語聴覚士が1名ないし2名で行う．

1）年中（4歳児）クラス

　4歳児クラスでは，写真や絵カードを使ってスケジュールの提示を行う．スケジュールは見通しをもって活動に参加する姿勢を育てるために使用し，これにより，不安が軽減され，集中して活動に取り組むことができるようになる．活動のなかで，指導者が子どもの言葉をよく聞いて応じることで，子どもは，大人は自分の言葉をよく聞いてくれる，という経験ができる．また，困っていると手伝ってもらえる経験は，言葉を使って援助を求めることを促す機会となる．

2）年長（5歳児）クラス

　年中児と同様，スケジュールを提示し，見通しをもって活動に参加できるよう促す．ASDの子どもの特性にあわせ，特に他者の気持ちを理解して行動する方法を学ばせる．翌年には小学校に入学するので，教師の話を聞く，鉛筆を使ってプリント課題に取り組む，文字の読み書きの基礎力を育てるといった課題にも取り組む．

3）視機能・作業療法の個別指導

　評価の結果から，幼児期に視機能や姿勢保持・手指の運動機能に課題があり，訓練の適応があると

認められた子どもには，予約により個別指導が開始される．

b）学齢期の指導

1）学習

LDセンターの学習クラスでは，「言語」「読み書き」「算数」の学習の基礎となる力を養い，高学年になると「代替手段の獲得」を導入して得意な力を使って苦手な部分を補う方略の指導を行う．

保護者や教員はいわゆる「ボトムアップ」をしていけば，いつか追いつくのではないだろうかと考えがちであるが，行動の問題がない場合，すべての教科を特別な場で子どもの力にあわせて個別に学ぶということはない．特にLDで読み書きに困難のある子どもの場合，同学年の子どもとともに当該学年の内容を学ぶ機会も多いので，ボトムアップで2～3学年下の学習をしているだけでは，当該学年の教科書を読めない，板書を読めない，テストの問題が読めず解答ができないという事態が起こる．学び方を変えて授業の内容を理解したり，設問に答えたりする力をつけておくことは，高学年以降の子どもの自尊心を低下させないためにも重要なことである．

上記のことを踏まえ，LDセンターでは高学年の子どもには，小学校を卒業後の生活や社会に出たときに必要とされる力は何か，ということを考えて学習方略や代替手段を利用して表現や理解をする力を身につけることを教えている．また，当事者が合理的配慮を求めることができるようにするためには，何が本人にとって合理的配慮となるのかを伝えられることが望ましい．代替手段の獲得は合理的配慮を求める際にも効力を発揮する．

学習クラスでは，指導内容によって2～3人程度のグループまたは個別の指導体制をとっている．対象とする子どもの特徴，ならびに主に行う指導内容を**表2**に示す．

2）視機能訓練

子どものなかには，理解力や記憶の弱さのために学習につまずいているのではなく，視覚情報を得るために必要な「対象のものに眼を動かす」「両眼で物を見る」「すばやくしっかり焦点をあわせる」といった能力の弱さがある場合がある．LDセンターでは，オプトメトリーという理論に基づいて評価と訓練を行い，効率よく眼を使う練習をする．

個別で行う視機能訓練では，LDやADHDなど発達に偏りをもつ子どもを対象に，「両眼をすばやく滑らかに動かす」「両眼を使ってしっかり物を見る」「近くのものや遠くのものにすばやくしっかり焦点を合わせる」「形をしっかり捉え構成する」といった学習や運動を行ううえで基礎になる眼の能力を高める訓練を，評価（「第2章F 視覚関連の機能に関する訴えの聞き方と症状の整理」p.54，「H 本書における各検査のカテゴリーと位置づけ」p.60参照）に基づき行っている．

指導では専用の教材教具を用いているが，家庭での訓練教材として，視写課題，目と手の協応性を高める迷路課題，図形の構成や空間把握の力をつける点つなぎ課題，視線を動かす見比べ課題などのワークブックを開発している．

3）作業療法

学習ができない，文字がうまく書けないなどの主訴でLDセンターにくる子どものなかには，「不器用さ」「身体のバランスの悪さ」をあわせもつ子どもが少なくない．なかには，DCD（「第2章D 協調運動の診察」p.45参照）と診断されている場合もあるが，診断はないが不器用で学習や生活の両面で困っている子どもも多い．保護者は文字を使った学習の成果に目がいきがちであるが，姿勢の保持ができないために集中が続かない，作業をすると同学年の子ども以上に疲れやすいといったことが起こり，そのために学習の成果が表れにくい場合もある．体育や家庭科，図工など粗大運動と巧緻性の課題を行う教科では，結果の出来不出来が見てわかるために，子どもの自尊心の低下も招きやす

表2 学習指導の対象と内容

	対象となる子どもの特性	指導内容
言語	・同年齢の子どもに比べて語彙が少なく，統語構造もシンプルであるため，いいたいことやまとまった内容をうまく伝えられない． ・質問の意図が分からないために，指示どおりに行動できなかったり，質問からずれた答えになったりする． ・一度にたくさん指示されると理解できず，忘れてしまう． ・作文が苦手．	・ポイントをしぼって話を聞く練習． ・用途や形で分類する練習（言葉の概念の形成）． ・動作絵や4コママンガを見て短文を作る練習． ・作った文章にあわせて質問-応答の練習． ・文章読解の練習．
読み書き	・文字の読みがたどたどしい． ・特殊音（特殊音節）の読み書きに間違いが多い． ・文字を書くのに時間がかかる． ・漢字を書けない． ・漢字を読んだり書いたりすることに苦手意識が強い．	・拗音・促音・長音のルールを整理し，それぞれを読んだり書いたりする練習． ・漢字1文字ずつの形を分解する方法を練習し，読み・意味の確認． ・熟語の読みの確認：熟語の意味や他の言葉の読み方から，読みを推測する練習．
算数	・順序数はいえるが，物を数えられない． ・数を操作して計算することがむずかしい． ・繰り上がり，繰り下がりのある計算が苦手． ・計算はできるが，文章問題になるとつまずく（何算になるか分からない，式を導くことができない）．	・具体物を使った数の操作の練習． ・具体的な数の操作と抽象的な数式を一致させる練習． ・文章題の解決手順の練習． （質問のポイントが分かる，言葉と数量のイメージを結びつける，など）．
代替手段の習得	・読んでもらうと理解できるが，読みに時間がかかり，量が多いと読んでも理解できない． ・文字を思い出したり書いたりすることが難しく，苦手意識が非常に強くなっている． ・考えるスピードに「書字」がなかなかついていかず，長い文を書く際に不利になってしまう（たくさん考えているのにスムーズに書けない）．	ICTを使った代替手段の練習． ・読み上げ機能，音声入力，文字入力，検索機能などの使用方法の獲得． ・ノートアプリ，カメラアプリ，辞書アプリなどの使用方法の獲得． ・上記機能を使った学習課題への取り組み． など．

い．「不器用さ」や「身体のバランスの悪さ」には，運動の側面だけではなく感覚の側面（過敏さ／鈍感さなど）がかかわっていることも多く，評価に基づいて個別の指導を行う．

作業療法では，次のような特徴を示す子どもを指導対象としている．
- 動きがぎこちない．
- 身体が柔らかい，姿勢が悪い（低緊張）．
- 立位や座位の姿勢保持が続かない．
- 不安定な場所や段差を怖がる．
- 触られることを嫌がる（触覚過敏）．
- 力のコントロールがむずかしく，物の扱いが乱暴である．
- ボタンのはめはずし，箸を使う，はさみを使うなど細かな作業が苦手．
- 鉛筆を上手にもてない，筆圧が弱い・強すぎる．

上記のような特徴をもつ子どもには，1人ひとりの評価に基づき，物の正しい操作の練習や道具の工夫，机上作業時の姿勢の改善のための座位バランスの向上や椅子の設定，作業や課題に取り組むための情報や刺激の整理による環境設定などを個別に指導する．

5 保護者指導・教育相談，その他

　LDセンターでの学習指導は年度ごとに継続について検討するが，視機能訓練や作業療法については個別指導であるので，個々の目標の達成や新たな課題への対応など柔軟に対応している．指導の結果は保護者と医師に報告書としてフィードバックされ，次年度の指導の継続について検討される．

　学年があがって教科の内容がむずかしくなったときや，中学校・高校など進路についての不安，環境が変わって子どもの状態に変化があった場合などに，保護者の希望により面談を行うことがある．また，指導に通っている子どもの通う学校との連携を保護者が希望する場合には，1時間の面談枠を使い担当教師に対して学校での配慮指導への提案を行う．評価は受けたが指導には通ってこない子どもの保護者が教育相談として面談枠を利用することも可能である．

　発達の課題のある子どもを育てる場合には，特に幼児や低学年の子どもの保護者が家庭で果たす役割は大きい．診断を受け止めきれない，療育に通いながらも保護者としての不安はなかなか軽減しない，家庭でどのように子どもに接してよいか分からない，園や学校に対してどう伝えていけばよいのか分からないなど，保護者のニーズに応えるためにLDセンターでは教育相談だけではなく，保護者学習会などの啓発活動も行っている．

〈栗本奈緒子〉

CASE 1 幼児期より，読みの弱さを疑われていたAくん

本書における便宜上の各検査のカテゴリーの区分は，第2章H（p.60），および第3章A（p.76）を参照．

基本情報	
生育歴	妊娠中，周産期に特記事項はなく，在胎38週，生下時体重2,390g．定頸：4か月，座位：10か月，始歩：12か月，始語：1歳6か月，2語文：3歳0か月，3歳児検診では言葉の遅れを指摘されていた．
学校環境・クラスでの様子	小学校1年生男児（6歳7か月）．特別支援学級在籍．小学校入学時より著しく読みに時間がかかるが，担任からは少し他の子どもたちよりも遅れているだけであろうと経過をみられていた．口頭で解説すれば理解できるため，Aくんに対しては入り込みの補助の教師が文章を代読してくれている．
家庭環境	両親とAくんの3人家族．母親は仕事をしておらず，Aくんが家に帰ってからは母親と一緒に宿題に取り組む．
受診に至った経緯	年長時に，「『れもん』を『でもん』といったり，『さかな』が『たかな』になる」といった音の誤りが多いことや，文字への興味も低く読むことができないことを主訴に受診した．就学前であるため経過をみることとなったが，小学校入学後も読みに時間がかかり，学習への意欲低下がみられはじめた．これらの経緯により再度受診に至った．

カテゴリー1,2の検査結果と評価

1) **WISC-IV**
   全検査IQ：104（VCI：109, PRI：115, WMI：82, PSI：99）
2) **ガイドライン読み検査**
   4つの読み検査はすべて，速度成績，正確性成績ともに＜－2SD
3) **STRAW-R**
   音読の正確性：ひらがな1文字＜－2SD
   書取の正確性：ひらがな1文字＜－2SD

カテゴリー3,4の検査結果と評価

1) **ひらがな単語聴写テスト**
   清・濁・半濁・撥音＜－2SD，拗・長・促＜－2SD
2) **URAWSS Ⅱ**
   書き（視写速度）：＜－2SD
3) **PVT-R**
   語い年齢：8歳5か月，SS16
4) **CARD**
   ことば探し，聞き取り，音しらべ，のすべて＜－2SD

読み検査では速度，誤数ともに著しい成績低下がみられた．直音でも音の想起に時間を要し，「た」と「だ」のような濁音では読み方が異なることは分かるが，それぞれどのような読み方をしたらよいか分からない場合が多くみられた．書字では自分の名前の文字であっても想起に時間を要し，多くの文字が想起できなかった．また，CARDの音しらべの低下や「れもん」を「でもん」と発語するなどのエピソードより，音韻認識に弱さをもつことが考えられた．このことから，音韻認識およびデコーディングの弱さが認められた．PVT-RとWISC-IVの結果より言語レベルは保たれていることから，読み書き障害（発達性ディスレクシア）が疑われた．そのため，学校での合理的配慮の提案および大阪医科薬科大学LDセンターで読みの指導を行うこととした．

支援内容

- **プロブレムリスト**：音韻認識の弱さ，デコーディング（文字から音韻への変換）の弱さ．
- **実施期間**：3か月（週1回，1時間，LDセンターでのトレーニング）．
- **実施内容**

［合理的配慮］

読み書きの弱さに配慮し，以下の内容をお願いした．
- 座席を前のほうにして，「読めない」「分からない」などをすぐに先生に聞ける環境にする．
- 音読をあてる場合は，特別支援学級や家庭で練習できるよう，事前に読ませる範囲を短めに指定しておく．練習を行う際は，最初に教師や保護者が読み，その後に読ませる．
- 読み方が分からない際に確認できるように，机の隅に縮小した50音表を貼っておく．50音表は，絵が文字を想起するうえでのキーワードになっているものを用いる（図1）．
- 書きも聴写では文字の想起がむずかしいため，口頭で内容を説明したうえで書き写させるようにする．書く量が多いと内容の理解がむずかしくなるため，最低限の量になるよう調整する．
- 特別支援学級では，読めることが書字の前提となるため，書字は必要最低限にとどめ，読みを中心に指導していただくようにお願いした．また，1文字-1モーラの対応規則が分かりやすい清音・濁音・半濁音・撥音の読みを重点的に指導していただくように伝えた．

［訓練・指導］

音韻認識の向上と読み書きの改善を目標に指導を行った．特別支援学級と同様に，読みの指導は直音のひらがなの読みを中心に行った．

図1 絵がキーワードになっている50音表

1）音韻認識の向上
a. 音の数だけシールを貼る
　提示した言葉がいくつのモーラからなるのか分解する課題．言葉を聞いて，その言葉のモーラ数だけシールを貼る．拗音を用いる場合も1モーラであるため「しゃ」でシール1個となる．拗音は文字が2つで1モーラ（例：「き」と「ょ」で「きょ」→1モーラ）となるため，文字とモーラが1対1対応ではなく，Aくんには混乱を招く可能性がある．そのため，今回は特殊音節以外の文字を用いた言葉で実施した．
①単語をいう．
②モーラの数だけシールを貼る．
③「り・ん・ご」と口頭でいいながら順にシールを指さしてモーラの数を再度確認する．

b. 文字シールを正しい音の位置に貼る
　1文字のひらがなシールを，正しい音の位置に貼っていくことで，その音がどの位置にあるかを考えさせ，その文字の位置を意識しながら読む課題．
①絵の名称を確認する（呼称させる）．
②ひらがなシールを正しい音の位置に貼る．
③「い・え」のように文字を順に指さして音の位置を確認しながら読む．

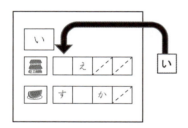

c. 文字シールを並び替えて貼る
　絵の名前を文字シールを正しく並べて貼って完成させる．マスの数は絵の名称の音の数にあわせておき，それぞれの文字がどの位置にくるかを考えてもらう．読めない文字の場合は大人が代読する，もしくは絵がキーワードになっている50音表を用いて確認する．

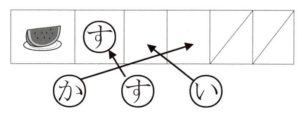

d. 決められた文字がつく言葉を探す
　「複数の絵のなかから『た』のつく言葉に丸をつける」のように，指定された文字が含まれる言葉の絵に丸をつけてもらう．決められた音を分解し抽出させる課題．

e. しりとり
　言葉の語尾の音が何かを考え，その文字が語頭となる言葉を考えさせることで音韻の分解と抽出する力を伸ばすための課題．
①口頭でのしりとり
　一般的な言葉遊びでしているしりとり．最初は2～3文字で拗音，促音，長音を用いない言葉を選

ぶことが望ましい．

②プリントを用いたしりとり

しりとりの順番になるように線で絵をつないでいくプリントを行う[1]．

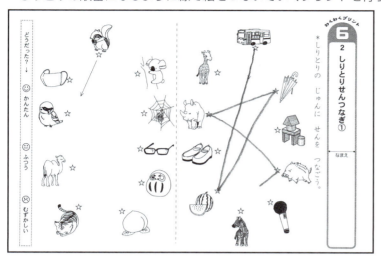

［村井敏宏，他：読み書きが苦手な子どもへの〈基礎〉トレーニングワーク．通常の学級でやさしい学び支援1巻．明治図書，2010］

2）特殊音節以外の文字を用いた単語を読む

a．単語と絵のマッチング

2～3文字からなる単語を読んで，絵とマッチングさせる課題．単語を読んで意味を理解する力を伸ばす．当センターでは，葛西ことばのテーブルのプリントを用いて実施[2]．

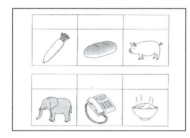
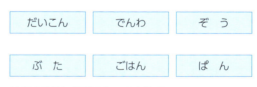

対応する絵に言葉のシールを貼る

（100枚プリント第3集「ひらがな読解ワーク」．葛西ことばのテーブル）

経過

3か月のトレーニングを行った結果，直音の読みに改善がみられ，読み速度および正確数にも初期評価時に比べて改善傾向がみられた．特殊音節を含まない2語文レベルの文であれば，まだたどたどしさはあるものの，読んで意味を理解できることが増えた．読める文字が増えたことにより，家庭や学校でも文字への拒否感が和らぎ，自ら文を読もうという姿勢もみられるようになったとのことである．

しかし，特殊音節の読みでは「しょ」を「しゅ」と読むなど，読み方に混乱がみられていた．今後は，特殊音節の読みの指導および漢字の読みの指導を中心に行う必要がある．特殊音節および漢字の読み書きの指導内容はCASE 2 p.87にて示す．

読みの指導は，通常の小学校の授業では 50 音表を用いたり，1 文字ずつ文字をみせて読み方や書き方を教える場合が多いと思われる．しかし，音韻認識に弱さがあり，文字と音の対応規則を習得することに困難がある子どもには，そのような指導法ではなかなか読む力を伸ばせない．そのような場合には，言葉の音を分解・操作させて音韻認識を高めることも読む力を培うことにつながる．また，指導で用いる文字も，拗音や長音のように文字と音の対応規則が 1 対 1 ではないものはむずかしい．まずは文字と音が 1 対 1 で対応していて分かりやすい直音・撥音から指導を始めることが望ましい．

　また，低学年，特に 1 年生では「1 年生だから読めなくてもそのうち読めるようになるかもしれない」と経過をみることで対応が遅れるケースが多い．年長時になっても音の誤りが多い場合には読み書き障害の可能性を危惧する必要があり，早期から速やかに対応することが重要である．

（竹下　盛）

引用文献

1) 村井敏宏, 他：読み書きが苦手な子どもへの〈基礎〉トレーニングワーク. 通常の学級でやさしい学び支援 1 巻. 明治図書, 2010
2) 100 枚プリント第 3 集ひらがな読解ワーク. 葛西ことばのテーブル

CASE 2 小学校入学後に,担任に読みの困難を指摘されたBくん

本書における便宜上の各検査のカテゴリーの区分は,第2章H (p.60),および第3章A (p.76)を参照.

基本情報	
生育歴	妊娠中・周産期に特記事項なし.満期正常分娩で,生下時体重は3,320g. 1歳半健診,3歳半健診とも特に指摘はなかった. 定頸:4か月,始歩:11か月,始語:1歳,2語文:1歳4か月.
学校環境・クラスでの様子	小学校2年生男児(7歳11か月).通常学級在籍,通級指導教室利用. 友達との関係はよく,休み時間は外で元気よく遊んでいる.授業のなかで分からないことがあると,授業の合間に自分から先生に聞くことができている.自校内に通級指導教室があり,2年生から週1回指導を受けている.
家庭環境	両親と姉(小学校5年生)の4人家族.両親は共働きだが,帰宅後に交代で宿題をみるなど,熱心にかかわっている.
受診に至った経緯	ひらがなやカタカナの読みをなかなか覚えられないことを主訴に受診した. 小学校1年生のときの担任が,国語で何度も読んだ文章はスラスラ読んでいるが,算数の文章問題のような初見の文を読めていないことに気づき,受診をすすめてくれた.

カテゴリー1,2の検査結果と評価

1) WISC-IV
全検査IQ:107 (VCI:113, PRI:106, WMI:91, PSI:104)

2) ガイドライン読み検査
速度成績:いずれも<−2SD
正確性成績:単音連続・有意味単語・単文<−2SD,無意味単語±1SD

3) STRAW-R
音読の正確性:ひらがな1文字<−1SD,カタカナ1文字・漢字126語<−2SD,ひらがな単語・カタカナ単語±1SD
書取の正確性:ひらがな1文字・カタカナ(1文字・単語)<−1SD,ひらがな単語±1SD,漢字単語−2SD

WISC-IVの結果より,知的レベルに問題はないことが確認された.指標得点のなかではWMIが有意に低く,ワーキングメモリに弱さがあると考えられた.読み検査では全課題で速度低下がみられ,正確性も低下している課題が多かった.また,漢字は読み書きともむずかしく,文章の読みでは単語のまとまりが捉えられずに逐次読みになっていたが,内容は理解できていた.
　以上の結果より,発達性ディスレクシアであると診断された.

カテゴリー3,4の検査結果と評価

1) LCSA
口頭指示の理解・聞き取り文脈理解・語彙知識:SS8,慣用句心的語彙:SS10,文表現・対人文脈:SS7,柔軟性:SS9,音読・音韻意識:SS6,文章の読解:SS11

2) PVT-R

　評価点：SS11，語い年齢：8歳5か月

3) ひらがな単語聴写テスト

　清・濁・半濁・撥音：±1SD，拗・長・促音：＜−2SD

4) URAWSS Ⅱ

　書き（視写速度）：±1SD

> LCSAやPVT-Rは年齢相応であることから，言語の理解や表現に問題はないことが確認された．URAWSSⅡやひらがな単語聴写テストの清・濁・半濁・撥音に問題はなく，拗・長・促音の聴写に成績低下がみられた．LCSAの「音読」「音韻意識」の評価点が低下していたことから，音韻認識の弱さが読みや特殊音節の習得に影響していると考えられた．デコーディング・エンコーディング（音声の文字記号化）に時間がかかること，漢字の読み書きと特殊音節の表記ルールの習得に困難を示していることから，通常学級での合理的配慮を提案し，通級指導教室で漢字の読み書きを，大阪医科薬科大学LDセンターでは特殊音節の読み書きルールの整理とまとまり読みの練習を行うよう，指導内容を分担した．

支援内容

- プロブレムリスト：ワーキングメモリの弱さ，音韻認識の弱さ．
- 実施期間：週1回，6か月間．
- 実施内容

［通常学級での配慮事項］

　読みの弱さに配慮し，以下の内容をお願いした．

- 座席を前のほうにして，「読めない」「分からない」などをすぐに先生に聞ける環境にする．
- 通級指導教室や家庭で音読を練習できるよう，事前に読ませる範囲を短めに指定する．
- 国語で新しい単元に入る前に通級指導教室に伝え，あらかじめ内容を確認できるようにする．
- 配布するプリントなどの漢字には，ふりがなを書く．

［通級指導教室での指導］

　指導内容の分担を行い，通級指導教室では漢字の読みを中心に指導していただくようお願いした．

- 新出漢字の複数の読み方や意味の確認を行い，熟語の読みや熟語の意味の確認，漢字を使った文作りを行う．
- 既習漢字の複数の読み方や意味の確認を行い，熟語の読みや熟語の意味の確認，漢字を使った文作りを行う．
- 通常学級で学習する単元の読み聞かせを行い，内容の確認や漢字の読み方の確認を行う．
- 通常学級で音読を指定された部分の読み練習を行う．

［指導］

　通級指導教室と指導内容の分担を行い，特殊音節の読み書きと言葉のまとまりを意識した読み指導を行った．

1) 特殊音節の読み書きの練習

　拗音・長音・促音に分け，それぞれ読みと書きのルールを確認・練習する．その後，複数の特殊音節を含む単語や，拗長音・拗促音などを含む単語を練習する．

a. 拗音の読み書き

①「ゃ」段，「ゅ」段，「ょ」段に分け，段ごとに下記の練習をする．
- ▶ 拗音を聞いて文字カードを選択する．（音→文字）
- ▶ 拗音カードを見て読む．（文字→音）
- ▶ 拗音を含む言葉を読む．（「文字→音」＋「意味」）
- ▶ 拗音や拗音を含む言葉を聞いて書く．（音→文字）

　読みの練習のときは，「ゃ」がつく音は「や」と同じ口の形で終わることや，「き・や…きや…きゃ」と1文字ずつをくっつけて読むとその音に変わることを確認し，読み方の手がかりにさせる．

　書きの練習のときは，音の数（1音）と文字数（2文字）の不一致による混乱を避けるため，1マスに2文字書かせて，音とマスの数を一致させる．「きゃ…き・ゃ…きや…き・や」と引き伸ばして，音を分解して確かめる方法を確認し，1人で書き方を考えるときの手がかりとする．

　例）音とマスの数が不一致（1音2マス）
　　　→音韻認識の弱さから，拗促音・拗長音が出てきたときに促音・長音部分が抜けやすい．

音とマスの数が一致（1音1マス）
　　　→「音の数だけマスを使う」というルールを，特殊音節を含めたすべてのかな表記に一貫して適用できるため，混乱が少ない．

②段を交ぜて読む練習・聞いて書く．

　「ゃ」段と「ょ」段のように，最初は2種類の段を交ぜ，2種類ずつ交ぜた練習に慣れたら，すべての段を交ぜて，見て読む練習と聞いて書く練習をする．

b. 長音の読み書き

①単語のなかの長音部分を見つけ，そこを伸ばして読む．

　ひらがな表記では伸ばす音を「あ行」で表記すること，え段・お段の音では音と表記が異なることを確認する（文字表記のとおり読むとkouenだが，koh-enと読む）．伸ばして読むところに印をつけ，その印部分はカタカナ表記のように伸ばして読むことを確認する．伸ばす印をどこにつけたらよいかを考えさせ，印をつけてから読ませる．

　　そう̄じ　　せんせ̄い　　おかあ̄さん

②単語を聞いて，書く．

　伸ばす音を1音と数える，という音の数え方のルールを確認する．言葉を聞かせて音の数を確かめさせ，音の数だけ積み木・おはじきなどを置かせる．積み木と同じ数のマスを使うことを意識させて，言葉を書かせる．「う段とお段の音は伸ばしたときに『う』と表記する」「い段とえ段の音は伸ばしたときに『い』と表記する」と，表記のルールを確認する．お段のなかに特別な表記があること（こおり・おおい・おおきい・とおる，など）も説明し，基本的には「う」が多いことを意識させる．

c. 促音の読み書き

①促音を1音として意識させながら読む．

　促音を1音と数える，という音の数え方のルールを確認する．指をさす・手をたたくなどで1音ずつを意識させながら読ませる．

②単語を聞いて書く．

　促音を1音と数えることを意識させながら，言葉を聞かせて音の数だけ積み木・おはじきなどを置かせる．促音は積み木の色を変えて位置も意識させてから，書かせる．

d. 特殊音節が複数入る場合の書き

　言葉を聞かせ，音の数を確認させてから書かせる．拗音・長音・促音ともすべて1音と数えさせ，音の数だけ積み木などを置かせる．促音の書き練習同様，促音は色を変えた積み木を使わせる．

　積み木の数とマスの数が同じになることを意識させてから書かせる．

2) 言葉のまとまりを考えて文を読む

　逐次読みで読みに時間がかかると，言葉のまとまりが捉えにくく意味理解への影響が大きい．そこで，言葉のまとまりを意識させ，単語・文節の単位で読む練習をする．この練習は，聴覚提示であればすぐに理解できるレベルの短い文で行う．

①単語にマーカーでマーキングされた短い文を読む．

　短いクイズなどの文で，単語にマーカーでマーキングしておき，読んで答えを考えさせる．単語のまとまりごとに，何という単語かを考えてから声に出すことを意識させる．

　　例） きいろでほそながい くだものはなに？

②「／」の入っている，短い文を読む．

　助詞の後など区切って読むところに「／」を書いておき，読んで答えを考えさせる．

　　例） タイヤが／二つの／のりものは／なに？

③区切って読むところを探して「／」を入れる．

　区切って読むところを探して「／」を書かせる．「くっつきの言葉（助詞）の後ろ」のように，目印となる部分を言葉で伝えて考えるときの手がかりとさせる．

④言葉のまとまりや区切りを意識して読む．

　マーキングや「／」がない状態で，言葉のまとまりや区切る部分を考えながら読ませる．

経過

　6か月間の指導により，特殊音節の読み書きルールは習得した．また，初見の文でも言葉のまとまりを意識して読めるようになり，たどたどしさは改善された．学校でも，算数の文章問題を自分で読んで理解できるようになり，先生に質問することは少なくなった．

　しかし，作文のように「内容を考えながら書く」という課題では，促音が脱落することがときどきあり，書き誤りが完全になくなるわけではなかった．また，意味のまとまりを考えて読めるようにはなり読み誤りはほとんどなくなったが，読み検査での読み速度は−1SD程度で，音読速度はやや改善したものの年齢相応のレベルにはならなかった．

▼▼▼▼▼▼▼▼▼▼

　通常，小学校の学習では「何度も繰り返す」という練習を行う．これは，「音の認識」はできている子どもたちに，「表記の仕方」を結びつけさせる作業になる．しかし，読み書きにつまずく子どもたちは，「音の認識」に弱さがあるため，「何度も繰り返す」という練習をしても，弱い「音の認識」と新規な「表記の仕方」はなかなか結びつかない．

　そのため，音の違いが分かりにくい拗音は，段ごとのまとまりで音の違いを明確にして練習すること，音の数が分かりにくい促音や長音は，積み木などを置いて音の数や位置を意識させながら練習することが重要になる．

〔栗本奈緒子〕

CASE 3 視覚認知に弱さがあり，漢字書字の習得がむずかしかったCくん

本書における便宜上の各検査のカテゴリーの区分は，第2章H（p.60），および第3章A（p.76）を参照．

基本情報	
生育歴	周産期に特に異常なく生下時体重は2,550g．その後健診でも特に指摘はなかった．定頸：3か月，始歩：1歳1か月，始語：1歳0か月，2語文：2歳6か月．保護者は，「人見知りがあまりなく，2語文を話し始めると，相手の話をさえぎって話し続けるほど，おしゃべりになった．好奇心旺盛で元気あふれる子ども」と感じていた．
学校環境・クラスでの様子	小学校2年生男児（8歳1か月）．通常学級在籍．教科学習や本の知識・内容をよく覚えており，授業中に発言することが多い一方，興味がない内容だと机のなかから図書室で借りた本を出して読みふけることがある．姿勢を保つことが苦手で机に寝そべって字を書き，文字も整わない．
家庭環境	両親とCくんの3人家族．帰宅後の宿題や次の日の用意は，母親が付き添い，点検している．父親は休日に，Cくんと山登りや川遊びに出かけ，子育てに熱心にかかわっている．
受診に至った経緯	年中の頃にひらがなが読めるようになり，就学後，図書室で次々に本を借りて読むことが好きだった．しかし，1年のひらがな文字指導で「とめ，はね，はらい」を意識して書くよう指導されたとき，何度やり直しても字が整わず，書けば書くほどマスからはみ出す状態であった．徐々に，書くこと全般を嫌がるようになり，漢字テストでは，1つでも思い出せないと「練習してないから書けない．0点でいい」と途中でやめることが続いた．個別懇談で担任が保護者に「Cくんは，得意なこととそうでないことの差がとても大きい．字を書くことを強く拒むのには何か理由があるのでは？」と，受診をすすめた．乳幼児期以降の行動特性から，ASDとの診断を受け，学習面の評価を行った．

カテゴリー1,2の検査結果と評価

1) WISC-IV

全検査IQ：113（VCI：129，PRI：91，WMI：120，PSI：94）

2) ガイドライン読み検査

速度成績・正確性成績：すべて基準値内

3) STRAW-R

音読の正確性：ひらがな（1文字・単語）・カタカナ（1文字・単語）・漢字126語±1SD
書取の正確性：ひらがな（1文字・単語）±1SD，カタカナ（1文字・単語）・漢字単語＜−2SD

カテゴリー3の検査結果と評価

1) PVT-R

語い年齢：9歳7か月，SS14

2) ひらがな単語聴写テスト

清・濁・半濁・撥音，拗・長・促音：基準値内

読み検査では速度，正確性ともに問題なく，年齢相応かそれ以上の成績を発揮し，かなの特殊音節の表記の誤りは認めなかった一方，書くときに，カタカナ・漢字の文字形態の想起困難や誤りを多く認めたことから，読みの問題がなく，書字に限定した困難があると考えた．
　WISC-IVやPVT-Rで，年齢集団のなかでも高い言語能力，優れた理解語彙力を発揮しており，個人内差の観点からも書字能力の困難が大きいと考えられた．

カテゴリー4の検査結果と評価

1) WAVES

　評価点は，線なぞり合格：8，形なぞり合格：4，線なぞり比率：9，形なぞり比率：4，数字みくらべⅠ：14，数字みくらべⅡ：12，形あわせ：10，形づくり：9，形みきわめ5分：9，形おぼえ：6，形うつし：5

＊運筆を伴わない視覚認知や眼球運動では，年齢相応かそれ以上の力を発揮できたが，形をなぞる・形を描くなど，運筆にかかわる目と手の協応動作や形の構成力に顕著な能力の低下がみられた．また，見て認識した形の短期記憶もやや低下していた．

2) URAWSS Ⅱ

　書き（視写速度）：±1SD

　Cくんが書字に大きな負担を感じ拒否する背景要因として，目と手の協応動作の弱さや形の構成力の低下が考えられた．「時間計測下でどれだけたくさん書けるか」など，多くの字を急いで書く際に誤数が顕著に多くなり，手本が横にあっても誤りに気づかず，修正しにくい傾向があることもわかった．運筆を伴わない視覚認知には問題がないことも，自身の書字困難を明確に認識することにつながっている可能性が考えられた．
　まず，通常学級での合理的配慮を提案した．LDセンターではCくんの認知特性にあった漢字書字学習の手順や方略の指導を実施し，随時学校と家庭へ提案し，普段の漢字学習・漢字テスト，宿題などへの般化をめざすこととした．

支援内容

▶ **プロブレムリスト**：形の記憶・構成力の弱さ，目と手の協応能力の弱さ，「強い言語能力」との格差により，困難やモチベーションの低下が増幅されている可能性が考えられる．

▶ **実施期間**：週1回（予定）

▶ **実施内容**

[通常学級での配慮事項]

　書字に対する負担の軽減・誤学習の防止と，姿勢保持，目と手の協応動作への合理的配慮として，

- ▶ 漢字を繰り返し何度も書く練習では，書く回数を1～2回に減らす．代わりに，「新出漢字を使った熟語の想起」や「新出漢字を使用した短文づくり」に取り組むよう促し，Cくんの得意な言語能力を利用して，漢字学習に取り組めるよう配慮する．教室では，Cくんの考えた熟語や文を発表させ，漢字の読みや知識について，自信をもたせるようにする．
- ▶ 教科書の計算式や計算ドリルの問題をノートに転記する作業をなくす．たとえば，問題ページのコピーをノートに貼り，Cくんには「答えだけ書けばよい」と伝え，積極的に負担を軽減する．

- ▶ 漢字テストでは，正しい漢字の選択肢もしくは，漢字の1部を書いた「ヒントシート」を作っておき，漢字を思い出せないときに利用を促し，自ら正しく書ける機会を増やす．
- ▶ 学校の座席に傾斜のあるクッションや低反発マットを置き，姿勢改善と姿勢保持にかかるエネルギーの軽減を図り，正しい姿勢で学習できているときに積極的に褒めて認める．

[指導]

Cくんの強い能力である「言語」を介して，形の構成順序や記憶を支える方法で漢字書字練習に取り組ませる．具体的には，漢字1文字を構成するパーツに注目し，口頭で言葉に置き換えて順に認識した後，言葉の順番どおりに書く方法を提案する．

1) 漢字学習に必要なカタカナ書字の獲得

漢字を構成する形（パーツ）は複数あるが，そのなかにはカタカナが多く含まれる．効率よく漢字書字を獲得するためには，まず，カタカナ書字を獲得していることが大前提となる．

2) カタカナ言葉の認識と書字練習

カタカナは外来語に用いられる文字である．外来語を含むひらがな表記の単文を教材とする．

①ひらがな表記の文のなかから「カタカナ言葉（外来語）」を見つけ，○をつける練習から始める（図1）[1]．まずは，「カタカナで書く言葉」の知識を増やす．

②「カタカナ言葉（外来語）」をカタカナ文字で正しく1回書く．カタカナ表（図2）[1]を手元に置いておき，正しいカタカナが思い浮かばない場合，すぐに見て確認するように促し，誤った形を覚えることを防ぐ．

3) 言語を使った漢字の書字練習

①漢字を構成する際のルールや形の要素について，明確に説明する．

- ▶ 漢字には様々な形の組み立てがあること（体→■，岩→■，道→■，図→■），
- ▶ 一般的に「上から下へ，左から右へ」という順番で書くこと，
- ▶ 漢字を組み立てる形が決まっていて，言葉にできること（線や角，部首/へんやつくりなど）
  たとえば，学校や家庭で部首カルタ（図3）[2]で遊ぶ機会をもち，漢字を構成する形に言葉のラベルをつけるなど，言語を介して形の記憶の弱さを補いながら覚えさせる工夫をする．

②子ども自身に，オリジナルの漢字の組み立て言葉（構成要素）を考えさせ，唱えながら1～2回書かせる．部首の意味や漢字そのものの意味(訓読み)を一致させながら取り組む．

例）昼→「『昼』は，こ（コ）の（ノ）やね（ヽ），おひさま（日），地面（＿）から」
　　知→「の（ノ）に（二）ひと（人），くち（口）で『知らせる』」
　　　　「や（矢）に手紙（口）をつけて，『知らせる』」

③漢字使用練習

日記や作文，宿題プリントのなかから，「カタカナで書く言葉」「漢字で書ける言葉」を探して空きスペースに書く機会を設け，実際の学習場面で漢字を使用しながら書字の獲得・定着をねらう．「書き直し・やり直し」の機会とならないよう提出する直前に1個だけ見つけさせたり，別の日にやらせたりする．

経過

指導開始2か月が経過した．Cくんは，自分の認知特性に適した漢字の学習方略をスムーズに理解・習得し，普段の学習場面で，字の形を言語化しながら書いたり，思い出す際に部首や漢字パーツを口頭でいってから書き始めたりする姿が多くみられるようになった．また，高学年の漢字についても，読めるものはCくんオリジナルのいい方で形を言葉に置き換えることを楽しむ様子がみられた．

カタカナ・漢字の書き分けについても，自分で気づいて修正する際にはイライラせずに，正しい文字種に書き直すことができるようになった．

通常学級での変化として，担任から「以前はノートに字を書くことを嫌がっていたのに，漢字を使って板書を写し，漢字小テストで点数がとれるようになった．思い出せない字があっても，ヒントシートを使いながら，やり終えることに達成感を感じており，驚いている」と報告があった．

目と手の協応能力の困難による，文字のアンバランスやはみ出しは改善しにくい．また，画数の多い文字の学習も増える高学年の漢字を同じペースで習得するのには限界がある．

書字活動や漢字学習に取り組む姿勢を認めつつ，パソコン・タブレットなど，書字以外の手段獲得も視野に入れて進めることを確認した．

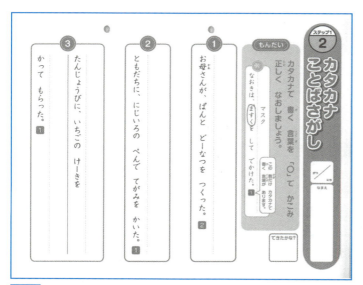

図1 カタカナことばさがし

〔水田めぐみ，他（開発総指揮），竹田契一，他（監）：カタカナことばさがし．knock knock 学習支援ドリルシリーズ 読み書き編．ウィードプランニング 2013〕

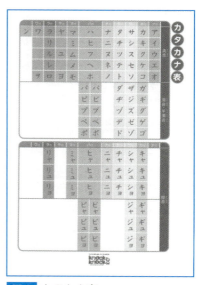

図2 カタカナ表

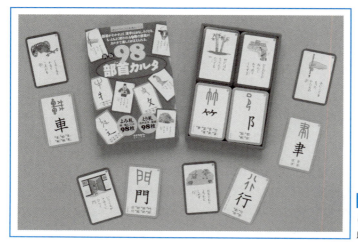

図3 部首カルタ

（宮下久夫，他：新版 98 部首カルタ．太郎次郎社エディタス，2010）

Cくんは，目で見た形の構成や記憶，目と手の協応動作に大きな困難をもっていた．日本の文字指導では「繰り返し書く練習」が重要視されることが多いが，書かせる指導があわない児童が存在することを知ってほしい．彼らは，鉛筆を持って字を書く操作だけでなく，座位姿勢を保持し続けることにも多くのエネルギーと注意力をとられる場合が多い．姿勢や感覚運動の発達のアンバランスさにより，学習そのものが「とても疲れる活動」になり，拒否や自尊心の低下につながりかねない．実際の学習場面では認知特性にあわせた積極的な個別支援を早期に開始し，必要に応じて作業療法士の評価・訓練，評価に基づいた机や椅子・文具などの環境調整や，訓練も並行したい．

（水田めくみ）

引用文献

1) 水田めくみ，他（開発総指揮），竹田契一，他（監）：カタカナことばさがし．knock knock 学習支援ドリルシリーズ　読み書き編．ウィードプランニング，2013
2) 宮下久夫，他：新版　98 部首カルタ．太郎次郎社エディタス，2010

参考文献

- 小池敏英，他：LD 児の漢字学習とその支援．北大路書房，2002
- 宮下久夫：漢字の組み立てを教える．太郎次郎社エディタス，1989

CASE 4 意味理解に弱さがあり，正しい漢字が書けなかった D くん

本書における便宜上の各検査のカテゴリーの区分は，第 2 章 H（p.60），および第 3 章 A（p.76）を参照．

基本情報

生育歴	周産期に特に異常なし．満期正常分娩にて出生．生下時体重は 3,100 g． 1 歳半健診，3 歳半健診とも特に指摘はなかった． 定頸：3 か月，始歩：1 歳 0 か月，始語：1 歳 1 か月，2 語文：1 歳 11 か月． 高いところにのぼったり，見えた物へと 1 人で近づいて行って，目が離せなかった．
学校環境・クラスでの様子	小学校 3 年生男児（8 歳 0 か月）．特別支援学級在籍．2 年生より，1 日 1 時間，特別支援学級にて，個別学習実施．
家庭環境	両親とDくん，兄・弟の 5 人家族．
受診に至った経緯	1 年生の頃，通常学級で学習を続けると，ファンタジーの世界に入って席を離れたり，気持ちが落ち着かずに大声をあげたりすることがあり，受診．ASD（ADHD 合併）の診断を受け，メチルフェニデート（コンサータ®）服薬開始とともに，特別支援学級への抽出も始まり，行動面は落ち着いた． 3 年生になり保護者から「宿題は，何度も声をかけて付き添って取り組んでいるが，宿題や日記で漢字を書くとき，意味のあわない当て字が多い．正しい漢字を教えるが，『なぜ，違うのか』と怒って修正しない」との訴えがあり学習評価実施となった．

カテゴリー1,2 の検査結果と評価

1) WISC-IV
全検査 IQ：89（VCI：84，PRI：87，WMI：97，PSI：102）

2) ガイドライン読み検査
速度成績：無意味単語・単文音読は基準値内，単音連続読み・有意味単語＜－1SD
正確性成績：単音連続読み・無意味単語・有意味単語・単文音読すべて基準値内

3) STRAW-R
音読の正確性：ひらがな（1 文字・単語）・カタカナ（1 文字・単語）・漢字 126 語±1SD
書取の正確性：ひらがな（1 文字・単語）±1SD，カタカナ（1 文字・単語）・漢字単語＜－1SD

カテゴリー3 の検査結果と評価

1) PVT-R
語い年齢：7 歳 9 か月，SS10

2) LCSA
聞き取りによる文脈の理解：SS 4，音読・音韻意識：SS10，読解：SS 5

3) ひらがな単語聴写テスト
清・濁・半濁・撥音，拗・長・促音：＜－1SD

読み書きの状態を明らかにする検査では，速度・正確性ともにほぼ年齢基準相応の成績を発揮し，LCSAでも，読み・音韻意識は年齢相応であったが，まれに読み速度の延長，濁点・半濁点の書き誤り，清音文字の想起困難など，非一貫性の誤りがみられ，不注意による非効率さの影響と考えられた．STRAW-R漢字書字では，「学校でまだ習ってない」といって書けない漢字があったが，「雨」「赤」などの1年配当漢字が中心だったため，年齢相応の正確な書字が可能だった．

　PVT-Rで測定される理解語彙力は年齢相応で，WISC-IVの言語概念形成にかかわる下位検査にも特異的な弱さは認められず，言葉の意味を明確に問われる課題では平均的な能力を発揮できた．しかし，文を聞いたり読んだりしながら，同時にそれらの語彙力を活用して意味や文脈を理解することがむずかしく，文をそのまま暗記して答えようとしたり，「ペンギン」という名称を，すでにDくんの知識にある「コウテイペンギン」に言い換えて答えたりした．

その他の情報

1）1・2年生の漢字プリントの誤り

①読み：漢字1文字では，金→「きん」，人→「にん」，音→「おん」と，音読みで答える傾向があった．熟語では，人形→「ひけい」，歌声→「かせい」，外国→「そとこく」など，音訓読みを組み合わせて読む様子がみられた．また，Dくんが漢字熟語読みで答えた言葉について，「『ひけい』って何のこと？」とたずねると，「知らない」といい，意味を介さず読んでいる様子がうかがえた．

②書き：言葉の意味に関係なく，最初に思いついた同じ読み（音）の異なる意味の漢字を書いた（図1）．また，Dくんが「習ってない」といった漢字について，「『くるま』って，電車の『しゃ』だよ」と，教示の言葉を変えると思い出して書けることがあった．

2）URAWSS II

書き（視写速度）：±1SD

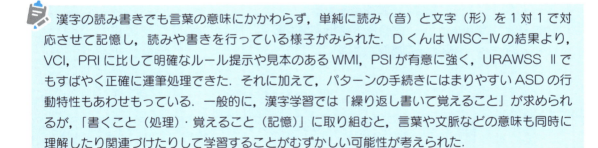 漢字の読み書きでも言葉の意味にかかわらず，単純に読み（音）と文字（形）を1対1で対応させて記憶し，読みや書きを行っている様子がみられた．DくんはWISC-IVの結果より，VCI，PRIに比して明確なルール提示や見本のあるWMI，PSIが有意に強く，URAWSS IIでもすばやく正確に運筆処理できた．それに加えて，パターンの手続きにはまりやすいASDの行動特性もあわせもっている．一般的に，漢字学習では「繰り返し書いて覚えること」が求められるが，「書くこと（処理）・覚えること（記憶）」に取り組むと，言葉や文脈などの意味も同時に理解したり関連づけたりして学習することがむずかしい可能性が考えられた．

支援内容

▶ **プロブレムリスト**：読み書きや教科学習の枠組みのなかでは，記憶や読む・書くなどの単一処理が優先され，言葉の意味や文意理解が伴いにくい．特に漢字では，形と読み（音）を対応させて覚えることにとどまり，言語の意味概念が介在することへの気づきの弱さがうかがえた．

▶ **実施期間**：週1回，50分の指導を，20回実施した．

▶ 実施内容

[通常学級での配慮事項]

漢字学習について，以下の配慮をお願いした．

- ▶ 特別支援学級の担任に漢字学習の進度を伝え，個別学習の場で先取り学習ができるようにする．
- ▶ 漢字学習の際，新出漢字の熟語の意味や漢字を使った例文についてDくんを指名し，発表させる機会をもつ．特別支援学級の担任と事前に学習した熟語の意味やその熟語を使った例文を発表させることで，漢字熟語の意味や，文脈にあわせた使用を意識できるようにする．

[特別支援学級での指導]

特別支援学級では，新出漢字の読みと意味の学習を中心に指導していただくようお願いした．

- ▶ 新出漢字を習う前に漢字の複数の読み方や意味の確認を行う．
- ▶ 新出漢字の複数の読みのうち，なじみの薄い読み方の言葉の意味を写真や絵で確認したり，身近なエピソードに関連づけて文作りをしたりする機会をもち，正確な言葉の意味やDくんにとって新規な語彙の獲得をねらう（図2）．
- ▶ 教科書に出てくる新出漢字の意味を前もって学習させる．あわせて，複数の読み方や，その漢字を使った熟語・言葉に触れる機会をもつ．

[指導]

特別支援学級と指導内容を分担し当センターでは，低学年の漢字と言語理解・言語表現の指導を行うこととした．

1）漢字の読みと意味を一致させる指導

①既習漢字について，文章中の漢字の読みの確認をする．

例文）お父さんが　車を　[出]して，さぁ，今日は　遠[出]とぉに　[出]ばっ発だ．
　　　お母さんは，外[出]がいするぼくたちに　手をふっていた．

②言葉の意味を考え，漢字や言葉の意味と一致させる．

- ▶ 同じ漢字を使った様々な熟語の意味説明

  遠出→（　　　）くに（　　　　）かけること．
  出発→目ざす場所にむかって（　　　　）かけること．
  外出→家から外に（　　　　）かけること．

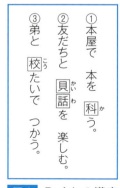

図1　Dくんの漢字プリントの解答（抜粋）

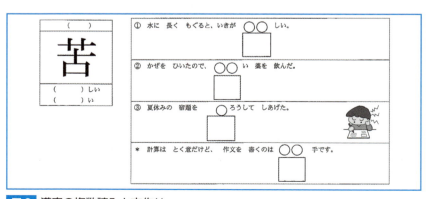

図2　漢字の複数読みと文作り

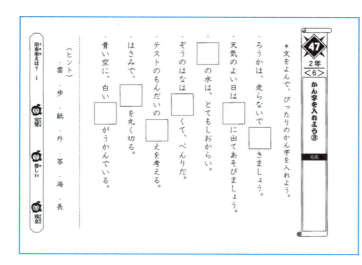

図3 選択肢つき漢字プリント

[村井敏宏：読み書きが苦手な子どもへの〈漢字〉支援ワーク1～3年編. 通常の学級でやさしい学び支援 3. 竹田契一監修. 明治図書, 2011]

図4 具体的な場面と「さんずい」のつく漢字

③文意にあった漢字を書く．

　文章の意味を意識し，適切な言葉や漢字を使用できるようにするため，自ら思い出して漢字を書く．プリントではなく，答えの選択肢つきの漢字プリントに取り組ませる．文意にあわせて，漢字の意味や複数の読みを検証する経験ができる（**図3**）[1]．

④部首を使って，漢字の意味を意識させる．

　同じへんをもつ漢字を集めたり，読んだりする機会を設け，漢字を言葉の意味やイメージと一致させる（**図4**）．

2）文の正確な意味理解と概念に基づく語想起の練習

　身近な物や事象についての概念的な特徴を表す文を読み，正確に文の意味を理解し，文にあう言葉を思い出す練習に取り組み，文を聞いたり読んだりした際に，いつも意味や内容を考える視点を育てる（**図5**）[2]．

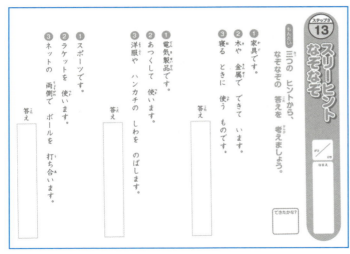

図5 スリーヒントなぞなぞ
[栗本奈緒子, 他（開発総指揮）, 竹田契一, 他（監）：スリーヒントなぞなぞ＆なぞなぞづくり. knock knock 学習支援ドリルシリーズ ことば編. ウィードプランニング, 2013]

経過

　20回の指導により，Dくんは意味を考慮して漢字を書こうとする姿勢を獲得した．指導中には「○○ってどんな漢字？」と質問ができるようになり，同音異義の漢字を書くことが減った．そして，指導者が「『きょうだい』ってどういう意味の言葉？」と意味を意識させると，「お兄ちゃんとか弟とか…もしかして，兄と弟？」と，言葉の意味から漢字を推測できることが増えた．

　元来，読み（音）と文字形態を一致させて記憶することは得意だったため，「『なかかん？』，『…なか…あいだ？』，『なかま（仲間）』か！」と，複数の読みを組み合わせ，自分の知っている正しい言葉（熟語）になるよう試行錯誤を重ねる姿勢も出てきた．

▼ ▼ ▼ ▼ ▼ ▼ ▼ ▼ ▼ ▼

　一見，日常場面での会話に問題がなく，学習に関連する領域の知識が豊富であると，授業中の教師の口頭説明や同年代の友達の発言なども当然聞いて理解できていると思いがちである．しかし，言葉の一般的な意味理解が十分でなかったり，独自の視点で限定的に捉えていたりし，学習場面で，特に新しい領域に入ってしばらく「意味が分からない」とむずかしさを訴える場合がある．文字学習や計算の手順などを，パターン的に記憶，習得することには問題がなかったり，むしろ得意だったりするため，その困難に気づかれにくいこともある．

　子どもたちの誤り方の傾向や，発言のずれを注意深く分析し，言葉や文をどのように理解しているか，我々と同じイメージを共有しながら学習できているかを丁寧に確認する必要がある．

（水田めくみ）

引用文献

1) 村井敏宏：読み書きが苦手な子どもへの〈漢字〉支援ワーク3巻（1〜3年編）．通常の学級でやさしい学び支援 3．竹田契一監修．明治図書，2011
2) 栗本奈緒子, 他（開発総指揮），竹田契一, 他（監）：スリーヒントなぞなぞ＆なぞなぞづくり. knock knock 学習支援ドリルシリーズ ことば編．ウィードプランニング，2013

CASE 5 読み書きの弱さが主訴で言語の弱さがあったEくん

本書における便宜上の各検査のカテゴリーの区分は，第2章H (p.60)，および第3章A (p.76) を参照.

基本情報	
生育歴	妊娠中に特記事項なし．38週帝王切開で，生下時体重は2,940g． 1歳半健診，3歳半健診とも特に指摘はなかった． 定頸：4か月，始歩：1歳2か月，始語：1歳2か月，2語文：1歳5か月． 幼稚園入園後，指示が理解できずに何度も聞き返したり友達の行動を見て行動したりしていることから，保健センターに相談し，地域の幼児ことばの教室を利用していた．
学校環境・クラスでの様子	小学校3年生男児（9歳2か月）．特別支援学級在籍． 仲のよい友達がおり，休み時間は外で鬼ごっこをしている．しかし，ルールのあるゲームではルールがすぐに理解できず，何度もやり方を聞き返したり間違えて友達から指摘されたりすることがある．通常学級での授業中は1回の指示では理解できず，どうすればいいのか周囲の様子を見ていることが多い．
家庭環境	両親とEくんの3人家族．1人っ子なので両親はとてもかわいがっている．母は専業主婦で，宿題の面倒などはおもに母がみている．
受診に至った経緯	国語の音読や算数の文章問題などがたどたどしく，内容も正しく捉えられないことを主訴に受診した．幼児期から言葉の遅れを指摘されており，入学時より在籍は特別支援学級だったが，通常学級で学習しており1週間に数時間，特別支援学級担任が入り込んで支援していた．

■ カテゴリー1, 2の検査結果と評価

1) WISC-IV
全検査IQ：90（VCI：82，PRI：104，WMI：82，PSI：102）

2) ガイドライン読み検査
速度成績：単音連続・有意味単語・無意味単語＜－2SD，単文＜－1SD
正確性成績：いずれも＜－2SD

3) STRAW-R
音読の正確性：ひらがな1文字・カタカナ1文字・漢字126語＜－2SD，ひらがな単語±1SD，カタカナ単語＜－1SD
書取の正確性：ひらがな1文字・漢字単語＜－2SD，カタカナ（1文字・単語）＜－1SD，ひらがな単語±1SD

WISC-IVの結果より，知的レベルに問題はないことが確認された．指標得点のなかではVCIとWMIが有意に低く，聴覚的記憶やワーキングメモリ，言語の理解や表現に弱さがあると考えられた．読み検査では全課題で正確性に低下がみられ，速度低下も多かった．

漢字は読み書きともむずかしく，文章の読みでは逐次読みで読み誤りも多かった．また，読んだ文章の内容理解もむずかしかった．

以上の結果より，言語障害を伴う発達性ディスレクシアであると診断された．

カテゴリー3, 4の検査結果と評価

1) **LCSA**
　口頭指示の理解・対人文脈：SS7，聞きとり文脈理解：SS2，語彙知識・慣用句心的語彙・文表現・柔軟性・文章の読解：SS4，音読・音韻意識：SS5

2) **PVT-R**
　評価点：SS6，語い年齢：7歳9か月

3) **ひらがな単語聴写テスト**
　清・濁・半濁・撥音：±1SD，拗・長・促音：<－2SD

4) **URAWSS Ⅱ**
　書き（視写速度）：<－2SD

> LCSAやPVT-Rでも成績低下がみられ，語彙が少ないこと，言葉や文の意味理解や表現に弱さがあり，文法の理解にも困難があることがわかった．ひらがな単語聴写テストの清・濁・半濁・撥音に問題はなく，拗・長・促音の聴写に成績低下がみられた．LCSAの「音韻意識」の評価点が低下していたことから，音韻認識の弱さが特殊音節の習得に影響していると考えられた．特殊音節の表記ルールの習得に困難を示していることから，基本的な特殊音節の読み書きルールの指導を行った（CASE 2 p.88参照）．また，言語の理解・表現に弱さがあることから，通常学級での合理的配慮を提案し，特別支援学級で漢字の読み書きを，大阪医科薬科大学LDセンターでは特殊音節の読み書きルールの整理とまとまり読みの練習を行うよう，指導内容を分担した．

支援内容

▶ **プロブレムリスト**：ワーキングメモリの弱さ，音韻認識の弱さ，言語理解・言語表現の弱さ．
▶ **実施期間**：週1回，1年間．
▶ **実施内容**

［通常学級での配慮事項］
　言語理解と読み書きの弱さに配慮し，以下の内容をお願いした．
　▶ 座席を前のほうにして，短く簡潔に指示を出す．理解できていない場合は，指示の内容を分かりやすく説明する．
　▶ 音読をあてる場合は，特別支援学級や家庭で練習できるよう，事前に読ませる範囲を短めに指定する．
　▶ 国語で新しい単元に入る際は，事前に特別支援学級に伝え，内容を確認できるようにする．
　▶ 配布するプリントなどの漢字には，ふりがなを書く．

［特別支援学級での指導］
　言語の弱さと読み書きの問題の支援を行うため，週1〜2回程度，国語を中心に取り出しでの支援を開始した．学習単元は通常学級とそろえ，言葉の理解・表現の弱さに配慮して，以下に留意するようお願いした．
　▶ 単元に出てくる知らない言葉の意味を確認し，写真・絵などの視覚的な題材で言葉の意味を伝える．
　▶ 単元に出てくる漢字の意味・読みを確認し，漢字を使う言葉の意味と漢字の意味との関連を考えさせる．

▶ 通常学級で音読を指定された部分の読み練習を行う．

[指導]

　特殊音節の読み書きルールの確認（内容については CASE 2 参照）と，言葉の理解・表現の練習を行った．言葉の理解・表現の課題は下記の内容を中心に，同じタイプの子ども2人と一緒にグループ指導を実施した．

1）聞き取り

　指示・説明のポイントを聞き取る課題．

　短いお話を聞いて，「いつ」「だれ」「なに」などの質問の答えを聞き取って書く課題を行う．語彙が少ないことや言語理解の弱さに配慮し，身近な内容のお話・簡単な語彙の文章を用いる．

a．質問内容の確認

　「何を聞いて覚えておけばよいのか」の見通しをもたせるため，事前に質問内容を確認する．

①質問文のうち，疑問詞に○をつける，

②その疑問詞から，何を聞かれているかを考える，

③質問文に出てくる言葉から，どんなお話か予想する，

という方法で質問内容を確認し，聞いておくポイントを絞る．

　また，「『いつ』という疑問詞は，日時について聞いている」「『どこ』という疑問詞は，場所について聞いている」のように，どの質問にも応用できるよう疑問詞の意味を意識させる．

b．聞く

　言葉の理解やワーキングメモリの弱さに配慮し，言葉と言葉の間に間隔をとって，問題をゆっくり読み聞かせる．初めは確実に聞き取れるよう，答えの単語を強調して聞かせ，慣れたら普通の読み方にしていく．

c．答え合わせ

　1人ずつ答えさせ，友達の答えと同じだったかどうかを，聞いて確認させる．友達の答えと違った場合は，それぞれの答えを書いて提示しておき，「質問にあう答えになっているかどうか」を確認させたり，再度お話を読み聞かせて「お話に出てきた言葉と同じかどうか」を確認させたりして，「何が正しい答えだったか」を考えさせる．

2）仲間集め

　語彙の増加と概念化を目的とした課題．

　「くだもの」「食器」など，テーマを決めて言葉集めを行う．1人ずつ順番に言葉を考えさせ，思い浮かばないときには「ジュースになっているくだものは何か？」と具体的なイメージをもたせたり，「フォークと一緒に使う，ハンバーグを切る食器は何か？」とヒントを与えたりして，考えさせる．

　また，頭のなかには浮かんでいても名前が分からないという場合は，「どんな形か」「どうやって使うものか」などを説明させたり，絵のついた辞典で一緒に名前を確認したりする．

3）3ヒントなぞなぞ

　言語理解の課題．

　概念・用途・形状・素材などについての3つのヒントを読んで，答えの物を考える課題を行う．

　　例）①文房具の仲間です　　②細長い形です　　③字を書くものです

　　　　答え：鉛筆，ボールペン

　答えが出たら，すべてのヒントにあてはまる答えかどうか，1つずつ一緒に確かめる．

　分からないときには，ヒント①（概念）をもとに仲間集めを行い，そのなかでヒント②（形状）やヒント③（用途）にあてはまるものがないかを確かめさせる．

4）物の説明

言語表現の課題.

身近なものについて,「何の仲間か（概念）」「何をするものか（用途）」「どんな形か（形状）」「何でできているか（素材）」の説明を考えさせ,例のように箇条書きにしてまとめる.

例）「消しゴム」の説明
　　何の仲間か：文房具の仲間
　　何をするものか：字を消すもの
　　どんな形か：四角い形
　　何でできているか：ゴム

箇条書きにしたことばを見ながら,文で表現させる.始めは,「～は～です（でできています）」のように文表現のフォームを提示しておき,あてはまる言葉を入れて表現させる.慣れたら,フォームを使わずに表現を考えさせたり,4つをまとめて1文での表現を考えさせたりする.

経過

1年間の指導により,特殊音節の読み書きルールは習得し,知っている言葉での表記の間違いは少なくなった.また,知っている言葉で構成された短い文章であれば,意味を捉えながら読むことができるようになった.しかし,文表現での動詞の活用に出てくる促音の脱落（つかって→つかて）や,新規な言葉での特殊音節表記の誤りは残っており,読みも,知らない単語や言い回しが多い文章では,たどたどしく時間がかかる.

理解語彙は,指導前にPVT-Rの成績がSS6だったのに対し,指導後はSS8まで改善がみられた.口頭のやりとりでは,文で表現することを意識するようになり,理解までにややタイムラグはあるが,指示を聞き取ったり理解したりすることもできるようになった.

しかし,作文のように長い文章の書き表現になると短文の羅列が多く,接続詞の使用がない,感想の表現が「楽しかった」のみになる,など,書き表現には課題が残った.また,文章読解のように長文になると,文章自体の意味理解がむずかしいことに加え,設問の意味を正しく理解できないことによる間違いが多く,次の段階の課題であると考えられた.

▼▼▼▼▼▼▼▼▼▼

「読みがたどたどしい」「読み間違いが多い」という場合,「文字→音」の変換に弱さがあるだけではなく,本ケースのように「知らない言葉が多いため,言葉のまとまりを捉えられない」「読みながら文章の意味を捉えることがむずかしいため,次に続く助詞や動詞の予測ができない」といった,言語の弱さによる影響も考えられる.

このような場合は,まず知的レベルの確認を行い,知的レベルに比べて言語に弱さがあるときは,読み書きとは切り離して言語の理解力・表現力を高める必要がある.その際,理解と表現を対にして指導することを意識し,理解できたことはすぐに口頭で表現させたり書き表現に使わせたりして,定着をはかることが重要である.

（栗本奈緒子）

CASE 6 文章問題や長文読解が困難だったFくん

本書における便宜上の各検査のカテゴリーの区分は，第2章H（p.60），および第3章A（p.76）を参照．

基本情報	
生育歴	周産期に特記事項なく，満期正常分娩．生下時体重3,100g． 定頸：3か月，始歩：11か月，始語：1歳6か月，2語文：2歳2か月． 乳児期から動きが多く，おとなしく抱かれていることが少なかった． 1歳半健診は通過したが，3歳半健診で言葉が遅いとの指摘があり，就学まで年に1回の発達検査を受けていた．歩いてすぐ，周りのものへの興味が次々に移り，活発に動き回って目が離せなかったが，大きなけがはしない子どもだった．
家族歴	父方の祖父は，若い頃から大事な印鑑や鍵などを頻繁になくす人だったらしい．
学校環境・クラスでの様子	小学校4年生男児（10歳0か月）．通常学級在籍．学校が大好きで，休み時間には校庭でたくさんの友達とサッカーやドッジボールをして活発に過ごしている．
家庭環境	両親と兄・Fくんの4人家族．両親ともに家庭でできる工夫を積極的に取り入れ，子育てには前向きである．日頃から，Fくんのよい点を具体的に褒め，不適切な行動は叱るなど，一貫したかかわりを続けている．
受診に至った経緯	1年の担任が「授業中に教師の近くまで立って来て質問や発言をしたり，手元にある物を次々とかみながらプリントや板書を急いで仕上げたりし，とにかく落ち着きがない．毎日帰る頃，机の周りはかんだ物のくずや持ち物が散乱している」と母親に伝えたのをきっかけに受診．ADHDと診断され，メチルフェニデート（コンサータ®）服用開始となった．保護者から，「学習内容は理解しているようだが，算数の文章問題や長文読解の質問に，あまり考えずに的外れな回答をする．よく考えるよう促しても読み返さず誤ったまま済ましており，心配」と訴えがあり，学習評価を行った．

カテゴリー1, 2の検査結果と評価

1）WISC-IV
全検査IQ：103（VCI：95，PRI：109，WMI：94，PSI：113）

2）ガイドライン読み検査
速度成績：無意味単語・有意味単語・短文音読は基準値内，単音連続読み＜－1SD
正確性成績：単音連続読み・短文音読は基準値内，無意味単語・有意味単語＜－2SD

3）ガイドライン算数検査
速度成績：数的事実（足し算1桁・引き算・かけ算），筆算手続き（足し算・引き算）基準値内
数的事実（足し算2桁・割り算）＜－1SD
正確性成績：数的事実（足し算1桁・引き算1桁・かけ算），筆算手続き（たし算）基準値内
数的事実（足し算2桁・引き算2桁・口頭かけ算・割り算），筆算手続き（引き算）＜－1SD

4）STRAW-R
音読の正確性：ひらがな1文字・カタカナ（1文字・単語）・漢字126語±1SD，ひらがな単語＜-2SD
書取の正確性：ひらがな（1文字・単語）・カタカナ（1文字・単語）・漢字単語±1SD

カテゴリー3の検査結果と評価

1) PVT-R
語い年齢：10歳4か月, SS11

2) ひらがな単語聴写テスト
清・濁・半濁・撥音, 拗・長・促音：基準値内

　読みの遅さや誤りの傾向は一貫しておらず，時間を計測しない状態では正しく読めていた．時間計測下では焦って読み，似た言葉へ読み誤っても気づかなかったが，書字検査では書いた文字を見て確認でき，自己修正することがあった．また，計算でも速いことを大事にしており，計算のステップが増えると時間の延長やケアレスミスがみられた．PVT-R でも最初に見た絵を衝動的に指さし，直後に修正するなど，ADHD による不注意・衝動性の行動特性が学習活動全般に影響しており，評価結果からも読みに特異的な障害があるとはいえなかった．

その他の情報

1) 算数の文章問題, 長文読解の状態
　実際の学習場面での状態を把握するために，3年生レベルの算数文章問題と読解問題を実施した．
- ▶ 算数の文章問題：出てきた数字が何を表す数か，あまり深く考えずに立式したり，問われていることとずれた解答をしたりする様子がみられた（**図1**）．時に暗算で答えを出すなど，直感的に立式・計算する傾向にあり，解答直後でも「なぜ，この式になったか」という考え方の手順を，自ら振り返って説明することができなかった．
- ▶ 読解問題：全体を通して，読んで解答するスピードは速かったが，質問や文章を1度も読み返さず，内容を忘れてしまわないうちに急いで解答を書ききろうとする様子がみられた．

　次に，読解手順を，以下の5つのステップに分けて，Fくんの誤りを分析した．
① 本文を読む．
② 質問文を読む．

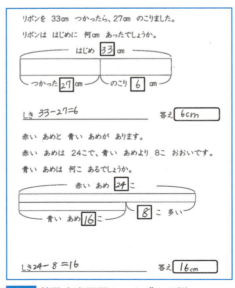

図1 算数文章問題のつまずきの例

③本文中から，質問に関係のある箇所・解答に結びつきそうな箇所を見つける．
④質問にあう形式で解答を考える．
⑤正しい文字で解答を書く．
すると，①～⑤の様々なステップで小さなミスを重ねていることがわかった．具体的には，以下のとおり，不注意や衝動性の高さ，自己フィードバックの弱さの影響による誤りが多くみられた．
①・②：文の1部や文末を勝手に変えて読み，内容理解や情報を誤ることがある．
③：1回読んだだけの大まかな意味理解をもとに解答を書くため，表現や内容が曖昧になったり事実と異なった内容で答えたりする．
④：質問に適した答え方で抜き出すことができておらず，長すぎたり足りなかったりする．
⑤：解答の文字やかぎかっこの片側を書き忘れたり，解答を完全に書き終わらないうちに次の質問に答え始めたりする．

　算数の文章問題や読解問題に取り組む際にも，ADHDの行動特性やワーキングメモリの弱さの影響により，複数の段階を経て正確な解答を導いたり，たくさんの作業量・情報量を処理する過程で様々な誤りがみられ，効率よく正確に問題を解決できない状態にあると考えられた．
　アセスメントをもとに，ADHDの行動特性による学習活動への影響を分析し，現在の学習で使える具体的な自己点検の視点や，問題解決方略を獲得させ，同じ方法を，学校・家庭へも移行できることをめざした．

支援内容

▶ プロブレムリスト：不注意・衝動性の高さ，言語情報処理（聴覚的ワーキングメモリ・言語思考）の弱さ．
▶ 実施期間：週1回，3か月．
▶ 実施内容

[指導]
　長文読解や算数の文章問題を解決する際に必要な思考ステップ・解決方略を具体的に視覚提示し，いつも同じ順番で思考・解決できるように指導した．ステップの数や援助方法をちょうどよい負荷量に調整しながら成功体験を積ませ，徐々にステップを増やしながら，最終的に1人で確実に解決できるよう援助した．

1）算数の文章問題
　「考え方」の手順を分けて，言語思考・論理思考を支える．
①考え方シート（図2）を提示し，順に確実に言語で思考させ，確実に解決できる経験をさせた．取り組むなかで，単位の抜け落ちなど，誤りやすいポイントを具体的にフィードバックした．
②言語情報を図や絵に変換して考える方略を練習した．数をドット（○）に置き換えて描くことや，問題ごとの簡略図の描き方モデルを示しながら取り組ませた．

2）長文読解
　「取り組み方」の手順をシート（図3）で示し，質問の要点と文中の情報を正確に一致させる方略の獲得をねらう．
①聴覚的ワーキングメモリの弱さがある場合，質問内容を覚えておきながら，本文を読み返す活動がむずかしい．はじめは，「質問に関係のある本文の箇所に線を引くこと」だけに取り組み（図4）[1]，

考え方シート

＜問題＞

牛にゅうパックを,3年生は118まい集めました。
4年生は,3年生より20まい多く集めたそうです。
4年生は,なんまい集めたでしょうか？

①きかれていることは　何ですか？
（3年生）が集めた（牛乳パック）の数

②出てきた数は,何の数ですか？
○118まい…（3年生）が集めた数
○4年生は（20まい）［多く・少なく］集めた。

③図や絵をかいて,かんがえよう。

＜図・絵＞
4年生は□まい
3年生(118)まい
20まい

④どんな計算をしますか？
＋・－・×・÷
（式）118＋20＝138

⑤単位に気をつけて,答えを書きましょう。
（答え）138まい

☆合っているかな？☆①と⑤を、続けてよんでみよう！
①　⑤

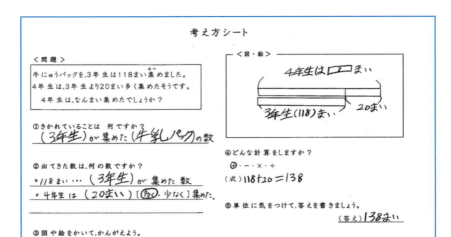

図2 文章問題「考え方シート」の例

読解の取り組み方

1. まず，質問を読みましょう．
2. 本文を読みましょう．
   質問の答えになる文はありましたか？
3. 次に，1問ずつ解きましょう．
   ①質問のことばに□を書きましょう．
   ②質問の答えになる本文に，線を引きましょう．
   ③質問に合わせて，答えを書きましょう．
   ④質問と答えを続けて読み，まちがっていないかチェックしましょう．
   ⑤文字のまちがいは，ないですか？

図3 「読解の取り組み方」手順シート

（　月　日）

むかしばなしを読もう ①　桃太郎

「桃太郎」のお話を、知っていますか？
「桃太郎」は、桃から生まれた桃太郎が、鬼ケ島へ、鬼退治に行くお話です。
桃太郎には三匹の家来がいます。犬・サル・キジです。
桃太郎は、三匹に、キビダンゴをあげて、家来にします。
鬼ケ島で、桃太郎たちは、鬼と戦います。そうして、とうとう、鬼をやっつけて、宝物を手に入れます。
さいごに、桃太郎は、おじいさん、おばあさんと、しあわせにくらします。
「桃太郎」は、そういう、むかしばなしです。

1 「桃太郎」は、どんなお話ですか？
2 桃太郎の家来は、何匹ですか？
3 桃太郎は、何と、戦いますか？
4 桃太郎は、さいごに、どうなりますか？

ことばのテーブル

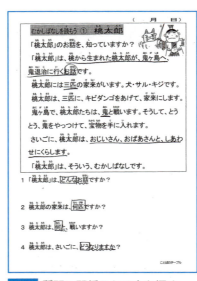

図4 質問に関係のある文を探す

（100枚プリント第4集．おはなし読解ワーク：中級編．葛西ことばのテーブル，2010）

徐々にステップアップした．

②質問にあった適切な解答をするため，語尾を変えたり独自に文章表現をする必要がある場合は，「質問は指導者が読み，答えを本人が読む」など，「読みと記憶」にかかるエネルギーの負荷を軽減し，口頭会話で確実に確認できるようにした．1度に処理する情報の量・同時に行う活動の片方を減らす援助を行いながら，徐々に，読解全体に1人で取り組めるよう指導した．

3）「見直し」の習慣

学習場面では，「必ず見直しをしましょう」といわれるが，「見直し」にも，教科・教材ごとに，多様な手順が含まれる．また，注意力や実行機能に弱さをもつ場合，課題を仕上げた後の振り返り・やり直し作業は，最もハードルの高い作業となる．「見直し」を1つのスキルとして身につける練習は，指導の開始直後の5分間に行った．最初は，見直す範囲や誤りの種類を限定し，自ら見直して修正できたことを具体的に褒めるようにした．Fくん自身が，誤りやすい種類を意識し，効率よく修正できるようになるのにあわせて，見直し範囲や種類を増やした．

〈「見直し」のポイントのQの例〉

▶ 文字の間違いが○個あります．書いた字を指で押さえて読んでみよう．
▶ 計算の間違いが○個あります．
▶ 日記のなかに，カタカナ言葉（外来語）が○個あります．
▶ 小さな「ゃ・ゅ・ょ」のつく言葉に間違いがあります．
▶ 話言葉（会話）を見つけて，かぎかっこ（「 」）をつけましょう．
▶ 質問にあわない答えが1つあります．
▶ プリントのなかに，全部で○個の間違いがあります．
▶ このプリントは，いつもどんな間違いが多いですか？　予想して順に見直しましょう．

[通常学級・家庭学習での取り組み]

個別学習で使っている「文章問題『考え方シート』」や「『読解の取り組み方』手順シート」は，必要に応じて家庭で使うよう提案した．ただし，家庭学習に取り組む時間帯は，服薬の効果もきれているため，母親が宿題を点検して誤りを修正させることは控えるよう助言した．学校から帰った直後，もしくは休日の早朝など，宿題に取り組む時間帯や1回にこなす量を工夫し，それぞれの宿題に要した時間や正答数などの具体的な指標でFくんと一緒に振り返る機会を設けてもらった．

通常学級では，学習場面においても，

▶ Fくんが，次にすべきことを意識して行動できている場面や自分の誤りに自ら気づいて修正しようとしているとき，
▶ うっかりミスをした後，「どうすればよかった？」と確認し，適切な方法を答えられたとき，
▶ 文章や問題を読み返して確認しているとき，
▶ 「見直し」をしているとき，

など，自身の行動を振り返り修正できている点を見つけて，具体的に言葉で認めてもらえるようお願いした．学習に取り組む際の適応行動獲得へ向けて，意識・努力している姿勢を強化しながら，周りのFくんへの評価も高めていく効果があることを説明した．

経過

Fくんは開始から10回程度の指導により，手順シートを意識しながら，1学年下の算数の文章問題や質問数5〜6問の読解問題にある程度確実に取り組めるようになった．「全文を急いで読み，曖昧な記憶をもとに答えを書く」ことがなくなり，本文を読み返すステップが身につき，算数の文章問

題を絵を描いて考える過程で，ひらめいた数式が正しいかを自ら確認するようになった．

「1回で正しく答えられるプリントが増えたし，見直しが本当に上手になった」という指導者の声かけに，「このプリントは多分間違いが0個だと思う」といって課題を提出するなど，確実に取り組むことに意欲を見せるようになった．

▼　▼　▼　▼　▼　▼　▼　▼　▼　▼

ADHDの行動特性があり，ワーキングメモリの弱さをもつ場合，本人にとってステップが多すぎる・課題がむずかしすぎる場合に，すぐに解答を知りたがったり，速く終えることばかりに気をとられたりする．本人にとって簡単すぎる課題や単調な繰り返し作業でも同様に，処理（速度）への比重が大きくなり，誤りの増加や誤学習が危惧される．

情報量が多く，複数のステップがある課題では，それぞれのケースに適した教材内容・量・取り組み時間を設定し，具体的な解決手順に沿って成功体験を重ねる必要がある．

また，彼らは日常的に「分かっているのにうっかりミスをし，その箇所を場当たり的に修正する」という経験が多く，適切な方略使用や定着に向けての学習機会が乏しい．課題ごとの方略提示と「うまくいったポイント・改善点」をこまめに見つけてフィードバックし，実際の場面で利用可能な思考方略や見直し・修正方法を身につけさせたいものである．

（水田めぐみ）

引用文献

1) 100枚プリント第4集．おはなし読解ワーク：中級編．葛西ことばのテーブル，2010

CASE 7 数概念の弱さから計算に困難があったGちゃん

本書における便宜上の各検査のカテゴリーの区分は，第2章H（p.60），および第3章A（p.76）を参照．

基本情報

生育歴	妊娠中，周産期に特記事項はなく，在胎40週，生下時体重2,980g．定頸：3か月，座位：8か月，始歩：1歳0か月，始語：1歳1か月，2語文：1歳7か月で，健診では特に指摘はなかった．運動発達・言語発達に問題はなく，友達とも仲良く遊べていたが，工作やお絵かきは苦手でパズルなどもなかなか取り組もうとしなかった．
学校環境・クラスでの様子	小学校2年生女児（7歳9か月），通常学級在籍． 国語は問題なく取り組むことができており，積極的に発表することもある．算数は新しい単元になるとすぐには内容が理解しにくいが，1度やり方を覚えるとすばやく処理することができている．図工も苦手で，友達が完成する頃にやっと取り組み始めることが多い．
家庭環境	両親とGちゃん，妹（5歳）の4人家族．両親は共働きだが，近くに祖父母が住んでおり，学校から帰った後は祖父母の家で過ごしている．
受診に至った経緯	算数で筆算の習得がむずかしいことを主訴に受診した． 1年生のときの横書きの式では特に問題はなく，計算も速かったことから，学校では特に問題を認めていなかった．家庭では，「7＋5」「12－8」のような問題はすぐに答えを書くが，「6－4」のような簡単な問題で母に答えを聞くことがあった．

カテゴリー1,2の検査結果と評価

1) WISC-IV
全検査IQ：96（VCI：101，PRI：82，WMI：103，PSI：102）

2) ガイドライン読み検査
速度成績・正確性成績：いずれも±1SD

3) STRAW-R
音読の正確性：ひらがな（1文字・単語）・カタカナ（1文字・単語）・漢字126語 ±1SD
書取の正確性：ひらがな（1文字・単語）・カタカナ（1文字・単語）・漢字単語 ±1SD

4) ガイドライン算数検査
数的事実の知識
　速度成績：数の分解（5まで）・数の分解（10まで）＜－2SD，加算（繰り上がりなし）・加算（繰り上がりあり）・減算 ±1SD
　正確性成績：数の分解（10まで）＜－2SD，その他すべて±1SD

📝　WISC-IVの結果より，知的レベルに問題はないことが確認された．指標得点のなかではPRIが有意に低く，視知覚や非言語的な推理力・思考力に弱さがあると考えられた．デコーディング・エンコーディングには問題がなかった．数的事実では，速度にも正確性にも問題がなかったが，数の分解では課題のやり方を理解するのに時間がかかり，指を出して数えながら答えを考えるため，解答までに時間がかかった．これらの結果から，数概念に弱さがあるが，1桁の計算は答えを記憶していると考えられた．

　　以上の結果より，算数障害であると診断された．

その他の情報

1) 筆算の取り組みの様子

筆算のたし算を提示し，取り組みの様子を観察した．

```
   24         16
 +₁5       +₁7
   39        213
```

左の問題は，繰り上がりがないにもかかわらず繰り上がりの「1」をメモし，十の位ではその「1」をたしてしまっていた．右の問題では，繰り上がりの「1」をメモしたが，「6＋7」の答えの「13」をそのまま下に書き，さらに十の位の「1」と繰り上がりの「1」をたした「2」を下に書いていた．本人に計算方法を説明させたところ，「こうやって書く（繰り上がりの「1」を書く）って，先生がいってた」という説明だった．

📝　筆算の取り組みの様子からは，位の概念に弱さがあること，「繰り上がりをメモする」などの手順は，計算の意味とは関係なく記憶していることが分かった．この結果から，数の3項関係のうち，「数字」と「数詞」は理解しているが，「数量」の概念が弱く，計算を「数字の組み合わせと答えの数字」として記憶していたことが分かった．そのため，横書きの式から筆算になり表記のパターンが変わったことで，混乱していると考えられた．

　　指導は，具体物を使って「数字」「数詞」と「数量」を結びつけること，また具体物を使って「数量」を意識させながら筆算の手順や意味を考えさせることを中心に行った．

支援内容

▶ プロブレムリスト：数概念の弱さ，視覚認知の弱さ．
▶ 実施期間：週1回，全10回．
▶ 実施内容

[通常学級での配慮事項]

家庭学習で，具体物を使った数量の確認ができるよう，以下の配慮をお願いした．

- ▶ 新しい単元に入る際は，なるべく具体物を使った操作を取り入れ，問題に取り組む際に利用できるようにする．
- ▶「学校のやり方と異なる方法」と本人が拒否感をもたないよう，タイルや位取りのシートを使った方法で宿題に取り組むことを認める．

▶ 宿題で，タイルや位取りのシートを使った方法で確認できるよう，計算の量を減らす．

[指導]

　タイルと位取りのシートを使って，数字と数量を意識させるための変換練習を行った．また，タイルと位取りのシートを使って，数量変化を意識させながら筆算の手順の確認を行い，指導者が説明するだけではなく，Gちゃんにタイルの操作や数の移動の説明をさせて，数量の移動とその意味を言語で確認させた．

1) 数字と数量の変換練習

　タイルと図1のような変換シートを使って，数字と数量の変換練習を行う．「1」「5」「10」の3種類のタイルを使う．いろいろな数で以下のa., b. を経験させ，数字と数量の関係を意識させる．

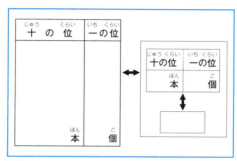

図1 数字と数量の変換シート

a. 数量から数字への変換

① 数字の数のタイルを数えさせる．
　例)「28」

② 変換シートに，タイルを並べさせる．その際，「一の位には9個までしか入らない」「10になったらひとかたまり（10のタイル）にして十の位に移動する」「一の位のなかでも5個あったら5のタイルを使う」というルールを教える．

③ 十の位では，「10」のかたまりのタイルが何本あるか，一の位では「1」のタイルが何個あるかを確認し，数字を記載する．

④ それぞれの位の数を合わせて書いたものがもとの数字と同じになることを説明する．

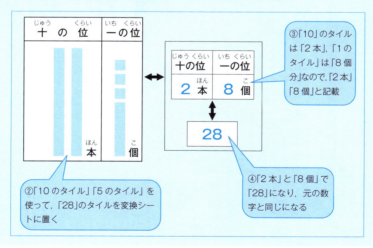

b. 数字から数量への変換

　a. と逆の手順で行い，最後に並べたタイルを1つずつ数えて，最初に記入した数字と同じ数になったことを確認させる．

2) 筆算の確認

　タイルと図のように位取りのシートを2枚縦に並べたものを使って，数量の動きと計算の手順を一致させる．タイルの大きさにもよるが，実際のシートはB4判程度の大きさになるため，便宜上答えのタイルは，たし算では下のシート，引き算では上のシートになる．筆算と位置が異なることで混乱する場合は，さらに答えを置くシートを用意するなどの工夫が必要となる．

a. たし算

[1] 縦に2枚並べた位取りのシートにタイルを置き，筆算の式も書く．
　筆算の手順通り一の位から考えるよう説明し，まず一の位をたして10より多くなるかどうかを考えさせる．

[2] 10より多くなる場合は，「10のタイル」にして「十の位」に移動させること，この移動を「繰り上がり」ということを説明する．また，「10のかたまり」が「1本」十の位に移動したことを筆算の式では「十の位の下に小さく『1』と書いてメモする」ということも説明して，筆算にメモの表記の仕方を説明する．残った一の位のタイルが「一の位の数」であることや，表記の仕方を説明する．

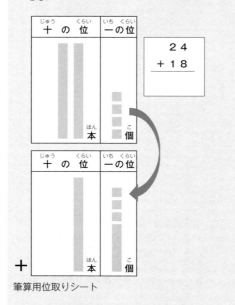

筆算用位取りシート

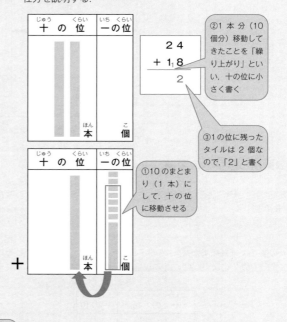

[3] 次に，十の位をたして，10が何本になるかを考えさせ，十の位に書くことを説明する．

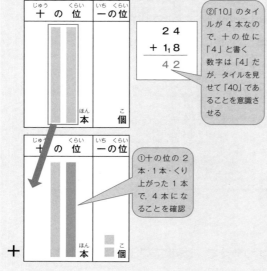

b. 引き算

1. たし算と違い，筆算で下に書かれた数字は「これから引く数」であることを説明し，位取りシートには，筆算で上に書かれている数だけタイルを並べる．
   筆算の手順通り一の位から考えるよう説明し，筆算で上に書かれている数から，下の数が引けるかどうかを，タイルを見て考えさせる．引ける場合は，引いた数（筆算で下に書かれている数）のタイルを，下のシートに移動させる．引けない場合は，十の位から1本のタイルを一の位に移動させ，その1本（10個分）も引くために使うことを説明する．また，引けない場合に十の位から1本移動させることを「繰り下がり」ということや，1本少なくなるから十の位の数を1減らしておくこと，「1本」移動させるが，一の位では「10個分」なので「10」とメモすることを説明する．

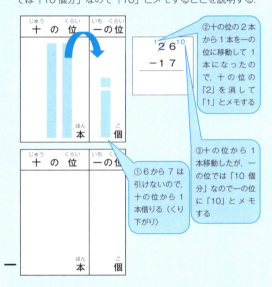

2. 10は一の位に移動したので，「1のタイル」にする．この10から筆算の下の数を引く．引いた数は，下のシートに移動させる．残った数と，もとの一の位の数（筆算の上の数）を合わせた数が一の位の答えになることを説明する．

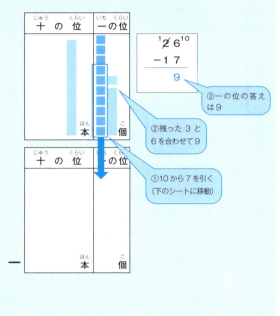

3. 次に，十の位を引く．引いた数は，下のシートに移動させる．

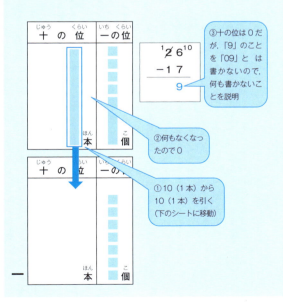

4. 残った数（答え）は上のシートになること，下のシートは，筆算の下の数（引く数）と同じになっていることを数えて確認させる．

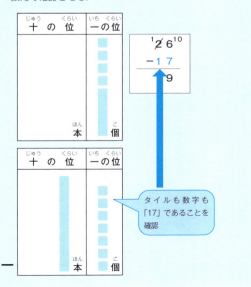

> **経過**

　10回の指導のなかで，「指導者がタイルを動かしてみせて説明する」という方法から，「自分でタイルを動かしながら考える」，「計算した後でタイルを使って確認する」といった方法に発展させていくことで，数字と数量の関係を意識しながら計算に取り組めるようになった．

　学校では九九の練習が始まったが，聴覚的な記憶のよさから九九の習得はスムーズだった．ただし，記憶だけに頼って数量の意味を意識しにくくなる可能性があったため，引き続きかけ算や3桁の数のたし算・引き算，文章問題などで，タイルを使った実際の数量と計算の結びつけを行った．

▼▼▼▼▼▼▼▼▼▼▼

　数概念に弱さがある場合，タイルなどの具体物を使った数量の意味の確認は必須である．今回紹介した指導法は決して特別なものではなく，教科書を含め算数の指導では一般的な方法として図説されている．今回の指導のポイントとしては，「図説」ではなく「具体物」を「操作させる」という点と，自分でタイル操作をして数量の意味が分かるまで具体物を使い続けるという点である．

　低学年では，指を使って計算している子どもに，「指を見ずに計算できること」を目標に計算カードで記憶させようとしがちだが，このような子どもたちのなかにも数概念に弱さをもつ子どもが隠れている可能性がある．記憶に重点をおくと，本ケースのように意味を理解しないまま丸暗記してしまう危険性があり，計算レベルでは正解になっても，文章問題でつまずくことが多い．「たくさんの問題数をこなす」ことよりも，「数量の動きや計算の意味が理解・説明できること」を目標にすることが重要である．

（栗本奈緒子）

CASE 8 文章問題理解に弱さのあったHくん

本書における便宜上の各検査のカテゴリーの区分は，第2章H（p.60），および第3章A（p.76）を参照．

基本情報	
生育歴	妊娠中，周産期に特記事項はなく，在胎40週，生下時体重2,614 g．定頸：3か月，座位：8か月，始歩：12か月，始語：1歳7か月，2語文：3歳1か月，3歳児検診では言葉の遅れを指摘されていた．
学校環境・クラスでの様子	小学校2年生男児（8歳2か月）．特別支援学級在籍． 1年時は特に問題はなく過ごしていた．2年生になってからも読み書きに大きな問題はないものの，音読した文章の，内容を問われると答えられないなど，文章を理解していない場合がみられるようになった．内容が分からない場合であっても，行動や表情の変化が乏しいため「困っている」「分からない」ということに気づきにくい．
家庭環境	両親とHくんの3人家族．母親は夕方まで働いているため，夕食後にHくんとの学習の時間を設けている．
受診に至った経緯	算数の文章問題の苦手さを主訴に受診した．たし算およびわり算の計算問題は得意であり，2桁の繰り上がりや繰り下がりの計算，かけ算の計算もスムーズに習得できた．しかし，1桁の計算を用いる単純な文章問題でも誤ることが多く，特にたし算や引き算など計算方法が問題ごとに異なる場合に誤りが増えるとのことであった．

カテゴリー1,2の検査結果と評価

1) WISC-IV
   全検査IQ：95（VCI：84，PRI：104，WMI：103，PSI：96）
2) ガイドライン読み検査
   4つの読み検査はすべて，速度成績，正確性成績ともに基準値内
3) STRAW-R
   音読の正確性：ひらがな（1文字・単語）・カタカナ（1文字・単語）・漢字 126語±1SD
   書取の正確性：ひらがな（1文字・単語）・カタカナ（1文字・単語）・漢字単語±1SD
4) ガイドライン算数評価
   数字的呼称，数の分解，計算問題のすべて速度成績，正確性成績ともに基準値内

カテゴリー3,4の検査結果と評価

1) ひらがな単語聴写テスト
   清・濁・半濁・撥音：正常範囲，拗・長・促：基準値内
2) URAWSS II
   書き（視写速度）：±1SD
3) PVT-R
   語い年齢：7歳5か月，SS9
4) CARD
   ことば探し，聞き取り，音しらべ，文の読み①は，すべて基準値内
   ことばの意味，文の読み②，文の読み③ ＜-2SD

その他の情報

1）文章問題の取り組みの様子

「子どもが8人あそんでいます．女の子は3人でした．男の子は全部で何人いたのでしょう？」の文章問題を取り組ませ，式と答えを問うと「8＋3＝11」と回答した．どうしてこのような式にしたのかをたずねると「『全部』って書いてあるからたした」と答えた．「たし算じゃないよ」と伝えると，次は考えることなくすぐに「8×3＝24」と回答した．「この問題はたし算と引き算とかけ算のどれを使って解く問題かな？」と問うと答えることができずに黙ってしまった．

文章問題を解くためには，大まかではあるが①文章を読む力，②文章を理解する力，③数の動きをイメージする力，④関係にあてはまる演算をプランニングする力（適切な演算を選ぶ力），⑤立式したものを実行，計算するスキルが必要となる．

検査結果から，音韻認識や基本的な読み書きのスキル，数量の概念や基礎的な計算スキルには問題はみられない．しかし，WISC-IVのVCIが低いことやCARDのことばの意味，文の読み②・③にて成績低下がみられることから文意理解の弱さがうかがわれた．また，算数の文章問題の取り組みの様子から，学習してきたたし算，引き算，かけ算を，数式の意味を考えずに直前に学習した演算方法を用いて計算していたり，「『全部』と書いていたから『たし算』」「『のこりは』とかかれていたら『引き算』」のように，文章中に含まれるキーワードからパターン的に式を立てていることが多くみられた．

これらの結果，②文章を理解する力，③数の動きをイメージする力，④解答に必要な演算をプランニングする力（適切な演算を選ぶ力）に弱さが見受けられた．

支援内容

- **プロブレムリスト**：文意理解の弱さ，数量の動きのイメージの弱さ，演算のプランニングの弱さ．
- **実施期間**：3か月（週1回，1時間，LDセンターでのトレーニング）全10回．
- **実施内容**

[合理的配慮]

文章理解の弱さに配慮し，以下の内容をお願いした．

- 座席を前のほうにして，「内容が分からない」場合にすぐに先生に聞ける環境にする．最初は，本人が理解できていないなと思われた際には，先生のほうから内容を確認してもらう．
- 文章問題の解き方の授業の際には，文章と式だけを書くのではなく，出てくる数を○で示すなど，文章の内容を表す絵や図をあわせて説明してもらう．
- 国語の授業で取り組む範囲をあらかじめ把握しておき，その範囲の文章の内容を特別支援学級で予習したり復習したりするようにする．
- 国語の文章読解を行う際には，「誰がでてきた？」「何の話だった？」と内容を確認しながら一緒に問題に取り組む．分からない言葉があった場合には，絵で解説するなどして見て分かるように説明してもらう．

[訓練・指導]

文章問題を解くためには，「何を問われているのか」という内容理解と，「どのような式にするのか」という数の動きをイメージしながら数式を考える力が必要となる．それらの力の向上を目的に指導を実施した．

問題理解のための方略つき手順シートを用いた指導

方略つきのフォーマットが書かれた手順シート（図1）を用いて，以下の手順で行った．

①問題を読む

読みに問題がみられる場合には，文節ごとに線を引く，漢字にふりがなをふるなどの援助を行う．

②分からない言葉がないか確認する

文章中に分からない言葉があれば，絵で描いたり，「もののなまえ絵じてん」などを用いて視覚的に分かるように言葉の説明をする．

③何を聞かれているか考える

文章問題が聞いていることは何かを考える．図1の手順シートの課題であれば，「男の子の数」が設問が聞いていることとなる．

④分かっていることを確認する

問題文中から，立式するために必要な情報を抽出する．

⑤絵を描く

④で抜き出した情報を絵で描く．絵にすることで，設問の内容や数を具体的に視覚化し，文章の意味や数とその関係性を具体的に理解しやいようにする．

不器用さおよび描写のむずかしさにより子ども自身で絵を描くことがむずかしい場合には，描くものを子どもに言語化してもらった後にそれを指導者が代筆する．

⑥＋－×÷のどの計算方法を用いるか考える

⑤で描いた絵をもとに，設問を解くために必要な演算が何であるかを考える．

⑦式を立てる

選択した演算を用いて立式する．

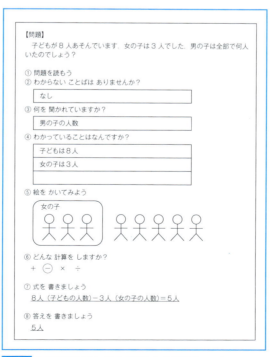

図1 問題理解のための方略つき手順シート

⑧計算をする．
　立式された式を計算する．数量概念に弱さがある子どもの場合には，実際の数量をブロックや積み木などの具体物に置き換えて計算をする．（CASE7 参照）
⑨答えを書く
　上記のような流れで文章問題の指導を行う．1 度の指導で取り組む設問数は 2〜3 問とし，「たくさん解く」のではなく，少ない設問を「どのように解けばよいかをよく考えながら解く」ということに留意しながら取り組む．

経過

　3 か月のトレーニングを行った結果，回答に時間は要するが援助がなくとも自分で必要な情報を抽出することができるようになり，そこから適切な演算を選択することもできるようになった．初期評価時にみられた「『全部』と書いてあるから『たし算』」のようにキーワードからパターン的に問題を解こうとすることが減り，どの演算を用いればよいのか考えて問題に取り組むようになった．また，設問を解く際に絵や図を用いてから演算を考え，「なぜこのような絵になったか」「なぜこの演算を選んだか」を言葉で説明させることで「設問の文の意味を理解できているかどうか」「絵の内容と計算の意味が結びつけられているか」を意識できるようになった．
　しかし，演算を 2 つ用いる複合式の問題や，わり算の「りんごを 3 個買って 90 円払いました．りんご 1 個の値段はいくらでしょう」のように，情報を順に組み立てていく順思考ではない逆思考を用いる設問では混乱がみられ，引き続き手順シートを用いた指導を継続していくことが必要であると思われる．

▼▼▼▼▼▼▼▼▼▼

　文章問題を解くためには，読みや文章の意味理解，演算のプランニングなど様々な能力が必要である．特に数の動きをイメージすることや，関係にあてはまる演算をプランニングすることは頭のなかで自動的に行われることであるため，その力の弱さに気づきにくい場合が多い．低学年では，授業で習った演算方法をそのまま文章問題で用いるために，「何の演算を使うのか」ということを考えずに自動的にその演算方法を用いれば答えを出すことができるため，一見「文章問題も問題なくできている」と思われてしまいがちである．また，それらの手順に加えて，注意を持続することや情報を頭のなかに保持しつつ次の手順を考えるためのワーキングメモリの力も必要となる．文章問題の困難さにアプローチする際には，どの手順で子どもがつまずいているのかを段階的に評価して把握し，その内容に応じた指導を行うことが重要である．

〔竹下　盛〕

CASE 9 学習困難を主訴として受診した中学生Iさん

本書における便宜上の各検査のカテゴリーの区分は，第2章H（p.60），および第3章A（p.76）を参照．

基本情報	
生育歴	妊娠中に特記事項なし．在胎39週で，生下時体重は2,830g． 1歳半健診のときに言葉が出ていなかったためフォローされていたが，その後言葉が増え，3歳半健診は特に指摘なく通過した． 定頸：3か月，始歩：11か月，始語：1歳11か月，2語文：2歳7か月．
学校環境・クラスでの様子	中学校1年生女児（12歳6か月）．通常学級在籍． 授業はまじめに受けているが，黒板を書き写していると説明を聞き逃してしまうことが多く，書き写しにもやや時間がかかる．休み時間は友達と過ごしており，クラブ活動にも熱心に取り組んでいる．
家庭環境	両親と高校1年生の兄，Iさんの4人家族．
受診に至った経緯	テストで問題文の理解ができず，特に漢字の読み書きが困難であることを主訴に受診した．小学校では，プリント類にふりがなを書いてもらう支援を受けており，分からないところは先生が読み上げてくれていた．これまで特に専門機関に相談したことはなかったが，今後のことを考え受診した．

カテゴリー1,2の検査結果と評価

1) WISC-IV
全検査IQ：88（VCI：86, PRI：95, WMI：73, PSI：104）

2) ガイドライン読み検査（小学6年として評価）
速度成績：単音連続・単語（有意味・無意味）±1SD，単文＜－1SD
正確性成績：単音連続・有意味単語・単文±1SD，無意味単語＜－1SD

3) STRAW-R（ひらがな・カタカナ課題は小学6年として評価）
音読の正確性：ひらがな（1文字・単語）・カタカナ（1文字・単語）±1SD，漢字126語＜－1SD，漢字単語＜－2SD
書取の正確性：ひらがな（1文字・単音）・カタカナ（1文字・単語）±1SD，漢字単語＜－2SD

WISC-IVの結果より，知的レベルに問題はないことが確認された．指標得点のなかではWMIが有意に低く，ワーキングメモリに弱さがあると考えられた．また，PSIに比してVCIが有意に低いことから，言語の理解や表現もやや弱いと考えられた．読み検査に問題はなく，ひらがな・カタカナの書字でも低下はみられないことから，基本的な読み書きスキルは習得していると考えられた．

以上の結果より，言語障害と診断された．

カテゴリー3,4の検査結果と評価

1) PVT-R（12歳3か月として評価）
評価点：SS6，語い年齢：9歳11か月

2) ひらがな単語聴写テスト（小学6年として評価）
　清・濁・半濁・撥音：±1SD，拗・長・促音：±1SD
3) CARD（小学6年として評価）
　評価点　ことばの意味：SS5，音しらべ：SS7，聞きとり：SS8，ことば探し：SS4，文の読み①：SS7，文の読み②：SS6，文の読み③A：SS5，文の読み③B：SS6
4) URAWSS Ⅱ
　書き（視写速度）：±1SD

その他の情報

STRAW-Rで漢字の書きが中学生課題において低下していたことから，課題のレベルを下げて評価を行った．
　6年生用課題：4／20問中　　5年生用課題：7／20問中　　4年生用課題：14／20問中
　漢字書字での形の間違いはほとんどなく，言葉を聞いてもどのような漢字を書けばいいか分からない，という間違いが多かった．「勝負」「指図」などの単語を聞いても漢字は書けなかったが，「かつ」「まける」「ゆび」と訓読みでいうとすべて正しい漢字を書くことができた．また，「兄弟」は，言葉を聞くだけでは漢字を書けなかったが，「どういう意味の言葉か」「その意味を考えるとどのような漢字を書くと思うか」を考えさせると正しい漢字を書くことができた．「指図」「平等」も同様に意味を考えさせたが，言葉自体の意味が分からなかった．

> ひらがな単語聴写テストやURAWSS Ⅱで大きな問題はないことから，基本的な読み書きスキルは獲得していることが確認された．漢字書字では形の書き間違いがなく，訓読みでの漢字は書けること，意味を考えさせると書ける漢字があることから，PVT-Rでの語彙の低さや，CARDでの「ことばの意味」「文の読み」の弱さが漢字習得の困難に影響していると考えられた．デコーディングに時間はかかるが基本的な読み書きスキルは既に習得していることから，文の理解や表現の力を伸ばすこと，意味を考えて漢字を読み書きできることを目標に指導を行った．また，中学生であることを考慮して，調べる・見直すなどの学習方略の指導もあわせて行った．

支援内容

▶ **プロブレムリスト**：ワーキングメモリの弱さ，言語理解・言語表現の弱さ．
▶ **実施期間**：週1回，1年間．
▶ **実施内容**

[通常学級での配慮事項]
　言語理解と読み書きの弱さに配慮し，以下の内容をお願いした．
　　▶ テストは，小学校のときと同様，別室で問題文の読み上げを行う．
　　▶ 配布するプリントなどの漢字には，ふりがなを書く．

[指導]
　漢字の読み書きと，言葉や文の表現の練習を行った．中学生であることから，問題解決力をつけるため，「取り組んだ課題のなかで，間違っているところを探す」「電子辞書などを使って確実に正しく修正する」などの練習も行った．

1) 漢字の読み書き

漢字や言葉の意味を意識させながら読みと書きの指導を行う (CASE 4 参照).

2) 表現練習

a. 文作り

「漢字の読み」で使った熟語で，文作りをする．「いつ」「だれが」「どこで」「なにを」「どのように」「どうした」などの要素を入れて文にするよう，事前に伝える．文が短いときや表現の仕方を間違えているときは，（　）にあてはまる言葉を付け加えるよう，ヒントを与える．

例）帰国

短い文：女の人が帰国した

ヒント：（　どこで何をしていた・どこをどうしていた　）女の人が，（　何　）で帰国した．

b. 仲間探しの説明

4つの絵を見て，同じ仲間のもの3つがどれになるかを考え，同じ仲間ではないものの理由を説明する文を考える課題を行う．①絵に描かれているものや状況の表現をする，②同じ仲間ではないものを選ぶ，③同じ仲間ではない理由を文で説明する，というステップに沿って考えさせる．

3) 問題解決力をつける

年齢を考えて，「基礎からの学習の積み直し」ではなく，「今もっている力をフル活用できること」をねらう．そのためには，「時間の見通しをもって作業する」「自分のやったことを見直す」「機器を使って効率よく作業を進める」といった力をつけることを目標にする．

問題例

① 絵の下に，名前を書きましょう．
② 4つのなかで，同じ仲間ではないものを1つ見つけ，○をつけましょう．
③ 同じ仲間ではない理由を説明しましょう．

絵に描かれている物の名前が分からないとき：物の名前が載った図鑑などで調べさせる．

どの3つが同じ仲間か分からない場合：それぞれの物について「何の仲間か（概念）」「何でできているか（素材）」「何をするものか（用途）」をメモさせてから，考えさせる．

	はさみ	のこぎり	かなづち	ほうちょう
概念	文房具	大工道具	大工道具	調理道具
素材	金属・プラスチック	金属・木	金属・木	金属・木
用途	紙を切る	木を切る	くぎを打つ	食べ物を切る

答え：はさみとのこぎりとほうちょうは「切るもの」で，かなづちは「くぎを打つもの」だから，かなづちが同じ仲間ではない．

a. 時間の見通しをもって作業する

　指導の最初に，しなければいけない課題の数を確認させたうえで，「素早く終わりそうな課題」と「調べたり考えたりすることが必要な課題」に分けさせ，それぞれ何分ぐらいかかるか考えさせる．また，時間内に終わらせるためには，分からないときに考え込むのではなく，自発的に援助要求しなければいけないことを伝える．

　指導の最後に，目標時間と実際にかかった時間との差を振り返らせる．目標に比べて時間が短かった場合には「目標の時間が長すぎたのか」「素早く考えることができて早く終わったのか」などを，目標に比べて時間がかかった場合は「目標の時間が短すぎたのか」「どの問題で時間がかかったか」などを考えさせる．取り組みのよかった点や，時間がかかった点とどうすればよかったかをメモさせ，次の指導時にそれを見せて目標時間を考えさせたり，効率のよい取り組み方を意識させたりする．

b. 間違いを見つける

　文字の間違いや答えの間違いなどについて，例のように間違いの内容，間違い数とそれが含まれる範囲を伝え，見直しをさせる．自分で見つけられない場合は，見直しの方法を伝える．

　例）この答えの文のなかで，たりない字が1つ，漢字の形の間違いが1つ．

　　　漢字の読みがな6つのうち，読み方の間違いが2つ．

　▶「たりない字」が見つけられない場合．

　　→1文字ずつ指さししながら音読させる．

　▶「漢字の形の間違い」「漢字の読みがなの間違い」が見つけられない場合．

　　→あっているという自信のある字と自信がない字に分け，自信がないものから1つずつ電子辞書で形を見直したり読みがなを調べたりする．

c. 電子辞書を使う

　機器の使用に慣れ，効率よく作業するための助けとすることを目的に，電子辞書を使って漢字や言葉の意味を調べることを課題のなかに取り入れる．調べる際に注意すべき点をその都度伝え，効率よく正しい使い方ができるよう練習する．

〈注意すべきこと〉

　国語辞典機能

　▶同じ言葉がいくつかある場合，漢字が同じものを選択する．

　▶漢字が分からない場合，それぞれの意味を読んでみて，今の課題に関連する意味の言葉はどれかを考える．

　漢字辞典機能

　▶部首名・総画数・部首画数・読みなど，今調べたい漢字はどの検索方法が分かりやすいか，どの検索方法であればすぐに入力できるかを考えさせる．

　▶検索した場合にすぐに目的の漢字を探すのではなく，まずヒット数がどのくらいあるのか確認し，ヒット数が多い場合は絞り込み検索で選択肢を少なくする．

経過

　1年間の指導により，漢字の書きでは意味を考えて書こうとするようになった．STRAW-Rの中学生対象の漢字書字の成績では大きな変化がみられなかったが，4年生用課題は20問中14問から19問に正答数が増えた．また，Iさん自身から「漢字を思い出しやすくなった」「どうやって考えればいいのかが少し分かった」という感想が得られた．

「間違いを見直す」「電子辞書を使って調べる」などは効率よくできるようになり，時間を意識しながら自分で考えて課題に取り組めるようになった．

文表現でも「いつ」「どこで」「だれが」「どのように」などの要素を意識して文を考えられるようになったが，言葉の使い間違いや文法の間違いはときどきみられる．また，書き表現ではゆっくり考えて文として構成ができても，会話では考えながら話すためスムーズに伝えられないことが多い．

今後は，自己理解を進めながら，高校受験に向けて学校の選択や受験のスキルの練習などを行うことが課題になると考えられる．

▼▼▼▼▼▼▼▼▼▼

本ケースも，「CASE 5」（p.101）と同じように，読み書きの弱さの根底には言語理解や言語表現の弱さがある．小学生であれば基本的な言語理解や言語表現を高める「ボトムアップ」の指導が中心となるが，本ケースのように年齢が高くなっている場合，機器などを使って今できていることを効率よくできるようにする「トップダウン」での指導が中心となる．年齢が高い場合，基礎からの学習の積み直しは自尊心の低下につながり，学習意欲も下がりやすいことに留意する．

トップダウンの指導では，電子辞書・パソコン・計算機などの機器の使用や，試行錯誤する・見直すなど物事に取り組む際の方略の指導など，将来社会に出たときに役に立つスキルを習得させることを指導者側が意識する必要がある．

（栗本奈緒子）

CASE 10 視写が苦手であったJちゃん

本書における便宜上の各検査のカテゴリーの区分は，第2章H（p.60），および第3章A（p76）を参照．

基本情報	
生育歴	妊娠中，周産期に特記事項はなく，在胎39週，生下時体重3,120g．定頸：3か月，座位：9か月，始歩：11か月，始語：1歳0か月，2語文：2歳4か月で，運動発達や言語発達に大きな問題はみられなかった．
学校環境・クラスでの様子	小学校3年生女児（8歳9か月）．通常学級在籍． 対人面や学習への取り組みには問題なく，クラスの係活動も積極的に取り組んでいる．
家庭環境	両親と姉（小学校5年生）の4人家族．両親は共働きだが，帰宅後に交代で宿題をみるなど，熱心にかかわっている．
受診に至った経緯	ひらがな，カタカナ，漢字の読み書きは問題なく習得できているにもかかわらず，黒板を写すのに非常に時間がかかることを主訴に受診した．黒板は，授業終了後の休み時間までかかって書き写している．連絡帳についても時間内に書ききれないことが多く，担任が赤ペンで必要事項を書き足してくれている．

カテゴリー1,2の検査結果と評価

1) WISC-IV
全検査IQ：93（VCI：101，PRI：100，WMI：94，PSI：81）

2) ガイドライン読み検査
単音連続読み検査，単文音読検査は速度成績，正確性成績ともに基準値内．
単語速読検査では速度成績は有意味単語，無意味単語ともに基準値内．
正確性成績は，無意味単語速読＜－1SD，有意味単語速読＜－2SD．

3) STRAW-R
音読の正確性：ひらがな（1文字・単語）・カタカナ（1文字・単語）・漢字126語±1SD
書取の正確性：ひらがな（1文字・単語）・カタカナ（1文字・単語）・漢字単語±1SD

　知的には平均のレベルであった．PSIが他の指標より有意に低く，視覚－運動の協応の力が弱いことが示唆された．読み書き自体には大きな問題がなく，ガイドライン読み検査の単語速読検査では読み間違うというより，読み飛ばす間違いが多く，場所を見失って探す様子がみられた．
　これらの結果から，視覚的注意や眼球運動の問題が疑われた．

カテゴリー4の検査結果と評価

1) WAVES
評価点は線なぞり合格：8，形なぞり合格：9，線なぞり比率：9，形なぞり比率：9，数字みくらべⅠ：8，数字みくらべⅡ：4，形あわせ：9，形さがし：10，形づくり：10，形みきわめ2分：9，形みきわめ5分：10，形おぼえ：9，形うつし：8
　なお，数字みくらべⅠとⅡの評価点の差が4（標準出現率6.0％）で視覚的注意・眼球運動の弱さがみられた．

126

2) 数字視写

速度成績：近見 <－1SD，遠見 <－2SD．間違い，はみだしはなし．

その他の情報

眼鏡装用はなし．学校の視力検査，聴力検査などは問題なし．

眼球運動の状態を調べると，寄り目は問題なし．滑動性眼球運動，衝動性眼球運動について，制限はなく上下左右に動かすことはできるものの，正確性に欠け，視線を移動する際，目の動きに伴った頭の動きが顕著にみられた．

学童期用視覚関連症状チェックリストでは，総得点と読み書きに関連する活動でカットオフポイントを上回り，読み書きに関連した視覚的注意や眼球運動の弱さが示唆された．

 視覚的注意・眼球運動の問題が WAVES において特徴的にみられ，黒板を書き写すことの苦手さの要因になっていると思われた．そのため，視覚的注意・眼球運動の弱さに対する合理的配慮を提案し，ビジョントレーニングを実施した．

支援内容

▶ **プロブレムリスト**：視覚的注意の弱さ，眼球運動の弱さ．
▶ **実施期間**：6 か月（月1回，1時間，LDセンターでのトレーニングと，週4～5回，10～15分，家庭での宿題トレーニング）．
▶ **実施内容**

[合理的配慮]

学校の先生には，視覚的注意や眼球運動の弱さがあるため，次のような点について配慮が必要であることを説明した．

①板書
  ▶ コントラストのはっきりしている白または黄色のチョークを使用する．
  ▶ 重要な内容は枠で囲むなど，情報を整理して板書する．
  ▶ 板書を写す量を必要最小限に抑えたり，補助プリントやワークシートを利用する．

②プリント教材
  ▶ プリントの文字サイズは子どもにとって読みやすい大きさを考慮し，スペースも広めにとる．
  ▶ 問題をノートに書き写すことは避け，プリントに直接解答を書き込めるようにする．

[訓練・指導]

以下の①～④の練習を主として，難易度を変えながらセンター，家庭でのトレーニングを行った．

①目の体操：眼球運動の訓練として，上下左右方向やランダムにゆっくり動くターゲットを目で追視する練習，2つのターゲットを交互に見る練習を行った．ターゲットは子どもの顔から30～40 cm 離し，注目しやすいキャラクターのついたペンなどを利用する．

②ビー玉キャッチ：滑動性眼球運動や目と手の協応の訓練．子どもと机をはさんで対面しビー玉を机の上で子どものほうへ転がし，机から落ちないようにコップなどでキャッチする練習．

③ビー玉迷路：注視，滑動性眼球運動や目と手の協応の訓練として，knock knock トレーニングキットのビー玉迷路（**図1**）[1]，ビー玉ジグザグ（**図2**）[2] を行った．両手で迷路板を持って，ビー玉をコントロールして指定されたところに動かす練習．

④見くらべレース：衝動性眼球運動の練習として，knock knock ドリルシリーズの見くらべレース

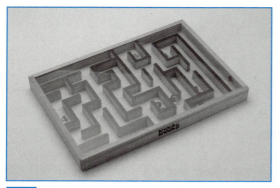

図1 ビー玉迷路

[奥村智人（開発総指揮），竹田契一，他（監）：ビー玉迷路．knock knock 視覚発達支援トレーニングキット．ウィードプランニング，2010]

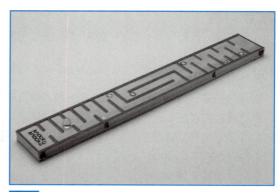

図2 ビー玉ジグザグ

[奥村智人（開発総指揮），竹田契一，他（監）：ビー玉ジグザグ．knock knock 視覚発達支援トレーニングキット．ウィードプランニング，2010]

（図3）[3] を利用した．左右または上下に書かれた形を比べ，同じか違うかを回答する．

経過

6か月のトレーニングにより，当初成績低下のみられた眼球運動では頭の動きが止まり，正確にターゲットを見ることができるようになり大きな改善を認めた．WAVESの数字みくらべ，数字視写でも改善がみられた．学校では，先生の配慮もあり，授業時間内に板書を書き写すことができるようになった．家庭では，音読の宿題を嫌がらなくなり，宿題にかかる時間も短くなった．しかし，板書を書き写す際に場所を見失うことがたまにあり，トレーニング後も他の子どもと比較すると書き写しに時間がかかっている．

▼▼▼▼▼▼▼▼▼▼▼▼

主訴，その他の症状，検査結果は，視覚的注意または眼球運動の弱さが背景にあることを示した．そのため，視覚的注意または眼球運動の弱さを念頭に置いた，学校での合理的配慮，専門的なビジョントレーニングを行った．その結果，関連する検査結果の改善を認め，症状の緩和がみられた．

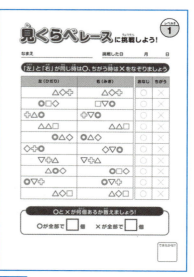

図3 見くらべレース

[奥村智人（開発総指揮），竹田契一，他（監）：見くらべレース．knock knock 視覚発達支援ドリルシリーズ．ウィードプランニング，2010]

（三浦朋子，奥村智人）

引用文献

1) 奥村智人（開発総指揮），竹田契一，他（監）：ビー玉迷路．knock knock 視覚発達支援トレーニングキット．ウィードプランニング，2010
2) 奥村智人（開発総指揮），竹田契一，他（監）：ビー玉ジグザグ．knock knock 視覚発達支援トレーニングキット．ウィードプランニング，2010
3) 奥村智人（開発総指揮），竹田契一，他（監）：見くらべレース．knock knock 視覚発達支援ドリルシリーズ．ウィードプランニング，2010

CASE 11 形を捉えることが苦手であった K ちゃん

本書における便宜上の各検査のカテゴリーの区分は，第 2 章 H（p.60），および第 3 章 A（p.76）を参照．

基本情報	
生育歴	妊娠中，周産期に特記事項はなく，在胎 37 週，生下時体重 2,510 g．定頸：4 か月，座位：7 か月，始歩：1 歳 2 か月，始語：1 歳 3 か月，2 語文：2 歳 6 か月で，運動発達や言語発達に大きな問題はみられなかった．2 歳から保育園に通う．ジグソーパズルや積木，お絵かきは泣いて嫌がった．健診では特に指摘を受けたことはない．
学校環境・クラスでの様子	小学校 2 年生女児（8 歳 1 か月）．通常学級在籍． 音読は得意で，授業中も音読課題は自分から手をあげてしようとする．ひらがな，カタカナの習得にはやや時間がかかったが，長期の休みに家庭で練習することで書けるようになった．運動は得意．
家庭環境	両親と弟（年長）の 4 人家族．母親は専業主婦で，弟に手をとられることが多く，K ちゃんへのかかわりが不十分な場面もある．
受診に至った経緯	漢字を覚えるのに非常に時間がかかり，独特の筆順で文字を書くことが多い．漢字テストでは，7～8 割程度は正解できるが，線が 1 本多い・少ない，線や点の位置・角度を間違える，形が崩れるなど，形態や空間に関する間違いが多い．算数では，計算に問題はないが，図形の問題が苦手．

カテゴリー 1,2 の検査結果と評価

1) WISC-IV
   全検査 IQ：92（VCI：101，PRI：82，WMI：94，PSI：99）
2) ガイドライン読み検査
   単音連続読み検査，単語速読検査，単文音読検査は，いずれも速度成績，正確性成績ともに基準値内．
3) STRAW-R
   音読の正確性：ひらがな（1 文字・単語）・カタカナ（1 文字・単語）・漢字 126 語 ±1SD
   書取の正確性：ひらがな（1 文字・単語）・カタカナ（1 文字・単語）・漢字単語＜－1SD
※漢字書字では，おおよその形は想起できているが，形態や空間的な崩れによる間違いがあり，得点低下．

> 音読検査，STRAW-R の読字課題では成績低下はみられなかった．STRAW-R の漢字書字課題では，全く想起できない文字はなかったが，形態的な文字の崩れが顕著で，点や線の位置や角度も間違いが多かった．これらの結果から，視知覚の問題が疑われた．

カテゴリー 3,4 の検査結果と評価

1) ひらがな単語聴写テスト，URAWSS II，PVT-R
   問題はみられなかった．

2) WAVES

評価点は線なぞり合格：9，形なぞり合格：9，線なぞり比率：8，形なぞり比率：11，数字みくらべⅠ：9，数字みくらべⅡ：9，形あわせ：8，形さがし：6，形づくり：4，形みきわめ 2 分：4，形みきわめ 5 分：4，形おぼえ：2，形うつし：3．

その他の情報

眼鏡装用はなし．学校の視力検査，聴力検査などは問題なし．

眼球運動の状態を調べると，寄り目，滑動性眼球運動，衝動性眼球運動について，制限はなく，正確性，頭・身体の動きも年齢相応であった．

学童用視覚関連症状チェックリストでは，総得点と手指の操作，空間の認識でカットオフポイントを上回り，図形を捉える，手先の作業をする，より広い周囲の空間を理解するような活動でつまずきが多く出ていることがわかった．

家庭では，漢字学習や図形の宿題は母親が横についていないと進まない．

> カテゴリー1，2の検査で疑われた視知覚の問題が WAVES においても特徴的にみられ，漢字の形の崩れや図形課題の困難さにつながっていると思われた．そのため，視知覚の弱さに対する合理的配慮を提案し，ビジョントレーニングを実施した．

支援内容

▶ **プロブレムリスト**：視知覚の弱さ，図形構成の弱さ．
▶ **実施期間**：2 年（1 年目は月 1 回，1 時間，2 年目は 3 か月に 1 回，1 時間，LD センターでのトレーニングと，全期間を通じて週 3〜4 回，10〜15 分，家庭での宿題トレーニング）．
▶ **実施内容**

[合理的配慮]

学校の先生には，形や空間を捉える力の弱さがあるため，次のような点について配慮が必要であることを説明し，実践してもらった．

①漢字学習
- ▶ 新出漢字の学習時，字を構成する要素を見つける，似た形の既出漢字との違いを探すといった形に注目した学習を行う．
- ▶ 筆順別に色分けした見本を示す．
- ▶ 漢字を思い出す際に，言葉の手がかりを活用して覚えるように促す．

②図形課題
- ▶ 角度や長さなどの見比べはプリント上のみの比較ではなく，同じ角度，長さのものを用意し，かかれている線や図形にあてて同じかどうか確認できるようにする．（用意するものは表・裏がわかるようにしておく．）
- ▶ 立体の図形についてもかかれている形と同じ実際の立体を使用し，回転させたり，触ったりして確認できるようにする．

③図工
- ▶ 工作では，できあがりまでの工程を手にとって見られるように実際のものを各工程別に用意する．
など

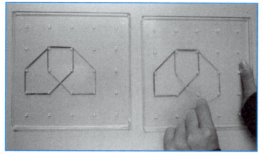

図1 エンジョイジオボード®（理学館）

図2 NEW たんぐらむ（くもん出版）

[訓練・指導]

以下の①〜③の練習を主として，難易度を変えながらセンター，家庭でのトレーニングを行った．

① ジオボード：ジオボードとは，5行5列，合計25本のピンに1本〜複数本の輪ゴムをかけて図形を作成する教材である．2枚重ねて同じ形を作成したり，見本を見ながら同じ形を作成したりする．輪ゴム1本で直線，斜め線を作成することから始め，四角，三角，多角形，輪ゴム複数本で重なりのある形を作成していくようにむずかしくしていく．また見本をジオボードではなく，シートに線をかいて示したり，ジオボードに作成された形をシートにかくなどの応用が可能である．市販のエンジョイジオボード®（図1）を使用した．

購入先：理学館 http://www.rigakukan.com/geoboard/order.html

② タングラム：タングラムとは，ピースを使って見本と同じ形を作成する教材である．見本の上にピースを置いて構成したり，見本とは別の場所に構成したりする．ピースの数を増やすことによって難易度が高くなっていく．市販のNEWたんぐらむ（図2）を使用した．

購入先：くもん出版公式オンラインショップ「Kumon shop」https://shop.kumonshuppan.com

③ 点つなぎ：knock knock 視覚発達支援ドリルシリーズの点つなぎ I・II[1] を利用した．見本と同じ形になるように点をつないでいく．

経過

1年間のトレーニングにより，当初成績低下のみられたWAVESの形さがし，形づくりでは評価点8と成績改善がみられた．形うつしでは評価点5と当初より成績はよくなったが，基準値内にはならなかった．また，形みきわめ，形おぼえでは大きな変化はみられなかった．

学校では，先生の配慮もあり，授業中やる気をもって取り組むことができるようになった．2年生までの漢字は定着した．しかし，3年の漢字は画数の多いものは覚えることがむずかしく，今後は漢字を覚えることの困難さが増すと考えられる．

▼ ▼ ▼ ▼ ▼ ▼ ▼ ▼ ▼ ▼ ▼

主訴，その他の症状，検査結果は視知覚や図形構成の弱さが背景にあることを示した．そのため，視知覚や図形構成の弱さを念頭に置いた，学校での合理的配慮，専門的なビジョントレーニングを行った．その結果，関連する検査結果の改善を認め，症状の緩和がみられた．（三浦朋子，奥村智人）

引用文献

1) 奥村智人（開発総指揮），竹田契一，他（監）：点つなぎⅠ，Ⅱ．視覚発達支援ドリルシリーズ．ウィードプランニング，2010

CASE 12 姿勢保持や机上操作が苦手であったLくん

本書における便宜上の各検査のカテゴリーの区分は，第2章H（p.60），および第3章A（p.76）を参照．

基本情報	
生育歴	妊娠中，周産期は早産傾向のため母体は長期にわたり安静入院，在胎37週，生下時体重3,090g．定頸：3か月，座位：6か月，始歩：11か月，始語：11か月，2語文：2歳0か月で，健診での指摘なし．就学前，文字，書字に関する関心が薄く，語彙がやや少ないと母親は感じていた．
学校環境・クラスでの様子	小学校3年生男児（9歳9か月）．通常学級在籍． 学習の遅れはないが，板書の書き写しは時間内にできないことが多い．漢字学習では，「文字のとめ・はね・はらいがむずかしい」「ノートのマス目からはみ出す」などの特徴があり，担任から頻繁に指摘を受けている．体育の授業では，身体を動かすことは嫌いではないが，身体の動きがぎこちなく，様々な運動課題において手足の動きがバラバラで，他の子どもとの違いが目立つ．運動会のダンスの振り付けを習得するまでに非常に時間がかかる．
家庭環境	両親とLくんの3人家族．母親は専業主婦であり，Lくんにかかわる時間は十分である．しかし，過保護な部分が見受けられ，両親のかかわり方に課題があると思われる．
受診に至った経緯	運筆が苦手，椅子に座っているときに姿勢が崩れることを主訴に受診した．書字は非常に苦手で，書いたノートは自分でも何を書いてあるか判別できない状態であった．書字に時間がかかるため，宿題を終えるのに非常に時間がかかり，毎晩1〜2時間かけて宿題に取り組んでいた．

カテゴリー1,2,3の検査結果と評価

1) WISC-IV

   全検査IQ：86（VCI：95，PRI：91，WMI：94，PSI：73）

2) ガイドライン読み検査

   速度成績・正確性成績：いずれも±1SD

3) STRAW-R

   音読の正確性：ひらがな（1文字・単語）・カタカナ（1文字・単語）・漢字 126語±1SD

   書取の正確性：ひらがな（1文字・単語）・カタカナ（1文字・単語）±1SD，漢字単語<−1SD

4) ひらがな単語聴写テスト

   清・濁・半濁・撥音，拗・長・促音ともに基準値内

※文字の形は崩れているものの何とか判読可能であった．

知的には平均のレベルであった．ガイドライン読み検査の音読検査，STRAW-Rの読字課題では成績低下はみられなかった．STRAW-Rの漢字書字課題では，想起できない文字はなかったが，形態的な文字の崩れのため判別不能の文字がいくつかみられた．書字課題では全般的に姿勢の崩れや運筆の苦手さが目立ち，線の歪みや筆圧の強さが目立った．また，書く作業にエネルギーが必要な様子がみられ，疲れやすく，通常の2倍以上の時間がかかっていた．これらの結果より，協調運動の問題が疑われ，作業療法士の専門的検査への紹介となった．

カテゴリー4の検査結果と評価

1) URAWSS Ⅱ
書き（視写速度）：＜－2SD
※文字の形は崩れているものの何とか判読可能であった．

2) JPAN
姿勢保持 ＜－1.0SD，体性感覚 ＞＋0.5SD ，視知覚 ＜－3.0SD ，行為機能 ＜－0.5SD
　自動的・反射的に姿勢を調節する能力，目的とする動作を行ううえで必要な運動方向や力加減，速度を調整する力の弱さがみられた．あわせて視知覚面での弱さもみられている．

3) JSI-R
　前庭感覚 36（赤），触覚 47（赤），固有感覚 15（黄），聴覚 20（赤），視覚 23（赤），嗅覚 1（緑），味覚 1（緑），その他 9（緑），トータル 152（黄）
　赤：感覚刺激の受け取り方に偏りの傾向が推測される（過敏または鈍感）．健常児の5％にみられる．
　黄：若干，感覚刺激の受け取り方に偏りの傾向が推測される（過敏または鈍感）．健常児の20％にみられる．
　緑：典型的な状態．健常児の70％にみられる．
　前庭系，固有系の入力の弱さ，触覚は識別の弱さ，聴覚や視覚の注意の選択・分散・持続の弱さがみられた．

その他の情報
　眼鏡装用はなし．学校の視力検査，聴力検査などは問題なし．様々な活動における動作の苦手さがあるだけでなく，自分なりに工夫することもうまくできない．一度覚えた動きも，数日後には忘れていることが多く，なかなか学習が積み上がらない．

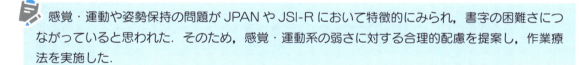

感覚・運動や姿勢保持の問題が JPAN や JSI-R において特徴的にみられ，書字の困難さにつながっていると思われた．そのため，感覚・運動系の弱さに対する合理的配慮を提案し，作業療法を実施した．

支援内容

- **プロブレムリスト**：姿勢保持・全身の協調運動の弱さ，左右の機能分化と協応の弱さ．
- **実施期間**：6か月（月1回，1時間，LDセンターでのトレーニング，週3～4回，10～15分，家庭での宿題トレーニング）．
- **実施内容**

[合理的配慮]
　学校の先生には，姿勢を保つ力，手先や身体をコントロールする力に弱さがあるため，次のような点について配慮が必要であることを説明した．
① 板書：板書を写す量を必要最小限に抑える．
② ノート：漢字などは書きやすい大きさと書字量を考慮し，マス目の大きいものを使用．その他のノートについては文字の大きさがそろいやすいよう，罫線ではなく，マス目のタイプのノートをすすめ使用してもらう．
③ 下敷：筆圧，書字手ごたえが分かりやすいものをすすめ使用してもらう．

魔法のザラザラ下じき（Ray way），やわカタ下敷（(株)ソニック）など．
④筆記具の工夫：ペン先の尖りがあるものを使用．製図用シャープペンシル（各社）を濃さ・太さで調整する．
⑤椅子・机の工夫：高さ：姿勢保持をしやすい調整を行う．座面　クッション類の工夫．
　椅子：（養護イス　学研・ウチダなど），机：（新JIS規格のものは高さ調整が可能），クッション：ギムニク（GYMNIC）クッション，ピント（ピーエーエス社）など．

[訓練・指導]
　以下の①〜⑥の練習を主として，難易度を変えながらセンター，家庭でのトレーニングを行った．
①両足ジャンプ：筋緊張を高めつつ，身体に力を入れすぎないように運動する感覚を実感する．
②壁もたれスクワット：下半身の筋力をアップするとともに，背面からの触覚入力を手がかりに身体の動きや運動方向を感じられるようにする．
③ボール姿勢（背臥位屈曲保持）：仰向けの姿勢で手足を屈曲位に同時に頭を床から浮かせ，身体を丸めた姿勢を保つ．重心を身体の中心に集め姿勢を保持する．無呼吸にならないで行える秒数から段階的に実施する．
④片足バランス（手を壁や机について）：急激なバランスの崩れから頭が揺れたり，手足がばたつかないよう状態を保つ．頭と背中がまっすぐな状態で片足で立つ．開眼での実施，閉眼での実施へと段階をつけて行った．
⑤バランスボード：④の発展練習として行った．
⑥定規を用いて点つなぎ課題：線を引く方向を明確にし，定規に沿って線を引くことでまっすぐ線を引く感覚を意識させた．また，線の始点と終点を意識するように促した．

経過

　家庭との連携をもとに継続的にトレーニングを行うことにより，座っているときの姿勢に改善がみられた．また姿勢が安定することにより，上半身の動きにも変化がみられ，指先のコントロールや筆圧の調整がしやすくなり，文字の崩れや書字速度に改善がみられた．学校でもノートをあきらめずに書く場面が増えた．短い時間ではあるが，支えなしで片足立ちができるようになった．体全体を使った運動において，ジャンプに軽やかさがみられるようになり，協調した運動が少しずつできるようになっている．

▼ ▼ ▼ ▼ ▼ ▼ ▼ ▼ ▼

　主訴，その他の症状，検査結果は，感覚・運動や姿勢保持の弱さが背景にあることを示した．そのため，感覚・運動系の弱さを念頭に置いた，学校での合理的配慮，専門的な作業療法を行った．その結果，関連する検査結果の改善を認め，症状の緩和がみられた．

（芳本有里子）

CASE 13 ADHD（不注意優勢）による学習困難のあった M くん

本書における便宜上の各検査のカテゴリーの区分は，第 2 章 H（p.60），および第 3 章 A（p.76）を参照．

基本情報	
生育歴	妊娠中に特記事項なし．在胎 35 週で，生下時体重は 2,870 g．言語発達・運動発達ともややゆっくりだったことから，1 歳半健診，3 歳半健診とも要経過観察となっていた．特に療育などの紹介はなく，幼稚園を経て地域の小学校に就学した．定頸：6 か月，始歩：1 歳 4 か月，始語：1 歳 5 か月，2 語文：2 歳 6 か月．
学校環境・クラスでの様子	小学校 5 年生男児（10 歳 9 か月）．通常学級在籍．分からないときに質問したり先生に声をかけてもらったりしやすいよう，前のほうの席にしてもらっている．同じようなゆっくりしたタイプの友達と静かに過ごしている．係活動や班活動で，いわれたことを勘違いしたり分からなくてボーッとしたりしているために，友達から指摘されることが多い．
家庭環境	両親と M くんの 3 人家族．宿題は母がつきっきりでみている．
受診に至った経緯	学習したことの定着が悪く，聞いたことや覚えたはずのことをすぐに忘れてしまうという主訴で受診した．国語の読解問題や算数の文章問題が苦手で，新しい単元の学習が始まると，前の単元でできていたことも忘れてしまうことが多かった．日常生活でも，物事の遂行に時間がかかりその都度声かけをする必要があること，簡単な指示でも聞き返しが多いこと，テレビがついているとボーッと見ていて食事や宿題が終わらないこと，などの訴えがあった．ADHD（不注意優勢型）との診断を受け，学習面の評価を行った．

カテゴリー 1, 2 の検査結果と評価

1) WISC-IV
全検査 IQ：93（VCI：109，PRI：95，WMI：85，PSI：83）

2) ガイドライン読み検査
速度成績：単音連続・有意味単語＜−2SD，有意味単語＜−1SD，単文＜±1SD
正確性成績：いずれも±1SD

3) STRAW-R
音読の正確性：ひらがな（1 文字・単語）・カタカナ（1 文字・単語）・漢字 126 語±1SD
書取の成績：ひらがな（1 文字・単語）・カタカナ（1 文字・単語）・漢字単語±1SD

4) ガイドライン算数検査
数的事実の知識
・速度成績：加算（繰り上がりなし），割り算 ±1SD，その他−1SD
・正確性成績：いずれも−1SD
筆算手続きの知識
・速度成績：加算（2 桁＋1 桁）＜−2SD，加算（2 桁＋2 桁）＜−1SD，その他±1SD
・正確性成績：加算（2 桁＋1 桁）・減算（2 桁−1 桁）＜−1SD，その他±1SD
算数思考課題
・集合分類 2 問・集合包摂 2 問：通過，可逆 2 問：不通過

WISC-IVの結果より，知的レベルに問題はないことが確認された．指標得点のなかではVCIが有意に高く，言語的な推理力・思考力に比べて，非言語的な推理力・思考力や聴覚的・視覚的短期記憶，ワーキングメモリや素早く処理する力に弱さがあると考えられた．

　読み検査では単音・単語の読みで速度の低下がみられたが，読みつまりはなく全体的にゆっくりした読み方であったため，デコーディングの問題ではなく処理速度自体の遅さと考えられた．読み書きできる数は年齢相応で，数的事実・計算課題では不注意による間違いはあったものの手順や計算の意味理解に問題はみられなかった．数的事実・筆算手続きで時間がかかる課題があったが，「指を使う」「答えを思い出すのに時間がかかる」という様子はみられず，作業全体がゆっくりしている印象であった．算数思考課題では，集合分類と集合包摂は通過していたことから，文章の読解力にも大きな問題はみられなかった．可逆の問題は不通過であったが，「なぜこの答えになったか」を説明させると間違いに気づき，絵や図を描いて考えるよう促すと正しい図を描いて正解に至ることができていた．

　以上の結果より，ADHD（不注意優勢）によって「推論する」「試行錯誤する」などに弱さがあり，学習の定着・遂行に影響していると考えられた．

カテゴリー3,4の検査結果と評価

1）PVT-R
　評価点：SS9，語い年齢：10歳2か月
2）ひらがな単語聴写テスト
　清・濁・半濁・撥音：±1SD，拗・長・促音：±1SD
3）CARD
　評価点　ことばの意味：SS8，音しらべ：SS9，聞きとり：SS8，ことば探し：SS9，文の読み①：SS9，文の読み②：SS7，文の読み③A：SS8，文の読み③B：SS9
4）URAWSS Ⅱ
　書き（視写速度）：+1SD

　理解語彙は年齢相応で，特殊音節の表記ルールは獲得しており，書きの速度も年齢相応であった．また，CARDも年齢相応の結果であった．このことから，基本的な言語能力・デコーディング・エンコーディングに問題はないことが確認された．声かけや質問をすると思い出したり気づいたりできるため，いろいろな課題に取り組むなかで，自発的に援助要求できること，調べる・見直すなどの学習方略を使えることを目標に指導を行った．また，ADHDに対しては医師から薬の処方があり，指導は服薬した状態で行った．

支援内容

▶ プロブレムリスト：不注意，処理速度の遅さ．
▶ 実施期間：月2回，1年間．
▶ 実施内容

[通常学級での配慮事項]
　注意の問題に対し，以下の内容をお願いした．

- 座席を前のほうにして，指示を出す前に注目させるよう声かけを行う．
- 指示を聞いてすることが分かったかどうか，本人に復唱させたり説明させたりして確認を行う．

[指導]

　分からないと手が止まってボーッとすることが多いため，まずは自発的に援助要求できるようにすることを，指導者側が意識してかかわった．また，「何が分からないのか」「分かっていることは何か」を意識させるようにした．

　課題としては，CASE 5 で紹介した「聞き取り」「仲間集め」や，読解課題，算数の文章問題，CASE 9 で紹介した「漢字の読み」「表現練習」などを行った．自発的に援助要求できるようになってからは，CASE 9 で紹介した「問題解決力をつける」練習を取り入れ，自分で考えて課題を遂行できることを目指した．

1）自分の状態に気づかせるための援助

　いずれの課題でも，「分からない」という自分の状態に気づいて自分から「分かりません」「ヒントください」と援助要求できるようにすることを目標に，指導者が意識してかかわった．同時に，分からないとすれば「何が分からないのか」，できているのであれば「どうやってやったか」を言葉で説明させ，分かっていることと分からないことを整理させるようにした．

a．援助要求できるようにする

　指導のはじめに，「分からないときには自分から『先生，分かりません』と伝える」というルールを伝えて意識させる．課題中，手が止まっているときには，「分かりませんと伝える」というルールを思い出せるかどうか待つ．手が止まったままになっているときには声かけをして，他者から見た状態を客観的に伝えて自分の状態を意識させる．

〈声かけの例〉

- 手が止まっているとき：「ずっと手が止まってボーッとしているように見えたけど，ボーッとしてた？それとも考えてた？」
  → 他者から見た状態を伝える，自分の状態を意識させる．
- 窓の外を見るなど明らかにボーッとしていても「考えていた」と答えたとき．
  「プリント見ていたら『考えているんだな』って思うけど，窓の外を見てプリントを見ていなかったから『ボーッとしているな』って思ったよ」
  → 「考えている場合」と「実際の行動」の違いを具体的に伝える．
- 「ボーッとしてた」と気づいたとき：「勉強嫌だなぁと思ってボーッとなったの？　それとも，この問題分からないなぁと思ってボーッとなったの？」
  → ボーッとした原因を意識させる．
- 「分からないからボーッとした」と気づいたとき：「分からないときは，何ていえばよかった？」
  → 自発的に伝えなければいけないことを意識させ，その場ですぐにいわせる．

b．「分かっていること」「分からないこと」を区別させ，意識させる

　「何が分かっているか」「どこまで分かったか」，または「何が分からないか」「何を調べたり質問したりすればよいか」を意識させるため，取り組んだ課題 1 つずつについて言葉で説明させる．正解した問題で「何と聞かれているか」「なぜこの答えになったか」「どこにこの答えが書いてあったか」などを説明させ，やり方や手順を言葉で意識させる．また，不正解の問題も同じように説明させ，どの時点で間違えたかを自分で気づかせる．

　分からない場合には，「何が分からないのか」を確認し，どうすればよいか（何と質問すればよいか・何で調べたらよいか）を考えさせる．

表1 調べ方の一覧表

物の名前辞典	物の名前を調べるとき
国語辞典	言葉の意味を調べるとき
	漢字の形を調べるとき
漢字辞典	漢字の読み方を調べるとき
	漢字の意味を調べるとき

〈分からない場合の声かけの例〉
- ▶「何が分からなかったか」
  →説明できない場合には，何が分からないのかを選択肢から選ばせ意識させる．
  「読めない漢字がある」「意味が分からない言葉がある」「何を聞かれているかが分からない」「答えが分からない」「答えを書くときの漢字が思い出せない」など
- ▶「それ（漢字の読み・言葉の意味，など）が分からない場合どうしたらよいか」
  「質問すればよいか」「自分で調べられそうか」「質問する場合は何と質問すればよいか」

2) 問題解決力をつける

「時間の見通しをもって作業する」「自分のやったことを見直す」などの練習を行った（CASE 9 参照 p.121）．読み書きや言語の理解力に大きな問題がなかったことから，CASE 9 で紹介した方法のうち，「③電子辞書を使う」に代えて国語辞典や漢字辞典を使わせ，分からないことを自分で調べさせるようにした．また，分からない内容によってどの辞典を使ったらよいかを自分で考えさせるようにするため，1) b. の方法で「何が分からないか」を意識させた後，調べ方の一覧表（**表1**）を見せて「今分からないことは何か」「何を使えば調べられそうか」を考えさせるようにした．

経過

1年間の指導により，「ボーッとして手が止まる」という状態はほとんどなくなり，1時間の指導のなかで出された課題は，自分で分からないことを調べたり指導者に質問したりしながら取り組めるようになった．また，家庭でも宿題を1人で終えられるようになり，日常生活のなかでも自分で気づいて遂行できることが増え，声かけを何度もしなくてもよくなったとのことであった．

学校では，問題の内容や意味を意識して取り組めるようになったことから，読解の成績が伸びた．しかし，学力テストのように普段の授業で取り組んでいない題材になると，文の意味を読み取ったり問題の意味を理解したりすることに時間がかかるため，普段のテストに比べると点数は低い．

▼ ▼ ▼ ▼ ▼ ▼ ▼ ▼ ▼ ▼ ▼

不注意優勢の ADHD では，漢字や計算などで「何度も繰り返す」という学習をしても，漢字そのものの意味や使い方や形，計算の意味や手順などに注意を向けながら作業をすることがむずかしいため，「書く」という作業だけになりやすく，漢字や計算の本質を意識できていないことが多い．また，作業速度が遅い子どもも多いため，作業そのものに時間がかかり，30分程度の宿題に1～2時間もかかるという子どもも少なくない．

本質を意識させるためには，「言葉で説明させる」のように，考える作業に少し負荷をかけることが有効な場合がある．また，ADHD に対する薬が処方されている場合，服薬するだけでは「考える」ということまではむずかしいため，服薬した状態で指導を行うことが効果的である．　（栗本奈緒子）

CASE 14 ASDにより文章表現に困難のあったNくん

本書における便宜上の各検査のカテゴリーの区分は，第2章H（p.60），および第3章A（p.76）を参照．

基本情報	
生育歴	妊娠中，周産期に特記事項はなく，在胎41週，生下時体重3,714g．定頸：3か月，座位：9か月，始歩：12か月，始語：1歳1か月，2語文：2歳0か月．3歳児検診では特に問題はないといわれていた．
学校環境・クラスでの様子	小学校5年生男児（10歳7か月）．通常学級在籍．クラスのルールなどをよく守り，忘れ物などもない．先生からは「真面目な子」といわれているが，自分の考えや気持ちを言葉で表現することが苦手であるため，友達に手をあげてしまうなどのトラブルにつながることもある．
家庭環境	両親とNくんの3人家族．両親とも働いており，宿題や学校の準備はNくんに任せている．
受診に至った経緯	小学校入学後，低学年時では特に大きな問題はなかったが，4年生頃より書くことへの苦手意識を訴えることが増えてきた．作文などの自由表現の課題が特に苦手である．このような表現の苦手さにより「うまく書けないから書かない」と，書くこと自体を拒むことが日常的にみられるようになってきた．これらの経緯により受診に至った．

カテゴリー1,2の検査結果と評価

1) WISC-IV
全検査IQ：102（VCI：88，PRI：109，WMI：103，PSI：110）

2) ガイドライン読み検査
4つの読み検査はすべて，速度成績，正確性成績ともに基準値内

3) STRAW-R
音読の正確性：ひらがな（1文字・単語）・カタカナ（1文字・単語）・漢字126語±1SD
書取の正確性：ひらがな（1文字・単語）・カタカナ（1文字・単語）・漢字単語＜±1SD

カテゴリー3の検査結果と評価

1) ひらがな単語聴写テスト
清・濁・半濁・撥音：正常範囲，拗・長・促：基準値内

2) CARD
ことばの意味，文の読み①，文の読み②，文の読み③は，すべて基準値内

3) PVT-R
語い年齢：11歳1か月，SS12

その他の情報

1) 4コマ漫画の説明
4コマ漫画を読んでもらった後に，マスの順番に沿って内容を書いてもらう．
▶ それぞれのマスに書かれている事象を説明することはできているが，前後のマスの関係性を関連づけながら説明することはむずかしい．

- 「男の子がおもちゃで遊んでる」のように3語文ほどの短文での説明となる．内容は事実を説明するのみであり，登場人物の心情の表現などはみられない．「どんな気持ちだったとか，もう少し詳しく書ける？」と内容の補足を促すが「もうない」と答える．
- 漢字の使用はなく，カタカナで書く言葉であってもひらがなで書いている．Nくんにたずねると「すぐに浮かばないから」と答える．
- 文字の大きさが不ぞろいであったり，下線にそろえて文字を書くことにむずかしさがある．

> 基本的な読み書きにおいて大きな問題はみられないが，カタカナや漢字の書字の想起に時間を要することが多くみられた．時間をかければ想起も可能であるが，「すぐに浮かばない」という理由によりカタカナや漢字の表記を避ける傾向がみられる．また，形が整わないことも「きれいに書きたい」というNくんにとっては意に沿わないことであり，書字を避ける要因の1つとなっているようである．
>
> CARDの結果より，文章読解にかかわる能力は年齢相応と思われる．しかし，漫画の説明で心情を表す表現がみられないことから，明らかには書かれていないことを前後関係から推測することに弱さがあり，そのため「筆者の考え」や「登場人物の気持ち」などを読み取ることに苦手さが生じる可能性がある．このことが友人関係のトラブルの要因となっていると思われる．また，説明の文構造も事実のみを単純に表すことはできるが，具体的に表現することには弱さがみられた．

支援内容

- プロブレムリスト：文脈理解の弱さ，心情理解の弱さ，言語表現力の弱さ．
- 実施期間：6か月（週1回，1時間，LDセンターでのトレーニング）．
- 実施内容

[合理的配慮]
- 漢字の書取などでは，書く量を調整して少なくする．
- 書字への意欲が低下してきているため，日記や作文の宿題などで漢字表記が少なかったり，カタカナで書く語がひらがなになっていたとしても指摘をせずに，書けたことを評価する．
- 物事を説明する際には，「〜だから□□である」と，根拠を明確にして解説する．
- 質問をする際に「どうだった？」「なぜ？」と広い質問で答えることがむずかしい場合には「○○と思った？ それとも××と思った？」のように選択肢を提示して質問する．
- 友人とトラブルが生じた際には，教師が仲介し，自身の誤解や状況を解説したり，自身や他者の気持ちを代弁したりし，「どうしてそのようなことが起きたか」「どうしたらよかったか」を説明する．

[訓練・指導]
1) 穴埋め式の文作りプリント

テーマに沿って（　）の中にあてはまる言葉を考えて書き，短文を作る課題．

テーマ：なんて鳴く？		
例：（　犬　）は（　ワンワン　）と（　鳴く　）．		
（　　　　）は（　　　　）と（　鳴く　）．		

2）気持ちの言葉

「ドキドキするのはどんなとき？」など，どのような気持ちか，自分はどのようなときにその気持ちになるかを考えて表現する課題．言葉の意味自体が分からない場合には辞書で確認したうえで，どういう意味なのかをかみ砕いて説明した．

3）漢字作文

漢字熟語を使って文を作る課題．「いつ，どこで，だれが，なにを，どうした」のフォームにそって文を作るようにした．できあがった文に対して，「『本を読んだ』って書いてあるけど，何の本？」と内容を拡充するようにした．文法の誤りや言葉の用い方が不適切な場合は「この表現だと○○という意味になるよ」と，読む人がどのように捉えるかを解説し，内容が伝わりにくいということを意識させてから修正させるようにした．

4）4コマ漫画の説明

セリフや状況の解説のない4コマ漫画をみて，登場人物の行動や関係性，考えていることや気持ちを時系列に沿って理解し，漫画のマスごとに説明文を作る課題．絵の状況は，課題に取り組む初期は，「（　どこ　）で（　だれ　）が，（　なに　）を持ちながら（　どのような気持ちで　）遊んでいる」のように穴埋め式にしてあてはまる言葉を考えるようにした．「男の子の顔が笑ってるから，どんな気持ちかな？」と表情などから心情を考えるようにしたり，補足する言葉を一緒に考えながら取り組んだ．書字の負担を軽減するため，補足する言葉は本人が口頭で説明したことを指導者が書き加えるようにした．

できあがった文章はパソコンのワープロソフトを用いて入力し，校正もワープロソフト上で行った．なお，パソコンを用いる前には，次に記す「パソコン操作スキルの習得」の指導を実施し，基礎的な操作・入力スキルが身についたうえで実施した．

5）パソコン操作スキルの習得

パソコンの基本的なスキルを習得するための課題．パソコンおよびプログラムの起動，保存などの操作は指導者が説明する．手順や操作方法を忘れてしまった場合には，手順表で確認したり，指導者に自分から質問して確認するように促した．ローマ字入力およびかな入力のどちらを用いるかは子どもと相談して決定する．熟語を漢字に変換する際に，どの漢字を用いたらよいか分からない場合は，電子辞書やタブレットの辞書アプリを用いて意味を確認して選択するようにした．

経過

6か月のトレーニングを行った結果，「いつ，どこで，だれが，なにを，どうした」という形式を意識して文が作れるようになった．また，「うれしそうに」など，心情を表す表現を用いることも増えた．しかし，文法の誤りや，「いらいら」と怒りを表したいのに「バスがこなくて『ドキドキ』している」と，気持ちの言葉の使い誤りもまだ多くみられる．

文を作成する際には，時間をかけて落ち着いて取り組めることとモデルとなる文面を多く取り入れられたことで以前よりもうまく内容を表現できるようになった．一方で，友達とやりとりする場面では，その場ですぐに答えられなかったり，どのように説明すればよいかが分かりにくいため，依然としてうまく伝えることがむずかしい．しかし，落ち着いた後に少し時間を要すれば説明できることも増え，トラブルが生じた際にも担任にどのようなことがあり，どう思ったかをゆっくりではあるが説明できることも増えたとのことである．

書字量の多い課題では拒否感を示すことがまだまだ多い．漢字の書き取りや連絡帳などは自分で書く，作文などの文章量の多い課題ではパソコンやタブレットを使って作成しても構わないという配慮

を学校が行ってくれたため，書字量の多い課題もパソコンやタブレットを使って取り組むことができるようになった．

▼ ▼ ▼ ▼ ▼ ▼ ▼ ▼ ▼ ▼ ▼

　ASDの子どもは，語彙も多く，基本的な読み書きに問題のないことも多い．しかし，獲得している語彙も名詞や興味のある事象の知識など，名称や答えが明確なものに特化していることが多い．Nくんのように推論する力に弱さをもつことも多く，前後関係から状況を把握することや人の心情の理解など，パターン的に用いられない言葉は獲得しにくい場合が多い．そのことが作文などの自由度の高い学習課題だけでなく，友人とのトラブルの要因にもなりうる．

　また，高学年の学習では，苦手と感じていることに「がんばれ」と促すだけでは本人も応じにくく，「嫌なことを無理矢理させられている」と感じることとなる．その結果，学習自体を拒否するといった二次障害に陥る危険性がある．苦手な物事に対してICT機器（PC，電卓，携帯，デジタルカメラ，タブレット）などを用いることで，本人の意欲を支え，かつ「道具を使えば苦手なこともできた」という達成感をもつことにもつながる．このように，高学年では補助的なツールを用いて今もてる能力をできるだけ活用させるトップダウンの方式で取り組むことが重要となる．

〔竹下　盛〕

CASE 15 読み書きの弱さに対し ICT の活用が有効だった O くん

本書における便宜上の各検査のカテゴリーの区分は，第 2 章 H（p.60），および第 3 章 A（p.76）を参照．

基本情報

生育歴	妊娠中，周産期に特記事項はなく，在胎 40 週，生下時体重 3,984g． 定頸：3 か月，座位：7 か月，始歩：12 か月，始語：1 歳 6 か月，2 語文：2 歳 0 か月，3 歳児検診では特に問題はないといわれていた．
学校環境・クラスでの様子	小学校 5 年生男児（10 歳 5 か月），特別支援学級在籍 休み時間は友達と楽しく遊んでいるものの授業に対する意欲は低く，先生から質問されれば答えるが自発的に手をあげて発表することはない．授業中のほとんどの時間をぼんやりと過ごしている．
家庭環境	両親と O 君の 3 人家族．母親は仕事をしていない．両親と O 君との関係は良好で，学校のできごとなどはよく家で話している．
受診に至った経緯	小学校入学後，読みに時間がかかり字を書くことにも難しさがみられたため，国語の時間は特別支援学級で個別学習を行い，通常学級ではマルチメディアデイジー教科書を用いて授業を受けることとなった．本人なりにがんばって学習に取り組んできたが，3 年時より徐々に学習への意欲が減衰していった．特に文字を書くことを嫌がるようになり，板書や漢字ドリルを写す宿題などの書字を伴う課題を拒むためノートはほとんど白紙の状態であった．これらの経緯により受診に至った．

カテゴリー 1，2 の検査結果と評価

1) **WISC-IV**
   （10 歳 3 か月時）FSIQ：92（VCI：91，PRI：106，WMI：85，PSI：88）

2) **ガイドライン読み検査**
   （10 歳 4 か月時）
   4 つの読み検査はすべて，速度成績，正確性成績ともに＜－2SD

3) **STRAW-R**
   （10 歳 4 か月時）
   音読の正確性：ひらがな（1 文字・単語）・カタカナ（1 文字・単語）±1SD，漢字 126 語＜－2SD
   書取の正確性：ひらがな（1 文字・単語）・カタカナ（1 文字・単語）・漢字単語の全て＜－2SD

WISC-IV の結果より，知的レベルに問題はなく，言語情報や視覚情報を基に年齢相応の考える力を有していることが確認された．読み検査では，全課題で速度ならびに正確性の低下がみられた．ひらがな，カタカナの読みは習得できているものの，漢字の読みでは得点に低下がみられた．書き検査では多数の文字が想起できず，正答できた文字であっても想起に時間を要することが多かった．漢字は想起の困難さがより大きく，取り組み意欲の低下も顕著にみられた．以上の結果より，デコーディングならびにエンコーディングに顕著な弱さがみられており，発達性ディスレクシアであると診断された．

カテゴリー3，4 の検査結果と評価

1) **ひらがな単語聴写テスト**
   清・濁・半濁・撥音＜－2SD
   拗・長・促音＜－2SD

2) **URAWSS Ⅱ**
   書き（視写速度）＜－2SD

3) **KABC-Ⅱ（習得検査）**
   習得総合尺度 84（語彙尺度 84，読み尺度 79，書き尺度 77，算数尺度 105）
   下位検査では，ことばの読み，ことばの書き，文の理解，理解語彙が評価点 5～6 と低下．その他の下位検査は標準範囲．

4) **WAVES（抜粋にて実施）**
   評価点は，線なぞり合格：7，形なぞり合格：5，線なぞり比率：3，形なぞり比率：3
   線や形をなぞるといった運筆にかかわる目と手の協応動作に顕著な能力の低下がみられた．

> 単語聴写テストならびに URAWSS Ⅱ の結果，特殊音節のみならず清・濁・半濁・撥音のエンコーディングならびに視写にも困難さがみられた．KABC-Ⅱ の結果からは全般的な学習習得度は標準範囲との境界域であり，特に語彙の低下ならびに漢字の読み書き，読解の困難さがみられた．読みの弱さから教科書や書籍などの文字学習を進めていくことが難しく，そのことが語彙ならびに学習習得度の低下に影響していると考えられた．また，WAVES の結果より目と手の協応動作にも弱さがみられた．エンコーディングの弱さも加わることから，文字の筆記を伴う活動はより負担が大きいと考えられる．そして，高学年では筆記量が著しく増えることから困難さがより顕在化し，学習意欲の減衰につながったと思われる．デコーディング・エンコーディングに時間がかかること，漢字の読み書きに困難を示していること，学習意欲の低下が顕在化していることから，通常学級での合理的配慮を提案し，特別支援学級で漢字の読みと語彙指導を，大阪医科薬科大学 LD センターでは漢字の読みや語彙指導に加えて学習課題におけるタブレット端末の活用の練習を行うことを提案した．

支援内容

▶ **プロブレムリスト**：デコーディング・エンコーディングの弱さ，目と手の協応の弱さ，二次障害．
▶ **実施期間**：6 か月（週 1 回，1 時間，LD センターでのトレーニング）．
▶ **実施内容**：

[通常学級での配慮事項]
読み書きの弱さに配慮し，以下の内容をお願いした．
- ▶ マルチメディアデイジー教科書の利用を継続する．
- ▶ 配布するプリントやテストの問題などの漢字にふりがなを書く．
- ▶ 国語で新しい単元に入る前に保護者ならびに支援学級に伝え，あらかじめ内容を確認できるようにする．
- ▶ 漢字の宿題を読みのみにするなど，筆記を伴う課題量を調整する．
- ▶ タブレット端末の操作と利用方法を身につけた後に，通常学級にタブレット端末をもち込んでノートと鉛筆の代わりに使用する．

表1 学習指導で使用したアプリ一覧

ノートアプリ	Goodnotes5（Time Base Technology Limited）
カメラ型スキャナアプリ	Microsoft Lens（Microsoft Corporation）
辞書アプリ	DONGRI（EAST EDUCATION）

※カッコ内はメーカー

- ▶ 板書を書き写すのではなく，筆記量が多い場合はタブレット端末のカメラ機能で撮影をする．

[特別支援学級での指導]
- ▶ 新出漢字の複数の読み方や意味の確認を行い，読んで意味の分かる漢字熟語を増やす．
- ▶ 通常学級で学習する単元の読み聞かせを行い，内容の確認や漢字の読み方の確認を行う．
- ▶ 読み方の分からない漢字や，漢字の形が分からない場合に，タブレット端末の辞書アプリを使って調べる練習をする．
- ▶ テストでは，特別支援学級で受け，問題は先生が読み上げる（教室の利用ならびに人員確保が可能であれば）．

[指導]

1）タブレット端末の基本的操作スキルの習得

　タブレット端末は自宅でも使用しているとのことでありiPadを用いることとした．家庭でも動画視聴などにiPadを使用していたため，本体の起動やアプリの立ち上げなどの基本的操作は既に理解できており，おもに入力に関する操作スキルを練習した．iPadはタブレット端末内のキーボードでローマ字入力，かな入力，音声入力，手書き入力で文字を入力することができる．また，別途，外付けキーボードをBluetoothで接続して使用することもできる．タブレット端末内のキーボードの切り替え方やBluetoothでの接続方法を教え，自身で課題に応じて入力方法を選択できるように練習をした．どの入力方法をおもに用いるかは子どもと相談したうえで外付けキーボードをおもに使用することとした．

2）学習課題に応じたアプリ使用スキルの習得

　表1に示すアプリを用いて，様々な学習課題に取り組んだ．家庭や学校で使用することを想定し，次に示すような練習を行った．それぞれのアプリの概要については第2章Ⅰp.67を参照．

a．タブレットを用いてプリント課題に取り組む

　読解課題や語彙課題，漢字の読み書き課題や文作り課題など，様々な学習プリントをカメラ型スキャナアプリで取り込み，ノートアプリに読み込んでタブレット上でプリント課題を遂行する練習を行った．すべてキーボードで入力するのではなく，筆記量が少なく子ども自身が書くことの負担が少ないと思える問題はデジタルペンで手書きにて解答し，筆記量の多い問題はキーボードで入力するなど，複数の入力方法を併用して取り組んだ．また，学習指導クラスでは指導終了時に宿題を出すのだが，宿題プリントもタブレット端末で行うことを認め，家庭でも操作の練習ができるようにした．プリントに直接書く，タブレット端末を用いる，のどちらで取り組むかは子ども自身が選択できるようにした．

b．板書を撮影してノートアプリに取り込む

　通常学級の授業で使用することを想定し，板書の内容をノートアプリに読み込み，画像編集や理解したことを入力する練習を行った．撮影はカメラ型スキャナアプリを用いて行い，画像の必要な部分だけをトリミングし，拡大ならびに縮小してノートアプリに事前に読み込んでおいたワークシートの

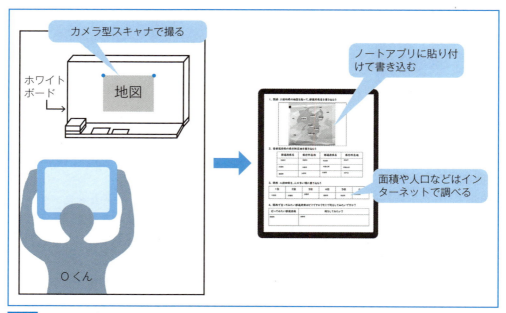

図1 板書をタブレット端末に取り込む練習例

指定した箇所に貼り付けるようにした．そして，ワークシートに沿って内容を入力していった．分からないことがあった場合にはインターネットや辞書アプリなどで調べることとし，タブレット端末を使って調べる練習も同時に行った．

事例（図1）：ホワイトボードに貼り付けた地図をカメラ型スキャナアプリで取り込む⇒画像をトリミングし，ノートアプリ内のワークシートの「地図」の箇所に貼り付ける⇒ワークシートに沿って都道府県名や県庁所在地名，人口などを入力していく．県名などが分からない場合はインターネットで調べる．

c．辞書アプリで調べて課題に取り組む

辞書アプリを使用しながら漢字の読み書き課題やことばの意味を考える課題を行った．漢字の読み方，漢字の形が分からない，ことばの意味が分からない場合に辞書アプリで調べるようにした．辞書アプリを用いて効率よく調べる方法を身につけるだけでなく，「調べたら分かった」という経験を積み重ねることで「分からない時には調べる」という習慣を身につけることもねらった．

経過

語彙や漢字の読み書きの力を伸ばす指導と並行してタブレット端末の使用方法の練習を6か月行った．その結果，もともと機械などへの興味関心が高かったこともあり，タブレット端末を用いて様々な学習課題にスムーズに取り組めるようになった．センターの宿題のほとんどをタブレット端末を用いて取り組んでいたが，自発的に学校の宿題もタブレット端末を利用するようになり，子ども自身から「学校でもタブレット端末を使いたい」と希望するようになった．そこで，6年時の途中からそれまで実施していた合理的配慮に加えて，通常学級の授業でもタブレット端末を使い始めることとなった．すると，板書を撮影して分かったことをすぐさま書き込むなど自分で学習内容を整理するようになった．授業では自発的に手をあげて積極的に参加するようになり，家庭でもデイジー教科書を用いて先取り学習をするようになるなど，学習意欲も高まった．また，今までは強い拒否を示していた自由研究や社会の新聞作りなど，筆記量の多い課題もタブレット端末で作成することで無理なく取り組

めるようになった．単に作成するだけではなく，レイアウトをインターネットで調べる，インターネットで調べた内容を転記する，カメラで撮影した画像を貼り付けるなど，自身で考えて工夫を凝らすようになった．

　語彙や読めて意味が分かる漢字熟語を増やすなど，子ども自身の力を伸ばすことや状況に応じてより効率良くタブレット端末の使用方法を考える力を伸ばすなどの練習が引き続き必要と考えられるが，支援機器の活用ならびにその他の合理的配慮による支援を実施したことで本来もっていた「考える力」を学習に活かすことができるようになった．

▼ ▼ ▼ ▼ ▼ ▼ ▼ ▼ ▼ ▼ ▼

　発達性ディスレクシアの子どもは，言語情報や視覚情報を基に「考える力」は年齢相応に有している．そのため，読み書きを介さずに聞く・話すことで内容を理解し，表現することができる．しかし，学校における教科学習は「教科書を読む」「ノートやドリルに書く」「テストの問題を読んで答えを書く」など，読み書きを介することがほとんどであるため，読み書きにつまずきのある子どもは本来もっている考える力を発揮しにくく，学習した内容を積み重ねることや達成感を得ることがむずかしくなる．特に高学年になると学習内容もむずかしくなり読み書きを伴う作業量も増えていくため困難さが増大する．また「自分はできない」という自己認識も高まるため学習意欲の低下を招きやすく二次障害に陥る危険性が高くなる．そのため，高学年ではトップダウン方式の指導に重きを置き，支援機器や合理的配慮による支援を整えることによって弱い特性を補い，効率よく「考える力」を活用できるようにアプローチすることが重要である．

　GIGAスクール構想の推進により，タブレットやPCなどの端末が1人1台配られるなど，支援機器の充実化が今後進められることが予想される．支援機器の活用スキルを伸ばすことは，学習意欲を支え効率のよい学習ができるようになるだけでなく，将来的に社会参加に必要な力を身につけていくことにもつながる．また，支援機器は有用ではあるが万能ではない．そのため，単に機器を使用するだけでなく従来の合理的配慮とあわせて包括的な支援を進めていくことを留意しておくべきである．

〔竹下　盛〕

COLUMN

発達障害の特性を考慮した学習指導について

　具体的な学習支援を開始する際には，ADHDやASDなど，合併する発達障害の種類や程度，その行動特性をいつも考慮する必要がある．なぜなら，知識や学習技能を獲得する学習活動そのものが「行動」の1つであり，合併する障害に関連する行動特性や，個々の認知・言語能力，運動能力など，様々な特性が相互に影響しあって，学習領域での困難として現れることが多いからである．

　また，数多くの学習内容については，発達的な視点や学年に応じた優先順位の見極めが，その都度支援者に求められる．

〈行動特性を考慮した学習支援〉

　ADHDをもつ子どもは，「活動のなかでしばしば綿密に注意することができず，細部を見過ごしたり見逃したりして作業が不正確である」「精神的努力の持続を要する課題を避ける，嫌う」などの特性をもつ．一般的に，日々学校で取り組む学習活動や帰宅後の宿題は，「正確に，丁寧に，繰り返し何度も読む・書く」など，彼らが最も苦手とする活動の連続で成り立っている．個々の集中力にあわせて，課題の量や取り組み時間を減らす対応が提唱されるが，「面倒くさい，疲れた，もう無理…」と訴える子どもに「漢字の練習は1回でいいよ．その代わり，どうやって形を覚えるか作戦を考えて教えてね」「10分間でできるところまでやったら，今日は寝ましょう」などの対応をすると，「どんどん怠けるようになるのでは？」と心配で，なかなか実行できないという話も聞かれる．しかし，ADHDをもつ子どもたちに集中力が切れた状態で叱咤激励しながら，量の多い学習に取り組ませると，やればやるほどミスを重ね，非効率さが増す．LDを合併している高学年のケースでは，基本的な読み書き・計算スキルの獲得・自動化が不十分な上に，誤学習が定着している場合があり，論理的に思考・推論する姿勢が乏しく，学習全般に困難が広がっていることが少なくない．行動特性に伴う，短期記憶やワーキングメモリの弱さが基礎スキルの自動化を遅らせることも多いため，情報のインプット（input）やアウトプット（output）の際に極力混乱や失敗を避ける対応が大切である．「曖昧な処理を大量にさせない・混乱させない」ためにも，子どもたちが集中できる時間帯に，確実に作業させる量を見極め，少量を効率よく確実に完遂させることにポイントをおいた指導が大切である．注意深く取り組む姿勢，自分でミスに気づいて修正できている場面をできるだけ具体的に褒めて，モチベーションを支え立ち止まり点検する手順を身につけさせたい．また，正しい情報が必要なときにすぐに確かめられるよう，ひらがな・カタカナ・かけ算の九九，筆算の計算手順を示す例題の一覧表などは，年齢にかかわらず手元に置いて利用し，時間がかかっても確実な定着をねらうことも忘れてはいけない．

　ASDの子どもは，社会的コミュニケーション能力の弱さ，想像力の障害による反復的な行動様式を示し，興味の対象が偏っていたり，「1か0か」，「良いか悪いか」という二元論的思考に陥ったりする．これらの特性は，クラスで授業を受ける際，「周りの状況にも少し注意を払って，待つ・急ぐ」などとペースを調整したり，手をあげて発言するタイミングや頻度（手をあげても必ずしも指名されるわけではない）など，「暗黙の了解」の理解がむずかしく学習姿勢を保てないことがある．また，新しい単元の学習に取り組む際，新規のやり方や初めての教具の操作になじむのに時間がかかったり，「間違ったり迷ったりしながら，だんだん上手にできるようになる」という曖昧な状態が苦手なために，最初に「できない，分からない，苦手」と決めて取り組まないこともある．学習場面においても，想像力の障害のために見通しがもてないことや暗黙の了解が分からないことに対する支援が必要であろう．たとえば，学校で新しい学習に入る前に，家庭や通級指導教室などの個別の場で，次にどのような学習に入るか教科書をみながら話したり，新規の用語や教具に触れたりする予習が効果的である．特に，新しい単元や本人にとって苦手な領域に入るときは，取り組む問題数を減らしたり，やり方の具体的なモデルをその都度示したりすると，焦らず確実に取り組める．

　また，学習領域によっては，「今は興味がない（学ぶタイミングではない）ために，できなくても間

違っても上の空」というケースもある．極端な例では受験など必要に迫られたときに一気に学ばせるほうが，時間も労力も少なく済む場合もある．興味をもち「分かる・できる」と感じた学習には，意欲的に淡々と取り組めるのが彼らの強みでもあるので，学ばせるのに最適な時期を見極める視点ももっておきたいものである．

〈年齢に応じた学習支援〉

　学習指導開始にあたり，年齢や二次障害の有無なども，十分考慮する必要がある．
　優先する学習内容や学習指導のゴール設定の際には，低学年での早期から，通級指導教室など，特別な場での指導を開始できる場合には，基礎スキルの獲得・定着など，下から順に積み上げるボトムアップ方式の指導に，ある程度時間を割くことができる．その際，彼らの強い認知特性や，学習場面にうまく利用できる行動特性を見極め，「強み」を活用したり経由したりする方法で，機能しにくい弱い能力を補う学習方略を積極的に身につけさせる必要がある．一方，高学年で，困難が複数の教科学習や学力全般に及んでいる場合，二次障害もあり学習意欲そのものが低下している場合には，進学先や社会参加を念頭に置き，将来にわたって必要なスキルや学力を絞りこみ，限られた時間と労力を効率よく使うよう，トップダウン方式の指導に切り替える必要がある．たとえば，読み書きに困難をもつ場合には，「正確にたくさん書けること」より「理解できること」「必要な情報・知識を得ようとする姿勢」を優先すべきであり，読む必要があるときには，読み上げ機能のある音声ツールなどの代替手段を利用する．書字は携帯電話やパソコンなどの代替機器の使用に切り替えることが有効だろう．「音声読み上げソフトを使えば，趣味の領域の知識や情報がいつでも簡単に得られる」，「スマートフォンで友達とコミュニケーションがとれる」，「パソコンやタブレットで学校の課題や文書が作成できる」という，より実際的なスキルの獲得を目標にすることで，「それらに必要な言語表現力や，漢字の知識（漢字の読みと意味）は獲得できているか？」など，早急に取り組むべき事柄がクローズアップされ，将来にわたり必要な能力を身につけることにつながる場合が多い．

　　　　　　　　　　　　　　　　　　　　　　　　　　　　　　　　　　　　　　（水田めくみ）

参考文献

- DSM-5　精神疾患の診断・統計マニュアル．医学書院，2014
- 黒田美保編著：これからの発達障害のアセスメント．金子書房，2015

第4章

家庭生活・学習環境づくりと学校生活における支援

第4章 家庭生活・学習環境づくりと学校生活における支援

A 子どもとの接し方

Point！
- 子どもが肯定的な自己認知がもてるよう支援する．
- 子どもの「暮らしの場」を守るため，保護者を第二の当事者と考えて支援する．
- 教育と医療，双方の視点を交え，多角的に子どもをみられるよう連携する．

1 子どもの自己認知をすすめるために

　面談の際に保護者が同席していると心の内を話さないこともあるため，子どもと1：1で話す時間を大切にしたい．理解しやすい言葉で日常の話題から話し始め，質問は意図が分かるよう例をあげて具体的に行う．寡黙な子どもには答えの選択肢をあげ，選択肢には「分からない」「話したくない」を入れ，子ども自身が困っていることを話し出す糸口を見つけたい．子どもにはできない・分からない・苦手なことの理由と手立てを考えるだけでなく，「できること」・「分かること」・「得意なこと」を見つけることも診察の目的であることを伝える．これは肯定的な自己認知をもつことに役立つだろう．

a）自己決定を尊重する

　苦手なことが多い子どもには，検査や投薬の目的や方法などを丁寧に説明し，不安や拒否感が強いときには子どもが決意するまで待つことも必要だ．学校を含め関係機関と連携し情報提供する際には，保護者だけでなく子どもにも了解を得る．「自分で考える」「自分で決める」「できることは自分でする」ことを自然な形で促すことが，子どもがLDとともに生きる人生を考えると大切に思われる．

b）自己理解を深める

　子どもに関する情報はできるだけ正確に理解しやすい言葉で本人に伝える．障害告知についても同じである．自分をよく知ることにより，できることに進んで取り組み，苦手なことには対処法を見つけ，必要なときに自ら理解や支援を求められるようになる．自分をよく知っていると，苦手なことがあっても「できる」経験が増えていく．〔本人への告知については第4章Q&AのQ1（p.173）参照〕

2 家庭での支援—家族へのアドバイス—

　LDゆえにわが子は自立できないのではないかと不安に思う保護者が多い．周りの子どもの成長や学校での評価が気になり「もっとしっかり！」と感情的に追い立てると，子どもは「どうせうまくできないし，ちゃんとできなければ叱られる」ことを理由に苦手なことを避けるようになる．保護者の不安を減らすことが，子どもの状況改善には不可欠であるため，保護者を第二の当事者と考えて支援する必要がある．

保護者が問題を抱え込まず，わが子の成長を長い目で見守り楽しむことができるよう，医療機関以外に相談できる教育・保健・福祉・行政機関や，同じ悩みをもつ保護者と交流できる保護者の団体など，発達支援ネットワークに関する情報を提供する．（p.176 資料の項参照）

a）日々の暮らしを大切にする

家庭では療育や塾通いが生活の中心になっていることがある．保護者が経済的・精神的・身体的・時間的な余裕をなくしていら立ち，子どもが遊ぶ時間もなく疲弊しているときには，ドクターストップをかけることも必要だ．保護者には，子どもの生活リズムを整え，身辺の自立を促し，手伝いなど家庭での役割をもたせて感謝される経験が大切であることを伝え，子どもが好きなことや得意なことを余暇活動に取り入れることや，家族と楽しむ時間を確保するようすすめる．

b）学校との協力体制を整える

学校で全力を使い果たし，帰宅すると疲れ切って何も手につかず不機嫌な子ども，苦手な宿題に困り果て家庭学習に抵抗する子どももいる．家庭での様子を伝え配慮を申し入れることはわがままではない．課題を学校でならやり切れる子ども，量を減らしたほうが家庭で集中してできる子ども，代替手段が必要な子どももいる．家庭（暮らしの場）や学校（学びの場）との情報交換により，必要とされる合理的配慮が得られるよう診断書や意見書を作成することも，医療にできるサポートの1つである．

c）きょうだいに配慮する

保護者がLDの子どもの問題で右往左往している間，きょうだいへの配慮が滞るばかりか「あなたは心配かけないで！」と有形無形の圧力をかけていることがある．成長に伴ってきょうだいにも発達障害の特性があることに気づかれることや，不登校などの問題が生じることはまれではない．また保護者のかかわりが一方に偏り，きょうだい間に著しい葛藤が生じることがある．保護者には「手がかからない子」には「手をかけていない」ことを注意喚起し，きょうだいへの気配りを忘れないよう助言する．

3　学校生活での支援―教師へのアドバイス―

医師は保護者や子どもからの一方的な情報をもって教師と出会うことが多い．教師は教育を通して直接子どもにかかわる専門職であることを尊重し，批判的な態度で向きあうことのないよう留意して連携したい．

a）子どもを多角的にみる

教師との情報交換では二次的に起こっている問題行動や不登校を含む不適応についての相談が多い．子どもの学習の遅れや学習困難は，原因ではなく問題行動や不適応による学習時間と努力不足の結果と考えられがちだ．しかし医学的視点からみた子どもの状況を伝えると，日々子どもと接する教師だからこその気づきが得られることもある．後は教師の理解力・指導力と学校の支援体制に委ねるところが大きいが，医療と教育，双方の視点を交え，子どもに必要な配慮が得られるよう連携する．

b）LD の子どもの指導に必要な配慮

　LD の診断までに子どもはたくさんうまくいかない経験をしており叱咤激励に応える余力はない．課題は子どもができること，得意なことを優先して欲しい．指示や課題はスモールステップでといわれるが，子どもは毎日成長し続けることはできない．「子どもをせかさず，大人はあせらず」を合い言葉に子ども自身の発達段階と特性にあわせ，成長を実感できる適切な課題と褒め方についてともに考えたい．

c）学級全体への配慮

1）環境調整

　教室では，聞く・見る・書く・話す・考えることを同時にしなくてはならない．苦手な課題という理由だけではなく，不注意や，聴覚・視覚刺激に過敏なために学習に集中できないこともある．子どもの特性に配慮した，今何をすべきかが分かりやすい環境づくりが必要である．

2）仲間づくり

　先生が LD の子どもを特別扱いしすぎること，周囲の子どもへの配慮が不足すること，周囲の子どもが LD の子どもを手助けすることを過大に評価することなどで子ども同士の関係がぎこちなくなることがある．

　読み，書き，計算が苦手でも，聞く，話す，考える，行動することができる子どもは，学級会の司会や班活動のリーダーになれる．ICT 機器の使用法を友達に教えられる子どももいる．子どもが苦手だけでなく，得意なこと，できることを知り，学級活動や学校行事で活躍できる場を創り出せるクラス運営が望まれる．

3）支援ツールの使用

　LD の子どもが支援ツールを利用することに周囲から不満が出ることがある．子どもと保護者の了解を得たうえで，近視の子がメガネをかけるように，難聴児が補聴器をつけるように，その子の特性に応じた支援ツールがあることに周囲の理解が得られるよう，医療者からも協力する．

4）自立を視野において連携する

　学校生活では学力向上に重点を置きがちであるが，子どもの特性によっては年齢相応の学力を身につけることがむずかしいこともある．自立や就労を視野に入れ，生きるために必要な学習とは何かをともに考えたい．

▼▼▼▼▼▼▼▼▼▼▼▼

　LD を含め発達障害のある子どもの心身の健康は，環境により大きな影響を受ける．子どもにかかわる大人は，子どもができないことを憂い，なくそうと躍起になるのではなく，子どもが自身の特性を理解し，できることを生かし，健康に，主体的に，尊重されながら生き抜く力を身につけられるよう支援しなくてはならない．

（金　泰子）

第4章 家庭生活・学習環境づくりと学校生活における支援

B 二次障害への対応

> **Point!**
> ▶ 二次障害の予防には，子どもの自己肯定感・自己効力感・自尊感情を高める支援が求められる．
> ▶ 二次障害に対する早期の気づきと介入が大切である．
> ▶ 子どもの自立・就労を視野に入れた支援ネットワークを構築しなくてはならない．

1 LDの子どもにおける心理社会的ストレス

　発達障害のなかで，LDは読み書きや計算といった教育的な問題が中心となるため，医療機関で相談できる問題という認識は教育・医療双方に希薄であった．しかしLDにはASDやADHD，DCDなどが併存することが多いことから，医療機関においても学習の問題に無関心ではいられない状況がある．併存症によって子どもの状態像は大きく左右されるが，ここでは学習の困難をもつ子どものストレスを中心に考察する．

　たとえば，早期より特性に気づかれ，理解が十分な保護者に見守られ，あるべき特別支援教育と助け合う仲間のなかにあって，得意な分野で能力を発揮し，苦手なことを支援により補うことができたなら，子どもは困難な状況にぶつかっても自信をもって適応的に対処することができるだろう（図1a)[1]．LDの子どもが必ず問題を抱えるわけではない．

　しかし現実には，学校では学力の差が成績評価として明確に現れ，子どもも保護者もテストの点数が人の価値を左右するような錯覚に陥る．いくら頑張っても努力に見合った結果が得られず，その理由がわからないままの子どもは，日常的に継続的に種々の挫折を味わうことになる．この挫折体験が，生活の場である家庭での親子・きょうだい関係，社会生活の場である学校での教師・生徒同士の人間関係などにおいて，種々の心理社会的ストレスを生み出す要因となる．

2 LDの子どもにみられる心の変化

心理社会的ストレスにより，子どもの心には様々な変化がみられるようになる．
①自己効力感の喪失：LDに気づかれず，苦手なことの反復学習ばかりさせられた子どもは失敗を繰り返し，「自分はできない人」であることを痛感する．そのために学習意欲をなくすだけでなく，何事につけ「自分ならできる」と思えなくなる．
②自己肯定感の低下：「できないのは努力不足」という大人の決めつけや叱責は周囲の子どもにも伝播し，からかいやいじめのきっかけになる．子どもは他人から否定されることにより「苦手なことがあっても，自分にはいいところがある」，「ありのままの自分が好き」と思えなくなる．
③自尊感情の低下：保護者や周囲からの干渉や叱責が繰り返されることにより子どもは「自分は価値がある，大切な尊敬されるべき人間」だと思えなくなる．

3 LDの子どもにみられる二次障害とその対応

　LDの子どもは学習だけでなく仲間づくりにも消極的になり，対人・社会経験の不足により，年齢相応に身につけるべき生活力，学ぶべきストレス対処法を十分に獲得できないことがある．このため，心理社会的ストレスを適切に処理できず身体，精神，行動に様々な異常が現れ，日々の生活に支障をきたすようになることを二次障害という（図1b）[1]．

　ここでは二次障害を a）身体症状（心身症），b）精神症状，c）行動異常に分け，簡単に記す．

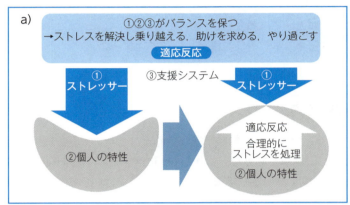

図1a 発達障害と心理社会的ストレス 適応反応

①ストレッサー：心理社会的ストレス（無理解⇄理解，叱責⇄賞賛，いじめ⇄仲間）
②個人の特性：適応能力，ストレス対処能力，他者への基本的信頼感がある
③支援システム：家族・地域・教育・保健・福祉の連携により保護され守られている

［金　泰子：発達障害と心身症．宮本信也（編）．発達障害における行動・精神面の問題―二次障害から併存精神障害まで．発達障害医学の進歩 23．診断と治療社，9-23，2011 より改変］

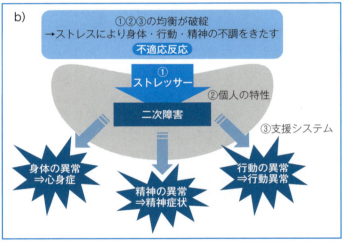

図1b 発達障害と心理社会的ストレス 二次障害の顕在化

①ストレッサー：心理社会的ストレス（無理解，差別，叱責，いじめが執拗に続く）
②個人の特性：自身への無理解，自尊感情の低下，社会体験とストレス耐性の低さ，不安，抑うつ，他者への不信感や怒り
③支援システム：家族からの虐待，他者からの迫害，保護や支援がない状況

［金　泰子：発達障害と心身症．宮本信也（編）．発達障害における行動・精神面の問題―二次障害から併存精神障害まで．発達障害医学の進歩 23．診断と治療社，9-23，2011 より改変］

a）身体症状（心身症）

　子どもの中枢神経系は未熟で不安定であるため，心理社会的ストレスにさらされることにより，様々な身体症状が現れる．日本小児心身医学会は子どもの心身症を『子どもの身体症状を示す病態のうち，その発症や経過に心理社会的因子が関与するすべてのものをいう．それには，発達・行動上の問題や精神症状を伴うこともある』（2014）と定義し，治療に際しては発達・行動上の問題や精神症状に留意し，家庭・学校・社会環境を考慮に入れた全人的医療が必要であるとしている[2]．過去の全国調査においてLD児の約70％に心身症の合併が報告されており[3]，脳の機能的な問題に加えて日常的にストレスを受けやすい環境により，心身症が発症しやすく難治の経過をとると考えられている．

　学齢期の発達障害のある子どもにみられやすい心身症として，消化器系（腹痛・嘔吐・下痢・便秘

など），泌尿器系（頻尿・遺尿・夜尿など），神経系（頭痛・チック障害など）の症状や疾患があげられるが，なかでも自律神経系の機能性疾患（起立性調節障害）が多いとされる[1]．

学習に伴う心理社会的ストレスは医療だけでは解決できないこともあり，心身症の治療には時間がかかることが多い．丁寧な診察を行い，子どもが苦痛に感じている症状の緩和と身体治療を優先し，病気の説明や今後の見通しについて，子どもにも分かる言葉で説明する．多くの場合，薬物療法だけでなく，運動・睡眠・食事などの生活指導や心理療法が必要となるが，LD の子どもにおいては学習能力の評価や学習指導を含めた学校連携が重要である．治療への反応性が悪く身体症状が遷延する場合，あるいは不登校を伴う場合には専門機関への紹介を考慮する．

小児の心身症・不登校などについては日本小児心身医学会ガイドライン集に詳細に述べられているのでご参照いただきたい[2]．ここでは心身症のうち，学童期・思春期で最も頻度が高い疾患である起立性調節障害について簡単に記す．

1）起立性調節障害（orthostatic dysregulation：OD）

思春期発来に伴って起こる自律神経失調が主たる原因であるが，発症や症状の経過に心理社会的ストレスが関与する．重症例では成人期以降も症状が遷延することがあり，思春期にのみ起こる疾患ではない．

起立時の低血圧などの影響により，朝起き不良，立ちくらみやめまい，頭痛や悪心，全身倦怠感を訴えるが，一般的な検査では異常が見つからないため，身体疾患との理解が得にくい．また血圧の日内変動により，午前中不調で遅刻や欠席をするが午後には元気になるため怠学（ずる休み）といわれることも多い．本人の身体的苦痛が大きいにもかかわらず診断と治療が遅れ，周囲の無理解がさらなるストレス要因となって症状を悪化させる．前述の症状が長く続く場合には OD を念頭に置いて，専門機関の受診を考慮すべきである．

b）精神症状

1）不安定な情緒

子どもが思春期を迎えると，どの子どもにも気分のムラやかんしゃく，落ち着きのなさや暴言など，それまでとは違った様子がみられるようになる．「LD」があるためか，思春期の一過性のものなのか悩む保護者には「思春期」ゆえにみられる不安定の振れ幅が，「LD」のため大きい場合があることを説明すべきであろう．問題となる言動を非難し叱責するばかりでなく，学習や集団生活において困っていることはないか配慮しつつ見守る必要がある．

2）気分障害，抑うつ状態

「LD」による学校や学習場面での失敗や挫折の連続は意欲の喪失と抑うつ感をもたらす．気分が沈み活動性が減退する精神症状だけでなく，睡眠障害や食欲低下，特に小児では腹痛や頭痛などの身体症状をあわせて訴えることも多い．思春期・青年期の死因の上位に自殺があることを忘れてはならない．

3）不安障害

理解のない叱責やいじめは対人不安や緊張をもたらす．不安が過度になると，他者の前で失敗するのではないかと感じて，対人交流を避けようとする「社会不安障害」が起こる．また極度の不安や緊張により動悸やめまい，悪心や手足の震えなどの苦痛や恐怖を伴う身体症状が突然起こる「パニック発作」を起こすことがある．

言語能力はほぼ正常で家族や親しい友人とは話しているのに，学校など特定の場面において話すことができない「選択性緘黙」も小児期にはよくみられる．

c) 行動異常

1) 自傷行為など

　爪かみや抜毛，リストカットを含む自傷行為は行事やテストなどストレス要因がある時期に悪化する傾向がある．攻撃衝動を自分に向けている場合や，存在感のない自己を認識するための行為，注意喚起行動（周囲の注目を得るために行う行動）など種々の原因が考えられる．状況に応じて精神科での専門的な治療を要する．

2) 反抗挑戦性障害

　周囲の大人の叱責や過度の期待や失望は，時として子どもの怒りや攻撃性を引き起こす．かんしゃくを起こし，他人を故意にいらだたせ，規則に従わず反抗するといった行動が小児期よりみられることがあるが，これらは理解のない大人への反抗心によって起こるもので，非行や反社会的行動に直接つながるものではない．子どもの不安や不満への気づきが重要となる．

3) 不登校

　LD の子どもの不登校は小学校低学年から出現し，学習の遅れや理解のない教師との関係がきっかけであることが少なくない．身体や精神の症状を伴う場合には医学的対応が必要であるが，LD の子どもには教育的配慮が不可欠である．ひきこもりに移行する例も多いため，不登校には早期の介入が必要である．

4) ひきこもり

　ひきこもりは「自宅にひきこもって学校や会社に行かず，家族以外との親密な対人関係がない状態が 6 か月以上続いており統合失調症やうつ病などの精神障害が第一の原因とは考えにくいもの」[4]とされ，発達障害では ASD の特徴をもつものを中心として低学年からの長期にわたるひきこもりが問題となっている．学校という特定の場を回避する不登校と違って，社会的な活動全般を回避するひきこもりは，年齢相応の社会体験を積む機会を奪い，子どもの成長・発達に深刻な影響を及ぼす．長期化した場合に家庭内暴力や種々の精神症状を呈することがあるが，本人が受診を拒み治療に難渋することが少なくない．家庭への訪問を行うアウトリーチ型の保健・福祉・医療（精神科）機関との連携が求められる．二次障害への対応において，小児科・内科と児童精神科・精神科との連携が必要な状況を**表 1**[5]に示す．

表 1 児童精神科・精神科との連携が必要なとき

1. 子どもへの対応が必要なとき
①深刻な行動の問題がある 　a. 攻撃性（自傷や他害，破壊，家庭内外での暴力など） 　b. ひきこもり（統合失調症やうつ病など精神疾患の検討が必要） ②精神疾患が疑われる症状がみられる 　a. 幻覚・幻聴・妄想，強い希死念慮 　b. 強い不安や抑うつ，強迫症状
2. 保護者を含め，環境要因への対応が必要なとき
①保護者に発達障害・精神障害・人格障害などが疑われる ②家庭や生活環境が劣悪で介入を要する
3. 関係機関との連携が必要なとき
①ケースワークを要する場合：虐待，家庭内暴力，非行など ②心理職などの関与が必要な場合：心理発達評価，精神療法，SST，ペアレントトレーニングなど

〔金　泰子：発達障害を伴う起立性調節障害への対応．田中英高（編），五十嵐隆（監）．子どもの不定愁訴，小児科学レクチャー 14-1．総合医学社，155-163, 2014〕

4 二次障害を予防するために

a) 教育環境の整備（特別支援教育）

　二次障害を予防するためには，社会におけるLDの認知度を高め，学習に関する支援の幅を広げるとともに内容の充実をはかり，子どもが学びやすい環境を整えなくてはならない．そのなかで，子どもは自己認知を深め，学ぶ機会を得て努力が実る経験を重ね，自己効力感・自己肯定感・自尊感情を高めることができるだろう．あるべき社会環境のなかであれば仲間をつくり，失敗と成功のなかからストレス対処法を身につけ，ストレスに強い心と身体を育てることができる．

b) 支援ネットワークの構築

　子どもが育つ環境をつくるためには，家庭と教育機関だけでなく，保健，医療，福祉，行政，労働などの地域の関係機関が連携し，自立・就労という長期的な展望をもち，支援のバトンをつないでいかなければならない．

　LDの子どもの診療において，二次障害の予防を意識しつつ定期的な見守りをしていても，成長期の子どもゆえに予測できないトラブルにはまり込むことがある．また，LDに気づかれたときには，すでに二次障害のために社会生活が困難な状況に追い込まれている子どもと出会うことも多い．しかし周囲の人々の子どもへの愛情や信頼が揺るがなければ，子どもは失敗から学び，小さな成功を重ねながら成長する．子どもを信じ，子どもに信じられる大人でありたい．

（金　泰子）

引用文献

1) 金　泰子：発達障害と心身症．宮本信也（編）．発達障害における行動・精神面の問題—二次障害から併存精神障害まで．発達障害医学の進歩 23．診断と治療社，9-23, 2011
2) 日本小児心身医学会（編）：日本小児心身医学会ガイドライン集．日常診療に生かす5つのガイドライン．南江堂，2015
3) 小枝達也：発達面から見た心身症および学校不適応の病態．日児誌 105：1332-1335, 2001
4) 三宅由子, 他：地域疫学調査による「ひきこもり」の実態調査．こころの健康に関する疫学調査の実施方法に関する研究 平成16年度総括・分担研究報告書（主任研究者竹島正），89-93, 2005
5) 金　泰子：発達障害を伴う起立性調節障害への対応．田中英高（編），五十嵐　隆（監）．子どもの不定愁訴，小児科学レクチャー 14-1．総合医学社，155-163, 2014

第4章 家庭生活・学習環境づくりと学校生活における支援

C 教育機関との連携

> **Point !**
> - 小・中学校と盲・聾・養護学校には，連携の窓口として「特別支援教育コーディネーター」が指名されている．
> - 通常の学級でできる配慮には限界があることを理解し，具体的な支援方法を助言する．
> - 学校や地域の教育資源の実情を知ったうえで，子どものニーズに応じた多様な教育の場を検討する．
> - 障害者差別解消法施行・改正により「合理的配慮の提供」が義務となった．

1 教育機関とは

　教育機関としては，学校以外にも，教育委員会や教育センター（名称は自治体によって異なる），民間機関であるNPOやフリースクール，塾などがある．LDのある子どもの二次的な問題として，不登校はしばしばみられるが，その場合は，教育支援センター（適応指導教室：自治体によって設置状況は異なる）やフリースクールなどが子どもの教育を支えている．学校以外の教育資源は地域差が大きく，多様である．

2 学校との連携

　学齢期の子どもにとって，生活のほとんどを過ごすのは学校であり，学校生活のほとんどは授業（学習）である．そのため，LDのある子どもは学校不適応を起こしやすい．ICD-10にも学業成績への悪影響が学校中退のリスクを高めることが明記されており，世界共通の課題と考えてよい．

a）連携に際しての基本姿勢

　学校では，多くの同年代の子どもが集まって一緒に活動している．病院で，個別に子どもと接する場面とは異なり，学校では，他児の存在など大量で多様な刺激がある．また，一斉指導では個々の子どものペースにかかわらず学習が進む．さらに，担任との関係，周囲の子どもとの関係は，日常生活全体の質に，大きな影響を及ぼす．個別場面でできることが，学校でもできるとは限らない．保護者や本人からの情報を得て，学校場面特有の困難さを把握したうえで，介入を行う必要がある．また，他児の存在があるため，通常の学級で担任ができる支援には限界があることを知っておく必要がある．

b）連携の窓口

　文部科学省の施策として，小・中学校，盲・聾・特別支援学校，高等学校で「特別支援教育コーディネーター」が指名されている．本来は，この特別支援教育コーディネーターが連携の窓口となるべきであるが，実態は学校や担当者によって大きな差がある．学校によっては，養護教諭やスクール

カウンセラー，スクールソーシャルワーカー，教頭や学校長などがかかわる場合もある．子どもが，通級による指導を受けていると，通級指導担当者がキーパーソンとなることがある．通級による指導とは，多くの時間は通常の学級の授業に参加し，週に数時間程度，特別な場で専門的な指導を受ける制度であり，ことばの教室やLD・ADHD教室などの名称で設置されている．

　2018年度（平成30年度）には，高等学校においても通級による指導が制度化された．近年，大学においても，LDを含む発達障害のある学生への「合理的配慮の提供」が行われるようになってきている．大学によっては，「学生相談室」のような形で窓口が設けられている．

c）通常の学級での支援と個に応じた支援

　通常の学級担任の最も大きな役割は，周囲の子どもとの良好な関係を支え，当該児の学校での役割や居場所を設けることである．LDのある子どもは，学習の困難のために，学校生活で繰り返し劣等感を刻み込まれてしまう．さらに，級友からからかわれたり，いじめの対象とされたりすると学校不適応が悪化する．学級での子どもの自己肯定感を支えることは，担任の重要な役割である．近年，ユニバーサルデザイン（Universal Design：UD）の教育，という考え方が広がってきている．これは，通常の授業を，子どもの多様性に配慮し，どの子にもわかりやすいものにしようとする考え方である．UDとして，情報の提示方法や発問・助言の工夫，ICT（information and communication technology）の活用などの配慮がされると，LDのある子どもにとっても，理解しやすい授業となる．

　読み書きの困難は，学校生活のほぼすべての場面で大きな困難となる．UDに加えて，認知特性に応じた支援（視覚的な情報の提示，読み上げによる補助など）が必要である．

　「障害を理由とする差別の解消の推進に関する法律」（障害者差別解消法）施行・改正により，「障害を理由とした差別の禁止」とともに「合理的配慮の提供」が義務となった．法制度の整備により，タブレットの使用や聴覚過敏への配慮などが合理的配慮として認められるようになった．試験時間の延長は，通常の教育においても「合理的配慮」の1つとして受け入れられつつある．

　一斉指導のなかでの個への配慮には限界があるが，個に応じた手厚い支援を行う場として，通級による指導（通級指導教室）や小・中学校では特別支援学級などがある．高等学校においては，普通科だけでなくさまざまな専門学科や，全日制・定時制・多部制・通信制など多様な教育課程が設置されている．発達障害のある生徒は，通信制の高等学校を選択することも多い．生徒の特性・実態に応じた進路を選択すると適応状態は改善する．

　医療スタッフは，このような学校の実情を理解したうえで，発達障害の認知特性に応じた具体的な支援方法，子どもの状況に応じた多様な教育の場の必要性などを，専門家の立場から助言することが期待される．また，学校の配慮に対するフィードバックができるとよいだろう．

3　学校以外の教育機関（地域の教育資源）

　多様な教育の場として，学校以外の地域の教育資源についても知っておくとよい．

a）教育支援センター（適応指導教室）

　不登校の児童生徒の支援を行っている公的な機関．専門のカウンセラーや指導員を配置して手厚い支援を行っている地域から，未設置の地域まで，自治体により設置状況は大きく異なる．

b) 教育センター

　地域によって名称や実態は異なるが，教育相談としてLDの子どもたちへの専門的な支援を行っていることもある．教育委員会の機関なので，学校との調整に貢献できる（後出「資料」p.176参照）．

c) 民間機関

　公的機関に比べると，制度的にも予算的にも不安定で教育の質も多様であるが，枠に縛られない柔軟な配慮が可能なところが多い．後の「資料」p.178も参照のこと．

（鳥居深雪）

第4章 家庭生活・学習環境づくりと学校生活における支援

D 療育施設との連携

Point！

- 改正「児童福祉法」施行に伴い障害種別に分かれていた施設体系が障害児通所支援へと一元化が行われ，実施主体がすべて市町村になった．
- 療育が対象とする障害児には発達障害も含まれており，児童相談所，市町村保健センター，医師などにより療育の必要性が認められた子どもも対象となる．
- 就学前であっても発達の過程で読み書きの困難さが予想される場合は，学校への移行支援だけではなく，必要な支援につながるよう医療機関とも連携をはかることが大切である．

1 障害児通所支援

2012年4月の児童福祉法改正法施行にともない，それまでは①障害者自立支援法に基づき実施されていた事業系（児童デイサービス）と②児童福祉法に基づいて実施されていた施設系がどちらも児童福祉法に根拠規定が一本化され，同時に障害児施設の一元化が行われた．また，改正後はすべて実施主体が市町村になったため自宅の近くで療育が受けやすくなり，就学後の療育（放課後デイサービス）や保育所，幼稚園，学校など療育施設以外の場での支援（保育所等訪問支援）などサービスの種類も増えた．さらに，2018年4月，重度の障害などにより外出が困難な障害児に対する居宅を訪問して発達支援を提供するサービスとして「居宅訪問児童発達支援」が創設された．

事業所の数の増加にともない，2019年には2014年と比べ，児童発達支援（未就学児）を受ける子どもの数は約1.7倍，放課後デイサービスを受ける子どもの数は約2.6倍と大きく増えている[1]．

2019年10月1日より，3歳から5歳までの児童発達支援等（表1）の利用者負担が無償化され，満3歳を迎えてから初めての4月1日より3年間利用者負担は無料となっている．

表1 利用者負担が無償化されたサービス

・児童発達支援	・福祉型障害児入所施設
・医療型児童発達支援	・医療型障害児入所施設
・居宅訪問型児童発達支援	
・保育所等訪問支援	

〔厚生労働省「就学前の障害児の発達支援の無償化について」より作成〕

2 療育における「障害児」

それぞれの施設・事業所が行う専門的な発達の支援を一般的に「療育」とよび，「障害児」を対象としている．児童福祉法における「障害児」には身体障害と知的障害のほかに「発達障害児」すなわ

ち，「自閉症，アスペルガー症候群その他の広汎性発達障害，学習障害，注意欠陥多動性障害その他これに類する脳機能の障害であってその症状が通常低年齢において発現するもの」（発達障害者支援法第二条）も含まれている．さらに「手帳の有無は問わず，児童相談所，市町村保健センター，医師等により療育の必要性が認められた児童も対象[2)]」とされているため，障害者手帳をもたず，発達について医療機関を訪ねた経験もないまま療育に通い始める子どもが非常に多い．実際に，療育施設に通っている子どもの幅は年々広くなり，以前なら療育の対象とはならなかったような子どもたちが，保健センター，幼稚園，保育所から療育をすすめられて施設を訪れるようになった．

3 療育について

療育施設を訪れる保護者からの主訴としては「ことばが遅い」「友達と遊べない」「集団に沿わない」「落ち着きがない」「かんしゃくがきつい」といったことばの遅れ，社会性，多動衝動性に関するものが多い．療育場面では課題やゲームを通してコミュニケーション，ソーシャルスキル，学習に焦点を当てた指導を行っている．感覚・運動面に対するアプローチとして作業療法などを行う施設もある．幼児期は個人差が大きいため，それぞれの子どもの成長にあわせた課題設定を行い，発達全体の底上げをはかるといったボトムアップの視点で取り組む必要がある．

しかし，一方で就学を見据えたトップダウンの視点も必要である．特に読み書きについては，就学の準備として子どもの能力にあわせて積極的に指導をしていく．文字指導は子どもの学習を促すだけではなく，読み書きに困難さをもつ子どもの発見にもつながる．

軽度知的障害のある子どもでも，年長になれば文字に関心をもち少しずつ読み始めるといったことがよくみられる．しかし，平均もしくは平均に近い知的能力があっても，文字への興味が薄く，指導をしてもひらがな読みの習得が困難なケースがある．彼らの特徴としては，知的なレベルに対して語彙が少ない，「テレビ」を「てびれ」というなどの音の混乱がみられる，数の概念はあるが「イチ」「ニ」といった数詞が出てこない，聞き返しが多い，などがあげられる．彼らに対しては就学後の読みの習得に困難が予想されるため，就学前にひらがなの読みを目標に指導していく．単語の音韻分解や音の抽出といった音韻意識を育てるような課題や，しりとりなどのゲームを取り入れて指導を行っている．これらの課題やゲームは，子どもがまだ文字を読む前の段階であったとしても必ず文字を見せながらするのが文字学習につなげていくコツである．幼児期の子どもにとっては，ことばを構成する音を使って遊ぶことが最も大切な文字学習になる．

その一方で，読みは比較的早く取得したにもかかわらず，なかなか書字にいたらないケースもある．療育では，型はめ，ジグソーパズル，図形選択，迷路，点結び，線模写など形をとらえる課題や運筆課題を指導に取り入れている．そのなかで書字に困難さをもつ子どもたちは，運筆コントロールのぎこちなさもあるが，それ以上に形，線の向き，線の交わりなどを捉える力が弱いのではないかと感じられる．彼らは絵を描くことも苦手であることが多く，その一方で年齢にそぐわないような大人びた話し方をする子どももおりそのギャップに驚く．年長児になっても，三角や四角といった基本的な図形が描けない子どももいる．そのような子どもには角をとることや「たて」，「よこ」，「ななめ」といった線の書き方など基本的なスキルの習得から指導していく．

4 医療機関との連携

上述したように，療育を受けている子どもの多くは未診断である．子どもに対する実際の指導や，

子どもの特性や具体的な対応の仕方などを保護者に伝えていくことは「療育」の得意とするところである．しかし，「特性」と「障害」は保護者にとって必ずしも同じ意味をもつとは限らない．特に読み書きについては，習得の困難さが予想されても「小学校に行き始めたら何とかなるのではないか」という思いをもつ保護者も多い．子どものもつ困難さを「社会的コミュニケーションの問題」と「読み書きの問題」などそれぞれの要素に分け，それに応じた適切な支援に結び付けていくためには，「特性」の理解だけではなく「障害」として診断を受けることが必要になることもある．診断がつくことで福祉・教育の支援による学習の保障が必要であると考えられる子どもに対しては，医療と学校が必要に応じて連携がはかれるよう土台づくりをするのも重要な就学準備であると思われる．

　「障害」として「診断」を受けることは，保護者にとってショックではあるが，同時に子どもの将来への見通しをもち，特性の理解や支援に向けて積極的になるきっかけになることもある．「障害」のついた診断を保護者とともに受け止めこれから起こる困難を支えるための「使えるアイテム」として一緒に使い方を考えるのも療育の役割であると考える．また，子どもにとっても，物心がついたころには困ったときは自分から必要な医療機関にかかることが当たり前になっていることが，将来医療的な支援を受ける必要性が生じた際の近道になるのではないだろうか．

（松尾育子）

引用文献

1) 厚生労働省．障害児サービスに係る利用児童数等の推移（サービス種類別）．障害児通所支援の現状等について．第2回　障害児通所支援の在り方に関する検討会，参考資料4．
　(https://www.mhlw.go.jp/stf/newpage_19633.html)
2) 厚生労働省　障害児通所支援の現状等について　2021年

第4章 家庭生活・学習環境づくりと学校生活における支援

E 作業療法士との連携

Point！

- 作業療法士は，子どもが抱える困難さの原因を分析し，支援を行う．
- 作業療法士の学習支援は1人ひとりの子どもに対応したオーダーメイドなものとなる．
- LDが疑われる子どもは，作業療法の支援を受けることができる．

1 作業療法

a）作業療法とは

　作業療法士は，医療・保健・福祉・教育・労働などに幅広くかかわる．発達分野においては障害のある子どもに対し，遊びや学習などを含む作業活動を利用して，個々の子どもの発達課題（運動機能，日常生活技能，学習基礎能力，心理社会的発達など）や障害の軽減に取り組む．また課題を達成するための人的・物的環境調整を適宜行う．

　具体的には，子どもが作業している状態を観察し，作業がよりよくできることを目標に，子どもがやる必要があり，やってみたい作業を可能にする[1]．

　子どもの作業をよりよく可能にするためには，
① 子どもの状態に合わせ，姿勢・運動，感覚調整，手・身体の使い方を改善する．
② 子どもにあった課題を選び，やり方を工夫し，達成感のもてる方法で心の満足を助ける．
③ 道具や器具を使いやすく工夫したり，椅子や机，教室の環境を調整したりすることで，作業に集中し，作業を行いやすくする[1]．

b）作業療法士の働く場所

　作業療法士は，医療機関であれば総合病院やリハビリテーション病院，療育施設，地域では保健センターや教育センターまたは教育委員会，作業所などで働いている（図1）．

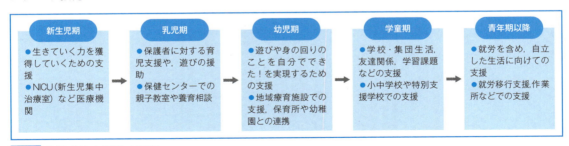

図1　作業療法士が働く場所

2 アセスメントと個別支援

a）作業療法士の専門的視点

　作業療法士は子どもが示す現象に対して対症療法的に支援するのではなく，子どもが抱える困難さ

の原因を分析し，支援を行う．また子どもにとって，最も身近な人的環境である保護者の支援も行う．文字を覚えられない，書けない，などの視写困難の原因は1つではない．そのため，詳しい評価と個々に対応した支援が必要となる．すなわち作業療法士の支援は，1人ひとりの子どもに対応したオーダーメイドなものとなる．

b) 作業療法士のLDの子どもアセスメントと支援

LDの子どもの文字が書けない，覚えられない，視写ができない原因は様々である．
「文字を覚えられない」原因の1つに，手の動きを感じにくい場合がある．文字は見て覚えるだけではなく，身体の運動で覚えるのである．動きが感じとれず「文字を覚えられない」子どもに何度も文字を書かせることは有効ではない．作業療法で対策できる原因の例として，①筋緊張が低い（姿勢が悪い・鉛筆の持ち方が定まらない），②身体の基本軸が定まらない，③眼球運動が苦手，④図地判別が苦手，⑤記憶・再現することが苦手，⑥空間の位置関係が捉えにくい，⑦構成することが苦手，⑧固有感覚を感じとりにくい，⑨こだわりをもっている，などである．
LDの子どもの作業療法アセスメントと支援として，**図2**に筋緊張が低い子どもの例を示す．

c) 作業療法士との連携

LDの問題が疑われる子どもは，診断名がついていない段階であっても作業療法の支援を受けることができる．医療機関で作業療法を受けるには医師の処方が必要である．また，保健センターや教育センター，発達支援センターに作業療法を受けたいと相談し紹介されることもある．学校や教育センターへの相談で支援を受けられることもある．その他，各都道府県の作業療法士会もメールでの相談事業や，一部学校などへの派遣事業を行っている．作業療法士との連携により道具や学校での環境の調整が可能となり，さらに周囲の理解不足による自尊感情の低下などの二次障害を防ぐことができる．

（尾藤祥子，丹葉寛之）

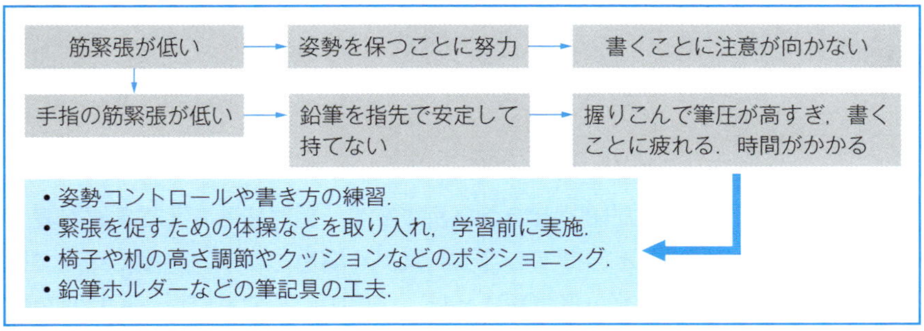

図2 LDの子どもの作業療法アセスメントと支援の例（筋緊張が低い場合）

筋緊張が低い → 姿勢を保つことに努力 → 書くことに注意が向かない
手指の筋緊張が低い → 鉛筆を指先で安定して持てない → 握りこんで筆圧が高すぎ，書くことに疲れる．時間がかかる

- 姿勢コントロールや書き方の練習．
- 緊張を促すための体操などを取り入れ，学習前に実施．
- 椅子や机の高さ調節やクッションなどのポジショニング．
- 鉛筆ホルダーなどの筆記具の工夫．

引用文献

1) 大阪府作業療法士会：作業療法士からの提案：発達障がいのある児童・生徒への学習および学校生活援助．3, 2008
http://osaka-ot-jp.sakura.ne.jp/fot/wp-content/download/pamphlet/hattatusyougai.pdf

参考文献

- 神作一実：Introduction. 長崎重信（監），神作一実（編）．作業療法学ゴールドマスターテキスト7 発達障害作業療法学．メジカルビュー社，2-6, 2013

第4章 家庭生活・学習環境づくりと学校生活における支援

F 生活活動の管理・長期休暇の過ごし方

> **Point！**
> ▶ LDの子どもの生活活動の特徴を知り，日常生活での困難さを改善する．
> ▶ 長期休暇では生活のリズムが崩れやすく，そのまま不登校へつながることもある．そうならないために普段から体内時計を意識し生活のリズムを整える．スマートフォン，パソコン，ゲームなどの付きあい方に注意する．

　LDの子どもたちは，ADHDやASDなどの発達特性を合併していることも多く，また脳の情報処理の仕方がユニークなために日常生活の習慣が身につかなかったり日常生活で困難さを抱えていたりする．また最近，インターネットの普及によりソーシャル・ネットワーキング・サービスの利用を，またパソコンやスマートフォン，タブレットなどの使用を夜遅くまで行うことにより，小学校高学年から中高生において生活のリズムが崩れやすくなっている．LDをはじめ発達障害の子どもは行動の切り替えが難しく，さらに睡眠のリズム自体が不安定で，熟睡できない子どもは少なくはない．生活のリズムがいったん崩れると元に戻しにくく，睡眠障害をきたし，不登校となるケースが多く，注意が必要である．とくに長期休暇で生活のリズムが崩れることが多い．ここでは，生活活動での対応や注意点，崩れやすい生活リズムを整えるための注意点と，長期休暇後の生活リズムが崩れてしまったときの対応について述べる．

1　生活活動の管理[1) 2)]

a）食事

1）偏食が多い
　食べ物の好き嫌いには味，匂い以外にも食感が嫌いという場合が多く，調理法を変えて食感を変えてみる．食べ物が熱かったり冷たかったりすると口にすることを嫌がる場合もあり，温度に気をつけてみる．特定の物を食べていたときに嫌な経験（小骨が刺さった，食事中に雷の音にびっくりしたので，そのとき食べていたものを嫌がるなど）を思い出してしまって嫌がることもあり，その体験に応じて，大丈夫だと安心感をもってもらうようにする．

2）食事の時間に食べない
　夕食を待てずに，食事前におやつを食べてしまい，夕食時はおなかが空いていないためだらだら食べや遊び食べになることがある．そのときは食事の時間をきめて食べ終わる時間がきたら食事を片づけてしまう，食事前はおやつを食べず，最後におやつやデザートを食べたら食事はおしまいにするなど，子どもと話しあってルールを決める．

b）清潔に過ごす

1）歯磨き

歯磨きが適当になってしまっている理由は子どもの集中力が続かないためであることが多い．歯磨きアプリなどを利用してゲーム感覚で行う．口の中の感覚が過敏で，刺激を感じてしまっている場合もあり，そのときは子どもと話しあって，無理強いはせず毎日続けられる方法を一緒に探していく．

2）入浴

入浴前に服を脱ぐ，髪を洗う，身体を洗う，身体をふく，服を着るといった一連の行動が面倒だと思っていることが多い．面倒だと思うことをかき消すような「お風呂に入りたい」と思える動機付け（風呂用具をキャラクター付きのものにする，おもちゃで遊ぶ時間をとる，など）が必要である（入浴中に好きな入浴剤を入れたり，風呂用おもちゃで遊ぶなど）．

3）汚れが気にならない

汚れを落とすべきものと認識していない場合が多く，また周囲からどう見られているかが気にならないことが多い．何が汚れなのかを伝え，汚れの意識化が必要であり，汚れた服をみたときは「汚れちゃったね」，「汚れを落とすと快適できれいになるよ」と声かけをする．

c）スケジュールや持ち物の管理

1）持ち物をなくす

子どもと一緒になくしやすい物のチェックリストを作る．なくしたことに気がつけずなくしたものを探そうとしないため保護者から怒られるが，探し方が分からないことが多い．そのため，いつ持ち物チェックをするか，なかったときにどこを探すかを教える．それでも持ち物管理が苦手な子どもはなくすことも多く，なくさないで持って帰ってきたときには，褒めて，探しているときは，「落ち着いて探せば見つかるよ」と声かけをして，どうしても見つからないときは，気持ちの切り替え方や，代わりになる物を持って行くなどの対処方法を子どもと一緒に考える．

2）忘れ物，置き忘れ

同様に持ち物を確認する習慣をつけるためにチェックリストをつくる．忘れなかったら褒める．移動するときに，自分がいたところをみて忘れ物がないかを確認するように声かけをする．

3）時間を守れない

時間の感覚が捉えにくく，他の好きなことに集中しすぎることが原因となることが多い．また不注意で待ちあわせ時間や場所を間違うことも多い．カレンダーの利用や独自でスケジュール表をつくり，大きな字で時間と場所を書き，見える所に貼っておく，時間がきたら声かけを頼んだりやタイマーを利用し，またスマートフォンを使用していれば，スケジュール管理のアプリなどの利用をする．

d）生活リズムを整える

平成23～24年に実施された中学生の不登校に関する実態調査より不登校の原因として第1位の友達との関係（53.7％）に次いで，生活のリズムの乱れ（34.7％）が第2位であった[3]．そのためLDの子どもだけでなく，思春期の子どもたちには生活リズムを整えることは大切である．また小児の睡眠障害の調査で睡眠障害のきっかけとなった睡眠を不足させた要因としてインターネット，ゲームが31.0％と高かった[4]．またLDに併存しやすいADHD，ASDではインターネット，ゲームに依存傾向を示しやすいといった報告がある[4]．そのためスマートフォン，パソコン，タブレットと正しく付きあう必要がある．

1) 体内時計を整える

　人間の睡眠は目覚め活動していると体内に睡眠物質が蓄積しその量が増加すると睡眠が誘発される仕組みと，体内時計機構に支配された時刻依存性に睡眠時間が決定される仕組みの異なる2つの機構で支配される[5]．生活のリズムが崩れると睡眠のリズムが崩れ，睡眠障害をきたし不登校となる．そのため睡眠障害をきたさないためには体内時計を整える必要があり次のようなことが大切である[6]．

　①起床したら，部屋のカーテンを開け日光を取り入れ子どもが光を浴びることで体内時計のスイッチをオンにする．

　②同じ時刻に起床する．また休日の起床時刻も平日より2時間以上遅くならないようにする．夜間の総睡眠時間に関係なく，早起きをする．早起きが早寝に通じることを考える．（早寝を意識しすぎると，眠らないといけないという意識が交感神経を活発にさせ，さらに眠れなくなるため）

　③規則正しい食事の習慣が必要である．朝食は心と身体の目覚めに重要である．

　④運動習慣を身につける．運動習慣は熟睡を促進する．

　⑤就寝4時間前はお茶やコーヒーなどのカフェイン摂取をさける．

　⑥就寝1～2時間前にぬるめのお湯で入浴をする．（ぬるめのお湯で入浴は，自律神経のうち副交感神経を活発にさせ，身体を癒やす作用がある．また熱いお湯の温度であると交感神経が活性化し寝つきを悪くするため）

　⑦夜は照明を明るくしすぎないようにする．

　⑧就寝前のパソコン，テレビ，タブレット，スマートフォンの利用をさける．

2) スマートフォン，パソコン，ゲームと正しく付きあう[7]

　①時間を制限して，連続使用は1時間以内にする．これらを使用すると，眼精疲労を起こしやすく，交感神経活動が高まりなかなか寝付けなくなるため，就寝する1時間以上前には終了する．

　②LDの子どもでは途中でやめることができない．時間がどれくらいたったか，あるいは，あとどれくらいかかるのかといった時間の感覚をつかむことができないためと思われる．そのため時計などをつかって常に時間を意識させる練習をしておくとよい．たとえば20時に終了する10分前に声掛けをして，「今何時」と聞く．子どもが答えたら「あと10分ね．20時になったら教えてね」と頼んでおく．子どもが20時と教えてくれたら，「忘れずに教えてくれたね，ありがとう」と褒めることも忘れないようにしておく．またスケジュール表を貼り出すのもよい．宿題をする時刻，テレビをみる時刻，ゲームをする時刻，入浴する時刻，就寝する時刻など．

2　長期休暇の過ごし方

a) 生活活動での管理を継続する

　長期休暇でも❶の生活活動での管理を気長に継続する．とくに体内時計を意識し生活のリズムを整える．休日でも朝は早く起きるようにする．いったん昼夜逆転すると元に戻しにくく，睡眠障害をきたし，長期休暇明けに不登校となるケースは多く，注意が必要である．長期休暇になると特にスマートフォン，パソコン，ゲームなどの付きあい方に注意が必要である．

b）長期休暇明けに不登校となった場合の対応

1）身体的原因がないかどうか確認し対応する

①起立性調節障害（以下 OD）

朝起きられない，夜眠れない，立ちくらみ，頭痛，立っていると気分が悪くなる，全身倦怠感などの症状があれば OD を疑わなければならない．OD は，思春期で最も起こりやすい疾患の 1 つである．OD の症状は午前中強く，午後から回復し，夜には元気になり目がさえて寝つけない．布団に入ってもいつまでも眠くならない．副交感神経は夜に活動が増え，朝に活動低下するという日内リズムがあるが，起立性調節障害では夜に活動が増えないので，眠くならない．退屈なのでテレビやゲームをやってしまう．保護者からすると，夜更かしの朝寝坊，怠け者，という印象をもってしまい家族関係も悪化する．不登校の 3〜4 割に OD を伴っているという報告もある．そのため適切な対応が必要である．

②その他器質的疾患

頭痛などの訴えは片頭痛など一次性頭痛が多いが，脳腫瘍もまれにあるため頭部画像検査も考慮する．落ち着きのなさ，動悸，食欲亢進，倦怠感，不眠などの症状は甲状腺機能亢進症も考慮が必要である．その他症状に応じて検査が必要である．

③ <u>ASD には睡眠リズムの問題以外に過敏性による入眠困難や，ADHD にはむずむず足症候群や睡眠関連呼吸障害群が合併しやすいため，症状の有無を確認し対応が必要である</u>[8]．

2）心理的原因がないか確認し対応する

心配なことや，不安なこと，悩みごとがないかどうか考慮する．LD では，学年があがるにつれ，勉強が困難となり，そのことで他者との違いに敏感になり，自尊心が低下し学校へ行くこと自体がストレスになっている場合も多い．またいじめの対象になっていることもある．長期休暇に入るまでは，無理して登校していたが，長期休暇が明けてから不登校になるケースも多い．そのためできるだけ早い段階で，その子どもの認知や学習上の問題を明らかにしその子どもにあった学習の仕方を考え支援することが大切である．また学習以外の面で，その子どもがうまくやれていることや，がんばっていることを評価し伸ばしていくことによって，その子どもの自尊心を向上させることも必要である．またいじめがあっても，そのことを保護者や学校へいわないことも多いため，先生や保健室の養護教諭などに注意深くみてもらい，いじめがあれば対応してもらう．

3）生活リズムが狂っていないか確認し対応[6]

①生活リズムを整える

①の d）の 1）の項目を再度施行してもらう．しかし一度生活リズムが狂ってしまうと，元に戻すのはむずかしい．生活リズムはつける必要があるため，朝の登校がむずかしいようなら昼からでも登校を行うようにする．

②睡眠環境の整備

寝室は暗く，静かに，暑すぎず，寒すぎないようにする．

③入眠前の心身の調整

眠ろうとする意気込みが頭をさえさせ寝つきを悪くするため，就床時刻にこだわりすぎない．就寝前の歯磨きや短時間の読書など条件反射的に睡眠を導くような個人に見合った入眠儀式を習慣づける．ただしテレビやスマートフォン，パソコンの視聴は禁止する．

（中尾亮太）

引用文献

1) NPO 法人　全国 LD 親の会：発達が気になる子の子育てモヤモヤ解消ヒントブック　生活の基礎づくり編　2021
2) NPO 法人　全国 LD 親の会：発達が気になる子の子育てモヤモヤ解消ヒントブック　集団の生活編　2021
3) 田島世貴：不登校と睡眠障害・小児慢性疲労症候群．兵庫県立リハビリテーション中央病院　子ども睡眠と発達医療センター（編）：いま，小児科医に必要な実践臨床　小児睡眠医学 41-49, 2015
4) 豊浦麻記子，他：小児睡眠障害とICT（情報通信技術）依存．兵庫県立リハビリテーション中央病院　子ども睡眠と発達医療センター（編）：いま，小児科医に必要な実践臨床　小児睡眠医学 69-76, 2015
5) 小曽根基裕：睡眠医療（睡眠学）の基礎知識．山寺亘（監）．初学者のための睡眠医療ハンドブック．診断と治療社，2-9, 2008
6) 山寺亘：睡眠障害の治療　非薬物治療．山寺亘（監）．初学者のための睡眠医療ハンドブック．診断と治療社，90-97, 2008
7) 上野一彦：図解よくわかる LD［学習障害］．ナツメ社，64-65, 2008
8) 志村哲祥，他：発達障害と睡眠．駒田陽子・井上雄一（編）：子どもの睡眠ガイドブック．129-136, 2019

Q1 本人への告知について留意点を教えてください

A LDの診断は小学校中〜高学年以降になることが多いと思われます．子どもの理解力にあわせ，伝え方には工夫が必要ですが，この年齢での告知は可能だと考えます．

告知は必要に応じて相談や治療に関与できる医師が行うことが望ましく，保護者がわが子の障害を理解し告知を了承していること，学校内外の支援体制が整っていることが前提となります．

告知のタイミングは，子どもが「何で自分だけうまくいかないんだろう」と悩み始めたとき，他の子どもと自分との違いに気づき「いくらやってもダメ」「どうせ自分なんて」と意欲や自尊感情が低下しているとき，あるいは学びに関する特別な手立てや精神面での治療が必要になったときです．

告知の際には言葉だけでなく，絵や図・文字などの視覚情報を用いることが役立ちます．LDの説明は大人でも聞いて→理解し→記憶することがむずかしいものです．電子カルテやパソコンにリアルタイムで子どもと医師とのやりとりを記録し，画面を子どもに向けて内容を確認しながら告知する方法も有用です．

告知においては診断名に重きをおくのではなく，評価の内容とそれに基づいた対処法を伝えることが重要です．「苦手なことには理由がある」こと，それは「脳の働きと関係がある」「もって生まれた脳タイプ（特性）」であることを説明します．そのうえで，苦手なことばかり気になり，得意なことに自信がもてない子どもに，凸凹がある結果の凸の部分を示し，「できることを生かして学ぶ方法があること」や「家族以外に学校や地域で応援してくれる人がいる」ことを伝えます． （金　泰子）

Q2 受験準備や就職，社会適応の相談にどう対処すればよいでしょうか[1)-3)]

A 「全国LD親の会」では2003，2006，2009年の実態調査をベースに2016年にLDなどの発達障害のある18歳以上の子どもをもつ会員を対象（対象者数1,352人，回答者数629人，回収率46.5%）に高等教育，就業などの調査を実施しています．その結果，高等学校への進学は79.8%でした．また高等教育へは57.1%進学していました（大学47%，短大・高専12%，専門学校等39%）．現在の状況として在学中99人，就業・一般100人，就業・障害240人，パート16人，支援事業所102人，職業訓練6人，在宅・その他56人でした．職種としては，事務・事務補助，清掃，品出し，看護助手，介護職，コンピュータソフト開発などの報告があります[1)]．同時に複数の作業をこなしたり，臨機応変な調整が必要である仕事はLDの人には，向かないとされています．しかし，「それは無理」と決めつける前に，子ども自身の気持ちを受け止めることが大切だと思います．子どもに目標を決めさせてから，そのためには何が必要かを準備してみます．どうしても目標を変更しなければならない場合も子どもに決めさせ得意なことに注目し，あくまでも自分で進路を決めたという実感を大切にしてください．しかし就職しても短期間で離職してしまう人もいます．その理由として「1度に2つ以上の仕事をたのまれたが，できなかった」「電話や会議のメモがとれなかった」など．そのため職場の人に本人の特性を理解してもらい，同僚にメモをとってもらう，上司に仕事の優先順位をつけてもらうなど助けてもうことも必要です[2),3)]． （中尾亮太）

1) 全国LD親の会：教育から就業への移行実態調査報告書　Ⅳ，9-67，2017
2) 上野一彦：図解よくわかるLD［学習障害］．ナツメ社，130-135，2008
3) 山口薫：親と教師のためのLD相談室．中央法規，138-139，2011

COLUMN

専門機関と学校との連携の重要性

2012(平成24)年の文部科学省の調査によると，質問項目に対して担任教諭が回答した内容から，知的発達に遅れはないものの学習面または行動面で著しい困難を示すとされた児童生徒の割合は6.5%との結果が示された．これは，各学級において支援の必要な子どもが少なくとも1～2人存在するということである．また，そのような子どもを早期にフォローするためには，教諭の「気づき」も重要となる．学校現場においては，「少し幼いだけで，そのうちできるようになる」と経過をみることに終始し，対応が遅れてしまう場合が多くみられる．このような現状に対して，担任教諭は通常のクラス運営に加えて，支援を要する子どもの困難さに気づき，適切な指導や支援を行うための専門性が求められることになる．

しかし，適切な評価と指導ならびに合理的配慮を実践できる教諭の数は少ないといわざるをえない．そのため，専門機関で指導プログラムを受けている子どもも少なくないが，学校での指導方法と専門機関での指導方法が異なると，子どもに混乱をきたし，スキルの習得の妨げとなってしまう．望ましい支援が行われなかった場合，学習への苦手意識が増して二次障害が生じやすくなり，不登校などへと陥ってしまう．このような事態に陥らないためには，指導プログラムを実施している専門機関と学校とが連携し，子どもの情報と課題を共有化することで，子どものニーズに応じた総合的な支援を実施することが重要であると考えられる．

学校と専門機関との連携は不可欠であるが，現状として十分な連携が成されているとはいいがたい．そのおもな要因として，学校と保護者，保護者と専門機関は直接的な連携をはかることが多いが，学校と専門機関が直接情報交換し連携をはかることは少なく，保護者が双方のあいだをとりもつ点があげられる(図)．そのような状態では，学校での状況や専門機関での支援方法などを保護者が双方から聞いて，説明することになるため内容の食い違いが生じやすくなってしまう．また，発達障害のある子どもは，学校での集団場面と専門機関での個別や少人数グループでの指導での様子が異なることも多いため，その差異を伝えようとするとさらなる情報の錯綜を招くこととなる．

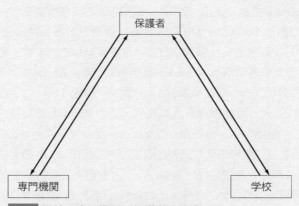

図 学校・専門機関・保護者の連携

望ましい連携の形は，保護者の了承を得たうえで，専門機関の指導員と学校の担任教諭(または特別支援学級教諭や特別支援コーディネーター)とが直接連絡を取り合い，保護者，教諭，指導員の三者で情報の共有化ができることである．そのための方法として，

①学校のケース会議に専門機関の指導員を招聘する，
②担任教諭などが専門機関に出向く，
③担任教諭などが本人や保護者に同行して専門機関に出向く，

④文書やEメールで連絡をとる，
⑤遠隔会議システムを利用したオンライン面談を行う，
などが例としてあげられる．

　①のように専門機関の指導員が学校に出向き，関係する教諭すべてと情報および支援方法を共有できることが最も望ましいのであるが，業務の都合上，実際に行うことはむずかしい．そのため，大阪医科薬科大学LDセンターでは，おもに②・③のように教諭などがセンターに赴く場合や，④の子どもの評価と特性に応じた支援方法を記した文書を保護者・学校側に提供する場合が現在のところ多い．文書を作成する場合は，学校側より現状を記した文書を事前に送っておいてもらえると，現状にあわせて担任教諭が実行可能な支援方法を考えることができ，より実用的になろう．加えて言語聴覚士や公認心理師などの専門職の役割を広く教諭に認知してもらうことも連携をとっていくためには重要であろう．

　また，近年では遠隔会議システムが広く普及してきている．これらを利用することで移動に伴う時間的制約が緩和されるため日程調整が容易となり，保護者，教諭，指導員の三者で情報共有のための面談を行うことができる．今後は，このようなICTを活用した情報共有の有用性が高まっていくと考えられる．

　以上のように，専門機関と学校が双方で別々の支援を行うのではなく，情報と課題を共有して共通認識のもと，それぞれ支援の役割分担を行うことで子どもにとって望ましい支援体制がつくられるといえる．

（竹下　盛）

資料

相談機関・ウェブサイト

▶ 教育関係

1. 教育センター（教育研究所）

　令和2年4月1日現在，全国教育研究所連盟に加盟しているのは，国立教育政策研究所をはじめとし，民間・大学31機関も含めた170機関である．（**表1**）

表1 全国教育研究所連盟　地区別設置者別加盟機関数（令和2年4月1日現在）

	北海道	東北	関東	東海北陸	近畿	中国四国	九州	計
国・都道府県	1	6	13	6	6	9	8	49
政令市	1	1	8	1	4	2	3	20
市区	2	9	11	10	12	5	11	60
郡町村	9	0	0	0	0	0	1	10
民間・大学	1	0	27	1	2	0	0	31
計	14	16	59	18	24	16	23	170

（全国教育研究所連盟ウェブサイトより）

　各教育センターは，全国教育研究所連盟のウェブサイトで検索できる．
　（https://schit.net/zenkyou/）
　特別支援教育に関しては，独立行政法人国立特別支援教育総合研究所（特総研）を中心として，全国特別支援教育センター協議会があり，こちらには令和3年4月1日現在，61機関が加盟している（全国教育研究所連盟との重複登録も有り）．
　（http://www.nise.go.jp/zentokusen/kikan.html）
　特総研は，わが国における特別支援教育の充実・発展に寄与するために設立された文部科学省直轄の研究所である．特別支援教育にかかわる研究や情報収集・発信，研修などの事業に取り組んでいる．
　また，特総研が管理している「インクルーシブ教育システム推進センター（http://www.nise.go.jp/nc/about_nise/inclusive_center）」，「発達障害教育推進センター（http://cpedd.nise.go.jp/）」では，指導方法や支援，教材・教具などの様々な情報を提供している．
　一方，民間の教育研究機関の団体としては，民間教育研究所連盟（民教連）が活動している．
　（http://minkyouren.jp/）

（注）新潟市特別支援教育サポートセンターや神戸市特別支援教育相談センターのように全国の団体に加盟していないセンターもある．

2. 都道府県教育委員会，市町村教育委員会

　各都道府県，政令指定市，市町村の教育委員会は，地域の教育センター，特別支援学級，通級指導教室などの紹介や就学相談などに応じている．
　都道府県教育委員会・政令指定都市教育委員会一覧（文部科学省ウェブサイトより）
　（https://www.mext.go.jp/b_menu/link/kyoiku.htm）

福祉関係

1．児童相談所（家庭児童センター）
18歳未満の児童に関する様々な相談（養護相談，保健相談，心身障害相談，非行相談，育成相談など）や判定（療育手帳）などを行う．近年は，増加の一途をたどる児童虐待の対応に追われている．

▶ 全国児童相談所一覧（厚労省のウェブサイト）
https://www.mhlw.go.jp/stf/seisakunitsuite/bunya/kodomo/kodomo_kosodate/zisouichiran.html

市町村においては，家庭児童相談室が設置され，子どもや家庭の援助を行っている．

2．発達障害者支援センター
発達障害児（者）への支援を総合的に行うことを目的とした専門機関である．全国の発達障害者支援センターの一覧は国立リハビリテーションセンターが管理している発達障害情報・支援センターのウェブサイト（http://www.rehab.go.jp/ddis/action/center/）で検索できる．

療育・精神保健関係

1．児童発達支援センター
おもに就学前の乳幼児を対象に様々な発達支援を行う．保護者の発達相談も行っている．

▶ 福祉型児童発達支援センターと医療型児童発達支援センターがある．

通所により利用する身近な療育の場．地域の障害児やその家族への相談，障害児施設への援助・助言を併せて行う．医療型児童発達支援センターでは，医療の機能も有しており治療が受けられる．

▶ 地域によって設置母体や名称は異なる（「療育センター」「児童デイサービス」や固有の名称など）．

2．放課後等デイサービス
小学生～高校生対象　障害のある児童が放課後や休日に利用できる福祉サービス．

3．保健所，市町村保健センター（療育相談，精神保健）
保健所 https://www.mhlw.go.jp/stf/seisakunitsuite/bunya/kenkou_iryou/kenkou/hokenjo/

4．精神保健福祉センター
「全国精神保健福祉センター長会」「全国精神保健福祉センター一覧」
（https://www.zmhwc.jp/centerlist.html）

就労支援関係

1．障害者職業センター
地域障害者職業センターとそれを統括する全国障害者職業センターがある．地域障害者職業センターでは障害者に対する専門的な職業リハビリテーションサービス，事業主に対する障害者の雇用管理に関する相談・援助，地域の関係機関に対する助言・援助を実施している．地域障害者職業センターは（https://www.jeed.go.jp/location/chiiki/）で確認できる．（「高齢・障害・求職者雇用支援機構（JEED）」のウェブサイト内）

2．ハローワーク
障害者の態様に応じた職業紹介，職業指導などを行っている．ジョブコーチの派遣も行う．
（https://www.hellowork.mhlw.go.jp/）

3．就労移行支援事業所
原則として2年間，国の補助金を利用して就労のためのサポートを受けることができる．

4. 障害者就業・生活支援センター
　身近な地域において就業面及び生活面における一体的な支援を行う．
　（https://www.mhlw.go.jp/stf/newpage_18012.html）
5. サポステ（地域若者サポートステーション）
　障害の有無にかかわらず働くことに踏み出したい 15〜49 歳の方への支援を行う．

■▶ 警察・司法関係

1. 少年センター（警察）
　子どもの非行などの相談，いじめや犯罪被害の心のケアなどの活動に取り組んでいる．
2. 少年補導センター
　地域における非行防止の活動拠点であるが，いじめ，不登校などの様々な問題に対する幅広い少年相談も行っている．
3. 少年鑑別所
　一般相談．子どもの非行問題などの相談．少年本人のほか，子どもの問題でお悩みの保護者や学校の先生などの相談に応じている．心理職もいて心理検査も実施できる．法務省のサイトによれば，「心理相談の窓口は，少年鑑別所とは異なる名称を掲げているほか，相談室への出入口を特別に設けるなど，利用しやすい環境作りに努めている」とのことである．
　▶相談窓口一覧（https://www.moj.go.jp/kyousei1/kyousei_k06-1.html）
4. 法務局　様々な人権にかかわる相談．
　人権相談　（https://www.moj.go.jp/JINKEN/index_soudan.html）

■▶ その他

▶ **保護者や当事者，支援者などの団体**
　一般社団法人　日本発達障害ネットワーク（JDD ネット）（https://jddnet.jp/）
　特定非営利活動法人　全国 LD 親の会　（https://jpald.net/）
　一般社団法人　日本自閉症協会　（http://www.autism.or.jp/）
　認定 NPO 法人　EDGE　（https://www.npo-edge.jp/）

▶ **企業など**
　株式会社 LITALICO　（https://litalico.co.jp/）
　株式会社 Kaien　（https://www.kaien-lab.com/）

▶ **学会・研究会**
　一般社団法人　日本 LD 学会　（https://www.jald.or.jp/）
　発達性ディスレクシア研究会　（http://square.umin.ac.jp/dyslexia/concept.html）
　一般社団法人　日本小児神経学会　（https://www.childneuro.jp/）
　一般社団法人　日本児童青年精神医学会　（https://child-adolesc.jp/）
　一般社団法人　日本小児精神神経学会　（https://www.jsppn.jp/）

〔若宮英司，鳥居深雪〕

索 引

和 文

あ

アーレン症候群　8
アプリ　67, 145
意味　16, 19, 96
意味性錯書　33
意欲　4, 58, 143, 155
医療機関　71, 76, 164
運動発達　42, 46, 57
エンコーディング　43
オプトメトリスト　76
音韻　18
音韻認識　18, 22, 83, 88, 102
音韻認識能力　20
音声教材　67
音声ペン　67

か

改訂版標準読み書きスクリーニング検査（STRAW-R）　62
介入　44, 71, 155
学習困難（学習不振）　2, 11, 16, 41, 58, 71
学習支援　58, 66, 148
各種検査　61
数概念　36, 111
学校生活　153, 160
眼球運動　7, 42, 49, 126
鑑別　4, 12, 47, 51, 56, 58
機器　67, 147
機能画像検査　22
機能的MRI　22, 25
教育機関　58, 160
教育センター　71, 162, 167, 176
教育相談　81
協応能力　92
協調運動　8, 42, 45, 132
協調運動障害　46
起立性調節障害（orthostatic dysregulation:OD）　157, 171
近見・遠見数字視写検査　64
計算障害（dyscalculia）　23, 37
計算手続き　38
軽微な神経機能障害（minor neurological dysfunction: MND）　48
言語障害　3, 16, 39, 51, 101
言語聴覚士　76
言語能力　4
言語発達　2, 16, 42, 57, 70, 121
言語発達障害　17
建設的対話　28
語彙　16, 19
構音障害　17
行動異常　158
合理的配慮　26, 66, 79, 133, 153, 161, 174
国際疾病分類（ICD）　2
国際ディスレクシア協会（International Dyslexia Association:IDA）　2
個に応じた支援　161
語用　17, 19

さ

作業療法　79, 133, 166
作業療法士　76, 166
算数障害　5, 36, 112
支援ネットワーク　153, 159
視覚関連機能　6
視覚関連症状チェックリストVSPCL（vision-related symptom and performance check list）　55
視覚認知　7, 35, 55, 91
視機能　6, 54
視機能訓練　79
視空間認知　22, 35
自己決定　152
自己効力感　14, 155
自己肯定感　155
自己認知　152, 159
自己理解　152
姿勢　8, 14, 41, 80, 132, 148, 166
自尊感情　155, 173
視知覚　7, 129
質問紙　47, 54
自動化能力　18
指導の流れ　76
児童発達支援センター　71, 177
児童福祉法　163
就労　59, 173, 177
障害児　163
障害を理由とする差別の解消の推進に関する法律（障害者差別解消法）　26, 161
小中学生の読み書きの理解（URAWSS Ⅱ）　62
情報通信技術（information and communication technology:ICT）　66, 143, 161, 175
書字障害　4, 23, 35
神経学的最適性スコア（neurological optimality score:NOS）　48

神経学的微細徴候（soft neurological signs:SNS） 48
心身症　156
心理社会的ストレス　155
数学的推論　38, 43
数的事実　38
生活活動　168
生活リズム　153, 169, 171
精神障害の診断・統計マニュアル（DSM）　2
精神症状　157
専門機関　41, 157, 174
粗大運動　9, 45

▶た

単語形態の認知（visual word form area）　21
知的障害　11
知的水準　11, 32, 43, 60
知的能力障害（intellectual disabilities:ID）　11, 42
知能検査　11, 43, 59, 70
注意集中　9, 41
聴覚認知障害（聴覚失認）　52
聴力障害　51, 70
通級指導　161
綴字（スペリング）　2, 35
適応指導教室　161
デコーディング　18, 32, 43, 83
統語　17, 19
特異的言語発達障害（specific language impairment:SLI）　17, 34
特異的読解障害（specific comprehension deficits）　34

特異的発達障害診断・治療のための実践ガイドライン　62
特殊音節　85, 88, 102
特別支援教育　58, 159
特別支援コーディネーター　160, 174
読解　18
トップダウン　69, 125, 149, 164

▶な

二次障害　149, 155, 167, 174
二重経路モデル　20
日本版 KABC-Ⅱ　61
日本版感覚インベントリー　65
日本版感覚統合検査　感覚処理・行為機能検査（JPAN）　64
日本版ミラー幼児発達スクリーニング検査（Japanese version of Miller Assessment for Preschoolers:JMAP）　47
認知機能　20, 60
年齢に応じた学習支援　149

▶は

発達障害（神経発達症）　12, 49, 59, 71, 148, 168
発達性協調運動障害（developmental coordination disorder:DCD）　45
発達性ディスレクシア　3, 32, 101
発達フォロー　57
発達歴／既往歴　42

ひきこもり　158
微細運動　45
ビジョントレーニング　127, 130
表出性言語障害　17
ひらがな単語聴写テスト　64
不安障害　14, 157
副腎白質ジストロフィー（adrenoleukodystrophy:ALD）　53
不登校　58, 153, 158, 161, 171
不当な差別的取扱い　28
文意理解　118
包括的領域別読み能力検査（CARD）　63
保護者指導　81
ボトムアップ　69, 79, 149, 164

▶ま

「見る力」を育てるビジョン・アセスメント（WAVES）　64
問診　41, 49, 71, 76

▶や

薬物療法　13, 59, 73, 157
ユニバーサルデザイン　161

▶ら

療育　57, 153, 164, 177

▶わ

ワーキングメモリ　19, 23, 88, 107, 121, 148

欧文

▶ ABC

ADHD　13, 42, 57, 73, 106, 135, 148, 168
ASD　13, 42, 57, 139, 148, 168
CARD（包括的領域別読み能力検査）　63

▶ DEF

DCD（developmental coordination disorder）発達性協調運動障害　45
DN-CAS 認知評価システム　61
DSM（精神障害の診断・統計マニュアル）　2
dyscalculia（計算障害）　23, 37

▶ GHIJ

Gerstmann 症候群　39
ICD（国際疾病分類）　2
ICT（information and communication technology）情報通信技術　66, 143, 161, 175
IDA（International Dyslexia Association）国際ディスレクシア協会　2
ID（intellectual disabilities）知的能力障害　11, 42
J.COSS 日本語理解テスト　63
JMAP（Japanese version of Miller Assessment for Preschoolers）日本版ミラー幼児発達スクリーニング検査　47
JPAN（日本版感覚統合検査 感覚処理・行為機能検査）　64

▶ KLMN

KABC-Ⅱ　61
Landau-Kleffner 症候群（LKS）　51, 53
LCSA 学齢版言語・コミュニケーション発達スケール　63
LD　2, 11, 42, 70, 155
LD の診断　4, 11, 32, 57, 60, 173
MND（minor neurological dysfunction）軽微な神経機能障害　48
NOS（neurological optimality score）神経学的最適性スコア　48

▶ OPQR

OD（orthostatic dysregulation）起立性調節障害　157, 171
PVT-R（絵画語い発達検査）　63
RTI（response to intervention）　58

▶ STUV

SCTAW 標準抽象語理解力検査　63
SNS（soft neurological signs）神経学的微細徴候　48
specific comprehension deficits（特異的読解障害）　34
SLI（specific language impairment）特異的言語発達障害　17, 34
STRAW-R（改訂版標準読み書きスクリーニング検査）　62
URAWSSⅡ（小中学生の読み書きの理解）　62
visual word form area（単語形態の認知）　21
VSPCL（vision-related symptom and performance check list）視覚関連症状チェックリスト　55

▶ WXYZ

WAVES（「見る力」を育てるビジョン・アセスメント）　64
WISC　61, 76, 78

・ **JCOPY** 〈出版者著作権管理機構 委託出版物〉
本書の無断複写は著作権法上での例外を除き禁じられています．
複写される場合は，そのつど事前に，出版者著作権管理機構
（電話：03-5244-5088，FAX：03-5244-5089，e-mail：info@jcopy.or.jp）
の許諾を得てください．

・本書を無断で複製（複写・スキャン・デジタルデータ化を含みます）
する行為は，著作権法上での限られた例外（「私的使用のための複
製」など）を除き禁じられています．大学・病院・企業などにお
いて内部的に業務上使用する目的で上記行為を行うことも，私的
使用には該当せず違法です．また，私的使用のためであっても，
代行業者等の第三者に依頼して上記行為を行うことは違法です．

子どもの学びと向き合う
医療スタッフのための LD 診療・支援入門　改訂第 2 版

ISBN978-4-7878-2568-1

2022 年 10 月 21 日　改訂第 2 版第 1 刷発行

2016 年 5 月 20 日　初版第 1 刷発行
2018 年 5 月 30 日　初版第 2 刷発行
2020 年 12 月 1 日　初版第 3 刷発行

監　　修	玉井　浩
編　　集	若宮英司
発 行 者	藤実彰一
発 行 所	株式会社　診断と治療社

〒 100-0014　東京都千代田区永田町 2-14-2　山王グランドビル 4 階
TEL：03-3580-2750（編集）　03-3580-2770（営業）
FAX：03-3580-2776
E-mail：hen@shindan.co.jp（編集）
　　　　eigyobu@shindan.co.jp（営業）
URL：http://www.shindan.co.jp/

表紙デザイン	広研印刷株式会社
本文イラスト	小牧良次（イオジン）
印刷・製本	広研印刷株式会社

［検印省略］

© 株式会社　診断と治療社, 2022. Printed in Japan.
乱丁・落丁の場合はお取り替えいたします．